Шарон Сэйл

В глубине сердца

МОСКВА
1998

ББК 84 (7США)
С97

Серия основана в 1998 году

Sharon Sala
DEEP IN THE HEART
1996

Перевод с английского В.И. Ткаченко

В оформлении обложки использована работа, предоставленная агентством Fort Ross Inc., New York

Сэйл Ш.
С97 В глубине сердца: Роман/Пер. с англ. В.И. Ткаченко. – М.: ООО "Фирма "Издательство АСТ", 1998. – 432 с. – (Обольщение).

ISBN 5-237-01164-0

Когда-то, совсем еще мальчишкой, Джон Томас Найт не колеблясь отдал бы жизнь, чтобы спасти свою первую любовь – Саманту Карлайл. Но вот уже много лет, как юношеское чувство стало всего лишь далеким воспоминанием. Однако теперь, когда Саманту преследует таинственный убийца, она вынуждена вспомнить о Джоне Томасе и просить его о помощи – и отважный техасец понимает, что по-прежнему готов отдать за нее жизнь...

Слаще всего первая любовь, поскольку она внове. Время проходит, и любовь становится редкостью.

Эта книга посвящена любящим впервые и тем немногим счастливцам, кто сохранил свои чувства живыми.

Пролог

В сущности, Саманта Джин Карлайл была мертва. Дело было только в том, когда и как это должно случиться.

Пол ее последней квартиры был не мягче, чем в предыдущей, но именно на нем она чувствовала себя в наибольшей безопасности после всего того, что ей пришлось пережить в последние три месяца. В пространстве ниже уровня подоконника Саманта была ближе к небесам, чем в любом другом месте.

Доказательства уготованной ей судьбы валялись на полу, окружая ее дьявольским кольцом. Послания, полные ненависти, и кассеты автоответчика, забитые предупреждениями и угрозами преследователя, жаждавшего ее смерти.

Лицо ее было бледно, свет в глазах погас много недель назад. Надежды оставили Саманту и забрали с собой ее волю к жизни. Полиция обвинила

Саманту в том, что она все выдумала, а шеф отправил домой, советуя собраться и привести себя в порядок, прежде чем возвращаться на работу. Друзья исчезли, вера в любимого человека была потеряна.

Вздох застрял у Саманты в горле, и она всхлипнула.

— Боже, мне нужна помощь, — прошептала она, откидываясь назад и ударяясь головой о стену. — На всей земле нет никого, кто поверил бы мне. Если бы хоть кто-нибудь мог...

Слова замерли у нее на языке, и Саманта вздрогнула от внезапно всплывшего в памяти образа мальчишки, которого она когда-то знала, и мужчины, которым он стал. Она тронула старый шрам на запястье, вспоминая клятвы, которыми они обменялись, и подумала, что, наверное, окончательно свихнулась.

Но мысль не уходила. Несколько долгих часов она думала о прошлом, о юноше, давшем ей клятву в верности, которую, как Саманте казалось, нельзя нарушить. Но, встав на ноги и пробираясь в потемках квартиры к телефону, она думала: «Что, если он больше там не живет? Что, если он даже не помнит меня?» Новый всхлип сорвался с ее губ, когда она дрожащими пальцами набирала номер.

Поговорив по телефону, она убедилась, что номер, зарегистрированный на его имя, существует. А городок Коттон в Техасе настолько мал, что доставить письмо местному жителю очень легко: достаточно просто написать его имя на конверте.

Если он остался таким, каким его помнила Саманта, если время не изменило Джонни Найта настолько, что он забыл старые обещания, то, может быть, есть на свете еще один человек, которому не все равно, жива она или умерла.

— Великий Боже, пусть он приедет, — шептала Саманта, начиная писать письмо, которое, она отлично понимала, может оказаться последним в ее жизни.

Глава 1

Джон Томас Найт всегда знал, что попадет в ад. Он, правда, не представлял, что въедет в него на желтом такси.

С тех пор как два часа назад его самолет приземлился в Лос-Анджелесе, он молился больше, чем за всю свою предыдущую жизнь, и все равно не был уверен, что когда-нибудь снова увидит свой дом. Из такси, где он сидел, графство Чероки, штат Техас, казалось все более замечательным местом. Здесь, в Лос-Анджелесе, машины не ехали — они метались и скакали, и у людей, что управляли ими, были одинаково безумные лица.

«Надо быть сумасшедшим, чтобы жить здесь», — подумал Джонни.

Когда его такси остановилось на красный свет, высокий худой мужчина в военной форме внезапно возник посреди плотного людского потока, словно материализовавшись из пустоты, и неожиданно выполнил идеальное сальто. Приземлившись на колени, он залопотал что-то на непонятном Джону Томасу языке.

— Придурок ненормальный, — проворчал Джон Томас и попытался представить себе Сэм, которую он знал, живущей в подобном месте.

Воспоминание о Сэм вернуло его к мысли о том, зачем он здесь. Он вспомнил тот последний раз, когда видел подругу своего детства, ставшую потом его первой любовью.

Ему было восемнадцать. Джон вспомнил, как ему было больно, когда, стараясь быть мужчиной и не плакать, он поцеловал ее, прощаясь на автобусной остановке. Саманте Карлайл было шестнадцать, и ее также переполняла любовь. Он до сих пор помнил слезы, стоявшие у нее в глазах, провожавших тронувшийся автобус.

Он поежился, вспомнив, как в следующий раз приехал домой — три месяца спустя, на похороны отца, — и узнал, что ее семейство уже перебралось в Калифорнию, ни с кем не попрощавшись и не оставив нового адреса, который помог бы отыскать Саманту.

Он погладил тонкий шрам, ниточкой протянувшийся поперек запястья. В памяти вставали поздние летние вечера, клятвы на крови, обещания, данные друг другу.

Клятвы в вечной дружбе: «Истинный крест, чтоб мне умереть». Ночи, когда немного спадала невыносимая жара тягучих летних дней. И единственными свидетелями их встреч были цикады и кузнечики, устраивавшие сумасшедшую какофонию в ветвях мимоз над головой.

У Джона судорогой свело желудок, когда такси совершило внезапный поворот, и он не знал, было ли это от страха перед дорожным движением, то ли болью от воспоминания о вечере ее шестнадцатилетия, когда они дали совсем другой обет. Обет, после которого они оказались в объятиях друг друга под кронами мимоз.

Джон передернул плечами и закрыл глаза, пытаясь вызвать в памяти выражение на лице Саманты, когда он принимал ее оригинальное признание в любви вместе с ее девственностью — все вместе в тот вечер. Они были так счастливы... и так уверены в будущем.

Но все закончилось слишком быстро, а мысли о прошлом все еще отдавались в нем болью.

Его губы растянулись в кривой усмешке, когда он вернулся мыслями к мечтам зеленой юности. Но улыбка погасла, как только он вспомнил о письме, полученном два дня назад. О письме, из-за которого он помчался через всю страну из техасского графства Чероки в Лос-Анджелес, с сердцем, выпрыгивающим из груди. О письме, заставившем его молиться, чтобы не оказалось слишком поздно выполнить обещание, данное много лет назад.

«Он не оставит меня в покое... — писала она. — И мне некуда бежать. Джонни, молю, приезжай и забери меня! Не дай мне погибнуть!»

Давняя обида на ее необъяснимое исчезновение и старые вопросы без ответов из их юности не смогли заставить его отмахнуться от ее призыва о помощи. После всего, что произошло между ними. Немедленно откликнуться — это было самое меньшее, что он мог сделать для девушки, которая была его лучшим другом первую половину жизни.

Джон шевельнулся на сиденье и тут же напрягся, удерживая стетсон на голове, когда водитель такси стремительно срезал угол, как упавший в воду муравей, рвущийся к сухой земле. Либо этот тип так бешено водит машину из-за подавляемой агрессивности, либо просто настолько плохо знает английский, что путается в знаках дорожного движения, подумалось ему.

— Сбавь, черт побери, скорость или смотри, куда едешь! — рявкнул Джонни, протянув на переднее сиденье руку со значком. Звезда шерифа из Техаса не имела законной силы в Калифорнии, но Джон Томас был слишком зол, чтобы смущаться такими пустяками.

Потрясенное выражение на лице таксиста отнюдь не помогло успокоить нервный спазм, который Джон Томас ощущал в желудке; он знал, что ощущения утопающего, с которыми он прожил последние сорок восемь часов, не имеют никакого отношения к калифорнийскому дорожному движению.

Несколько минут спустя таксист притормозил перед розовым оштукатуренным фасадом квартирного комплекса, окруженного пальмами.

Черный кованый забор и полуоткрытые ворота безошибочно подсказали Джону, что он находится в пригороде Лос-Анджелеса.

Он выбрался из такси, держа сумку в одной руке, шляпу в другой, затем сунул несколько купюр через открытое боковое окошко такси.

— Бог ты мой! — пробормотал он, надевая стетсон и сдвигая его затем на затылок. — Розовые дома! У нас в Чероки либо прошлись бы по ним побелкой, либо спалили бы их все к чертовой матери, лишь бы не смотреть на такое убожество.

— Что вы говорить мне? — пропищал таксист.

Джон Томас лишь покачал головой и махнул рукой, отпуская машину. Затем медленно и глубоко вздохнул и ступил на тротуар. Прямо перед ним росли тощие городские пальмы, вокруг царила крикливая смесь ярких красок. Поправив стетсон, Джонни подхватил сумку и направился к двери, которая, он надеялся, была дверью квартиры 214.

Он прошел еще только вторую дверь в длинном ряду квартир, а уже успел встретить двух мужчин, державшихся за руки, женщину с фиолетовыми волосами, одетую в обтягивающее розовое трико, юнца, выгуливавшего четырех собак — каждая не больше молодого броненосца, — и получил недвусмысленное предложение от девчонки подросткового возраста, годившейся ему в дочери.

Но как только Джонни оказался у двери с номером 214, его перестало заботить, где он находится; его волновала лишь та, которую ему предстояло увидеть.

Он и Саманта уже не были подростками. Но они были друзьями задолго до того, как стали любовниками, и, несмотря на болезненное расставание, он все еще считал ее больше, чем просто другом.

Двадцать с лишним лет дружбы, связывавшей их, нельзя было так просто отбросить. Его чувства были так же сильны, как в ту ночь, когда смешалась их кровь и в тишину упали слова их клятвы.

Джонни бросил сумку у двери, расправил плечи и постучал. Как бы там ни было, именно для этого он и приехал в Лос-Анджелес.

В глазах уже не осталось слез, чтобы плакать. Мучительный страх стал обычным состоянием Саманты Карлайл. Она ожидала неизбежного конца. Каждый день убийца подбирался все ближе, и она ничего не могла сделать, чтобы остановить его.

Саманта едва могла вспомнить свою жизнь, какой та была еще три месяца назад, когда она считалась весьма ценным сотрудником одного из голливудских агентств по найму актеров. Спокойно и компетентно Саманта справлялась с распределением известных и еще не слишком известных актеров на главные и эпизодические роли.

Она получала удовольствие от постоянного волнующего напряжения при подборе подходящих актеров или актрис на роли в кино. И хотя Саманта занималась этим больше семи лет, она никак не могла привыкнуть к неприятной процедуре отказа, не могла хладнокровно обрушивать плохие новости на головы кандидатов, не прошедших отбор. В большинстве случаев актеры и актрисы воспринимали отказы стоически. Но иногда встречались такие, кого подобное известие просто раздавливало. В такие моменты Саманте хотелось быть простой продавщицей зелени в супермаркете, а не хоронить чьи-то надежды и мечты.

— И посмотри на себя сейчас, — прошептала Саманта своему отражению в окне, у которого стояла, оглядывая дворик внизу. — У тебя нет работы. Ты бежишь от дьявола и от собственной тени. Ты лишь прячешься и... ждешь смерти.

До сегодняшнего дня она никогда не задумывалась о том, что значит «жить на время, взятое взаймы».

Саманта вновь взглянула на свое отражение и подумала: что же в ней есть такое, что заставляет мужчину изводить ее дикими угрозами мести?

Ее лицо не отличалось от многих точно таких же — сердцеобразной формы, но чуть более узкое, обрамленное густыми черными волосами. Нос по-прежнему оставался маленьким и задорно вздернутым, но щеки больше не были округлыми: они впали и посерели. Губы когда-то были полными, но теперь потеряли свою яркость, а любовь к жизни, которая прежде била ключом из ее глаз, почти совсем угасла. Саманта слегка вздрогнула и задернула портьеры, чтобы защитить себя от палящего солнца и, возможно, от пристально смотрящих глаз.

Когда письма с угрозами сменились телефонными звонками с леденящими душу посланиями, оставленными измененным до неузнаваемости голосом, Саманта совсем потеряла голову — и одновременно растеряла так называемых друзей.

Потом она дважды меняла место жительства, каждый раз считая, что сумела перехитрить преступника. А затем наступал день, когда она узнавала, что ее вновь преследуют. Но к тому времени уже нельзя было и думать о том, чтобы вновь обратиться в полицию. Там были убеждены, что она придумала эти страшные истории сама, и почти убедили в этом Саманту.

Ее ярость при этих обвинениях быстро сменилась изумлением, когда полиция доказала ей как дважды два, что письма с угрожающими посланиями, которые она получала, были отпечатаны на ее собственной пишущей машинке, стоявшей в кабинете на работе, а телефонные послания, записанные на ее автоответчике, приходили с номера, установленного в пустой квартире, снятой на имя

Саманты Джин Карлайл. По этому поводу в свое время было сказано немало. Когда лос-анджелесская полиция напомнила ей, что имитация правонарушения является преступлением, Саманта забрала свои письма и пленки и отправилась домой, решив нанять личного телохранителя. Правда, состояние финансов скоро заставило ее отказаться от этой идеи.

Это произошло в тот день, когда шеф отправил Саманту в бессрочный отпуск, сказав, что, конечно, будет рад принять ее обратно, когда она приведет свои мысли и чувства в порядок.

Жертва стала обвиняемой. Поначалу Саманту бесило, что никому нет дела до ее проблем, что никого не заботит ее жизнь. Но потом у нее остались силы только на то, чтобы выживать.

Она вспомнила о Джонни Найте из-за постоянной тревоги и страха, что никто ее не спасет, не говоря уже о том, что он единственный может поверить ей.

До ночного звонка на прошлой неделе она даже не знала, остался ли он в графстве Чероки и жив ли еще. Последняя ниточка между ними оборвалась много лет назад, когда ее семья уехала из Коттона. В шестнадцать лет она любила его так, что хватило бы на две жизни. И, как оказалось, ее любви было недостаточно, чтобы сохранить их связь, после того как ее семья перебралась в Калифорнию.

Однако клятвы в вечной дружбе были надежно спрятаны в глубинах ее памяти, а чувства все еще были сильны настолько, что заставили написать то письмо. Джонни оставался ее последней и единственной надеждой.

Судорога свела желудок, напомнив Саманте, что она в очередной раз забыла поесть. И она сразу вспомнила причину, по которой осталась голодной: в доме совсем не осталось продуктов, а она слишком боялась маньяка, возможно, рыскающего вокруг ее дома, чтобы пойти купить что-нибудь.

Резкий стук в дверь заставил ее быстро обернуться. Саманта обхватила рукой горло, почувствовав, что кровь отливает от лица, и отчаянным усилием подавила приступ тошноты. Замерев, она стояла посреди комнаты и прислушивалась.

Джон Томас почему-то ожидал, что ему откроют сразу. Когда этого не произошло, он еще раз сверился с адресом и, нахмурясь, снова посмотрел на табличку с номером на двери квартиры. Все совпадало.

В его мозгу промелькнула картина, словно он открывает дверь и видит, что ехал в такую даль только для того, чтобы обнаружить: уже слишком поздно. Увидеть ее тело, распростертое посреди комнаты, пренебрежительно оставленное тем, кто ворвался в ее мир без приглашения.

Ужасная картина представилась так ясно, что он поежился, а потом внезапно рассердился. От нахлынувших эмоций его вторая попытка достучаться больше походила на лобовую атаку.

...Саманта так испугалась, что даже подумала, не позвонить ли в последний раз в полицию, хотя и сознавала, что ее лишь обвинят в очередной ложной тревоге.

Джон Томас уже почти собрался идти искать управляющего, когда услышал женский голос. Он звучал слабо, слегка дрожал и вызвал поначалу растерянность, пока Джонни примеривал этот мягкий низкий голос к девушке, которую когда-то знал.

— Кто это? — снова спросила она.

— Сэм? Это ты? Впусти меня.

Саманта задохнулась. Она не узнала этот низкий и хриплый голос, раскаты которого отдавались от козырька над дверью. Но только один человек на свете называл ее Сэм. Она подбежала к двери и приникла к глазку, и боясь взглянуть, и опасаясь упустить свой последний шанс.

Он выглядел совсем не так, как она ожидала, но через этот глазок Саманта не узнала бы и собственных родителей, будь они живы.

— Кто это? — спросила она снова, наблюдая, как человек по ту сторону двери раздраженно засунул руки в карманы.

— Это я... Это... — Он чуть не сказал «Джон Томас». Но Саманта не знала его под этим именем: к тому времени, когда он решил, что не пристало свежеиспеченному морскому пехотинцу в свой первый отпуск зваться Джонни, она уже давно уехала.

— Это Джонни. Я получил твое письмо. Открой мне.

Его голос смягчился. Он понял, как Сэм испугана, если то, что она написала, правда.

— Поклянись! — услышал он и улыбнулся. Джон знал, какие слова надо сказать, чтобы она ему поверила.

— Истинный крест, чтоб мне умереть, — произнес он негромко. Именно этого она и ждала. Из глаз полились тихие слезы. Слезы, которые, ей казалось, она выплакала навсегда. И с ними пришло облегчение, заполнившее все ее существо, пока она возилась с ключом.

Щелкнули замки, звякнула цепочка, и дверь приоткрылась... ровно настолько, чтобы Джон Томас впервые за пятнадцать лет смог увидеть ярко-голубые прозрачные глаза Саманты Карлайл. Затем дверь распахнулась, и он увидел ее всю. У него перехватило дыхание.

Женщина! Она превратилась в женщину, и в какую! В настоящую красавицу! Джонни был не готов к такому потрясению.

— Джонни?

Саманта пристально и долго всматривалась в возвышавшегося над ней широкоплечего ковбоя, пытаясь отыскать хотя бы одну черточку того мальчишки, которого знала и любила. Но черные волосы и жестко очерченные скулы крупного мужчины, стоявшего у ее двери, казались ей незнакомыми. Только глаза она узнала: карие, теплого оттенка, с немного оторопелым выражением. Твердый рот, упрямый подбородок. Весь его вид настолько изменился, что Саманта не узнала бы его на улице, столкнись они нос к носу. И тут она вспомнила! Безусловное доказательство должно быть на месте. Она потянулась к его запястью.

От прикосновения ее руки он сначала вздрогнул, но когда понял, что Саманта ощупывает браслет часов на его руке, догадался, *что* она ищет. Он замер в ожидании, решив предоставить ей самой убедиться во всем.

Саманта задержала дыхание и посмотрела вниз. Поглощенная поиском, она на заметила, как помрачнело его лицо. Когда ее пальцы коснулись твердого рубца под браслетом, из нее словно выпустили воздух — настолько глубоким и протяжным был ее выдох. Она нашла шрам.

Побледневшее, тоненькое напоминание об их детской клятве оказалось на месте. Это действительно он! Саманта подняла голову и улыбнулась. Это была первая улыбка за несколько месяцев.

— Это ты! — прошептала она. — Ты приехал!

Через мгновение она была в объятиях Джона Томаса, и тот почувствовал, что теряет ощущение реальности от ее близости. Попытавшись ослабить объятия, он ощутил, как отчаянно напряглись ее руки. Столько времени прошло — слишком много. Хотя Джон Томас помнил, как Саманта отвергла его тогда, он все еще сомневался: так ли уж много прошло времени?

Когда Джон смог наконец отвлечься от мыслей о мягком, женственном теле, нежно прижимавшемся к нему, он осознал, что последний раз держал ее так, когда она отдала ему себя полностью, а спустя несколько недель исчезла, не сказав ни слова на прощание. Сгусток горячего воздуха ударил его в затылок подобно дыханию сатаны.

Он вспомнил, зачем приехал сюда.

— Подожди минутку, Сэм.

Он ругнулся вполголоса, затем пропихнул носком ноги свою сумку в открытую дверь и захлопнул ее за собой.

Она ничего не сказала, а ему и не хотелось, чтобы она что-то говорила. Чувствуя всю силу ее отчаяния, он позволил ей прильнуть к нему. У них еще будет время поговорить, но сейчас все, что они могут делать, — это вспоминать.

Глава 2

Коттон, Техас, 1974 год

— Саманта Джин, куда это ты собралась?

Сэм закатила глаза и вздохнула. Черт! Если бы папуля смазал петли на двери черного хода, мама не смогла бы ее услышать.

— Просто выйти, — ответила она спокойно.

— Уже почти стемнело.

— Знаю, но ведь я буду с Джонни.

Она не слышала, как раздраженно хмыкнула мать, а если бы и услышала, то не удивилась бы, поскольку знала: ее мама считает Джонни Найта слишком взрослым и грубым мальчишкой для друга восьмилетней девочки. В свои полные десять лет он уже заработал в их крошечном городке репутацию «уличного ребенка».

Его отец овдовел несколько лет назад и уже давно предоставил Джонни самому заботиться о себе.

К тому времени когда Джонни Найту исполнилось восемь, он приобрел уважение старших ребят в округе и не давал им спуску. Но что больше всего поражало местное общество, так это странная дружба, вспыхнувшая между маленькой дочкой директора школы и единственным хулиганом Коттона.

Шлепая маленькими босыми ножками по сухой пыльной земле, Саманта побежала по аллее к городскому парку. Во дворе позади нее залаяла собака, через дорогу метнулась кошка, но ничто не могло заставить ее замедлить бег. Она ощупала карман своих запыленных джинсов, проверяя, все ли она захватила из того, что просил принести Джонни. Сегодняшний вечер был слишком важен, чтобы в чем-нибудь напортачить.

И еще для Саманты было очень важно, чтобы Джонни похвалил ее.

Длинные голубые тени скользили по уединенному уголку заросшего травой парка. Саманта увернулась от ночной бабочки, порхнувшей у нее перед лицом. Она не вскрикнула, хотя удержалась от этого с трудом. Уже почти стемнело, а когда Джонни не было рядом, Саманта была не такой уж храброй.

Но вот он появился, вынырнув из-за ряда деревьев и подбежав к ней с улыбкой на лице; густые черные волосы в беззаботном беспорядке. Джонни махнул рукой, и она подошла к нему ближе.

— Все принесла? — поинтересовался он.

Саманта кивнула, нервно оттягивая на груди свою вылинявшую футболку; на ее ангельском личике застыло странно печальное выражение.

— Ты все еще хочешь это сделать?

Она снова кивнула.

Джонни ободряюще хлопнул ее по спине и ухмыльнулся.

— Тогда пошли, Сэм. Томми сказал мне, как это делается. Раз уж мы решились, то должны действовать по всем правилам.

Сумерки совсем окутали парк, когда Джонни и Саманта подошли к группе деревьев, затерявшейся в глубине городского парка. Он уже расчистил место под пышно цветущей мимозой, и у Саманты екнуло в животе, когда, упав на колени, она начала опустошать свои карманы.

Темнота все сгущалась, обволакивала их; наступала настоящая ночь. Джонни работал быстро, раскладывая различные приспособления, которые нужны были для совершения таинственного обряда. Надо было успеть до того, как мать Саманты начнет выкрикивать ее имя; она делала так каждый вечер, призывая свою маленькую дочь вернуться домой.

Джонни никогда не приходило в голову, как это грустно, что никто не зовет его домой, что никому, кажется, нет дела, что он один остается во тьме.

В десять лет он был уже весьма самостоятельным маленьким мужчиной.

— Ну вот, — произнес он, глядя сверху в широко раскрытые голубые глаза Саманты и придвигаясь к девочке поближе, чтобы удостовериться, что на них не показались слезы. — Я готов.

— Я тоже, — ответила она и смело протянула ему руку.

— Ты хочешь быть первой? — спросил Джонни, удивленный неожиданным проявлением мужества со стороны своей подружки.

Та кивнула.

— Тогда начнем. — Он взял Саманту за запястье и крепко сжал пальцы. — Если хочешь, закрой глаза.

Девочке очень этого хотелось, но она отрицательно помотала головой.

Надрез ножом по запястью был совершен мгновенно и оказался не больнее укола. Она задохнулась и опустила глаза вниз как раз вовремя, чтобы увидеть, как Джонни делает такой же надрез на собственном запястье, чуть ниже основания большого пальца.

Тоненькая струйка ярко-красной крови потекла по ее руке. Сердце Саманты колотилось о ребра, но она подавила желание заплакать. Ведь все это было слишком серьезно, чтобы обращать внимание на тошноту или плакать, как малявка.

— Пора, — мягко сказал Джонни, вновь взяв подружку за руку. Когда их запястья соединились и кровь, смешавшись, закапала на траву, он произнес:

— Повторяй за мной.

Она повиновалась.

— Друзья навсегда, и в радости, и в горе.

— Друзья навсегда, и в радости, и в горе.

Саманта тихим эхом вторила ему, потрясенная необыкновенным ощущением от того, что их кровь смешивается и жаркой струйкой течет по рукам.

— Хранить тайны и выполнять обещания.

— Хранить тайны и выполнять обещания.

Цикады на дереве, под которым они расположились, вдруг разразились сумасшедшим восторженным стрекотом, отчего Саманта в испуге вскочила.

Внезапно то, что начиналось как игра, стало чем-то большим, хотя дети этого еще не осознавали. Этой ночью между ними возникла связь, для понимания которой потребуется больше лет, чем им сейчас.

— В этом клянусь.

— В этом клянусь.

— Истинный крест, чтоб мне умереть.

— Истинный крест, чтоб мне умереть.

Они посмотрели друг на друга и улыбнулись. Свершилось!

Темно-карие глаза Джонни и густые волосы, постоянно нуждавшиеся в стрижке, были хорошо знакомы Саманте, так же как и угловатые сердитые очертания подбородка. Но сегодня в их отношениях что-то изменились. Теперь она уже больше не была маленькой девчонкой, которой он просто позволял находиться рядом. Теперь Саманта принадлежала Джонни Найту, а он принадлежал ей.

Джонни заметил, как тревожно расширились глаза Сэм, когда они разняли руки. Он и сам почувствовал укол страха при виде того, сколько крови оказалось на обоих запястьях.

Нервничая, он вытер ее руку полой своей рубашки, чтобы очистить место надреза; затем вскрыл пакетик с лейкопластырем и быстро залепил ранку. Открыв другую упаковку пластыря и передав его Сэм, он внимательно следил за тем, как она прикладывает белую полоску к его собственной ранке.

Джонни почувствовал внутреннее удовлетворение от того, что она так и не разревелась. Тут он вспомнил о замызганном носовом платке в кармане, поспешно вытащил его и принялся вытирать остатки крови с их рук, пока не исчезли все следы происшедшего, за исключением пары пустых оберток от пластыря на земле под ногами.

— Саманта! Пора домой!

Крик был слабым, но отчетливым. При звуке голоса матери Саманта дернулась, прикрыла здоровой рукой запястье и нервно оглянулась.

Джонни вздохнул. Это всегда срабатывало. Мать Саманты умудрялась звать дочь домой именно тогда, когда начиналось самое интересное.

— Кажется, тебе пора идти, — сказал он и помог подружке подняться на ноги. Затем еще раз проверил в густой темноте техасской ночи место пореза на ее руке, чтобы убедиться: кровотечение прекратилось. Он не мог позволить себе отправить Сэм домой без проверки. А вдруг она ночью истечет кровью?

Она вздохнула, отчего-то не желая, чтобы тонкая нить, протянувшаяся между ними, порвалась.

— Саманта Джин! — вновь позвала мать.

Когда та называла дочь полным именем, это уже было серьезно.

— Мне надо идти, — сказала она и бросилась бежать, но голос Джонни остановил ее.

— Сэм! Подожди.

Девочка обернулась и бросила взгляд назад, напряженно вглядываясь в темноту под мимозой. Она и не хотела оставлять Джонни там, и боялась разозлить мать.

— Помни, никому ни слова. Если проболтаешься, то волшебство пропадет, — предупредил он.

— Обещаю, — прошептала она. — Истинный крест, чтоб мне умереть. — После этих слов она убежала.

Четыре года спустя Джонни поколотил парня, жившего через улицу, за то, что тот дразнил Саманту Карлайл и довел ее до слез. А еще через четыре года, в день своего шестнадцатилетия, она подарила Джонни нечто большее, чем простые обещания.

Джонни Найт стоял за плотным рядом мимоз, укрывшись от любопытных глаз и ожидая в темноте прихода Саманты. Он точно знал, что она придет. Она пообещала.

Он поежился отчасти из-за нервного возбуждения, отчасти от снедавшего его желания. Он хотел Саманту так сильно, как только может хотеть любимую восемнадцатилетний парень. Но он слишком любил ее, чтобы подталкивать к близости. Сегодня он припас кое-какие новости, которые могут ей не понравиться.

Сегодня он записался в морскую пехоту. Армейская служба оставалась его единственным шансом. Оценки, полученные в школе, не позволяли претендовать на стипендию ни в одном колледже, а работа едва позволяла сводить концы с концами. Отец уже почти год сидел в тюрьме, так что вокруг не осталось никого, кто мог бы помочь изменить к лучшему его жизнь. Придется побороться за себя... и за Саманту. Ведь он столько всего намечтал о будущем! И в каждой мечте была она.

Послышались шаги, и когда девушка, пробравшись сквозь заросли, порхнула в его объятия, сердце Джонни заполнила такая любовь, что слова были бессильны ее описать. Какое-то время он только и мог, что обнимать ее.

— Я не знала, удастся ли мне, — воскликнула Саманта, прижимаясь к нему, смеясь и одновременно дрожа от волнения, вызванного побегом из дома. — Что за таинственность? Ты испугал меня чуть не до смерти, когда позвонил.

Джонни нахмурился. С тех пор как его отец попал в тюрьму, Саманте запретили видеться с ее другом и даже говорить. Он знал, что сильно рискует, звоня ей домой, но это было необходимо.

Джонни ненавидел отца Саманты за то, что тот разлучил их. Это было несправедливо. Не совершая преступления, он понес за него наказание, причем такое, которое почти убивало его. Отказаться от Саманты было невозможно. После ультиматума ее папаши они встречались тайком, урывками.

Он обнял ее, погладив нежную кожу у основания уха, что всегда заставляло ее ежиться и похохатывать. Саманта реагировала так, как он и ожидал.

— Боже, Сэм, как я буду скучать по тебе! — Ему трудно было произнести эти слова и не заплакать, и еще труднее оттого, что невозможно объяснить ей, как ему больно говорить об этом.

Она замерла.

— Скучать по мне? Почему? Ты уезжаешь?

Джонни крепче прижал ее к себе. Он был не в состоянии взглянуть на Саманту. Если она заплачет, он разрыдается вместе с ней, а мужчины в восемнадцать лет не плачут.

— Морская пехота. Я записался сегодня.

— Нет!

Ее крик разорвал ему сердце. В отчаянии она вцепилась в его рубашку.

— Джонни! Почему?

Но, едва взглянув в его лицо, она смогла прочитать ответ. Единственным способом для него переломить свою судьбу был отъезд отсюда. Все и каждый здесь, глядя на Джонни, вспоминали о его отце. Жители городка потихоньку, шепотом подсчитывали, через какое время он сам тоже сядет в тюрьму за воровство.

Саманта уткнулась лицом в рубашку Джонни. Как он и боялся, она начала плакать.

— Когда?

Он прикусил губу и запустил пальцы в ее волосы. Когда Сэм шевельнулась в его объятиях, каким-то образом наконец нашлись слова.

— Послезавтра, в восемь утра.

— Ты меня забудешь, — прошептала она, потянувшись ему навстречу для поцелуя. — Ты уедешь и больше уже не вернешься.

— Я не смогу тебя забыть, даже если бы попытался, — произнес он, ощущая такую боль в каждой клеточке своего тела, что не мог ясно мыслить. — И я обязательно вернусь. Я вернусь за тобой. Истинный крест, чтоб мне умереть.

Она засмеялась сквозь слезы. Он повторил столь памятную ей детскую клятву.

Джонни притянул ее лицо к своему. Он хотел лишь поцеловать ее, но их обоюдная печаль породила отчаянное стремление к близости. Необходимость доказать друг другу истинность своих чувств.

— Боже, Саманта. Я так люблю тебя, — шептал Джонни. — Я люблю тебя так, что мне больно.

Сэм спрятала лицо у него на груди. Она была смущена... и в то же время заинтригована. Она знала, где у него болит. Доказательство тому твердо упиралось ей в живот. Ей стало страшно. Страшно любить Джонни. И страшно не любить.

Точно так же как в ту давнюю ночь, когда они принесли друг другу клятву вечной дружбы на крови, Саманта приняла решение. И вновь сделала первый шаг.

Выскользнув из рук Джонни, она начала расстегивать свою блузку. Пуговица за пуговицей, не в силах посмотреть на него, боясь увидеть, какие чувства его обуревают.

Джонни застыл как изваяние, но внутри его уже горел огонь. Он не мог поверить в то, что видит. Но в то же время понимал, что не сможет остановить ее, даже если захочет.

— Сэмми?

Девушка остановилась и медленно подняла голову. Ночные тени скрадывали почти все его лицо, лишь темные техасские глаза смотрели на нее сквозь сумерки. Она взяла его руку и нежно, но твердо положила себе на грудь.

— О Боже, Сэмми, ты уверена?

Она кивнула.

— Люби меня, Джонни. Я не могу позволить тебе уехать, не сделав так, чтобы ты обязательно вернулся.

Стон повиновения был его единственным ответом.

И здесь, под мимозовым деревом, они упали в объятия друг друга, переплетя свои юношеские тела в неудержимом порыве. Прежде чем закончилась ночь, Саманта отдала Джонни единственное, что могла еще подарить. Себя.

Два дня спустя она поцеловала его на прощание на автобусной остановке и осталась одна с его обещаниями, все еще звучавшими в ее ушах. А еще через две недели Саманта Карлайл и ее родители внезапно уехали в Калифорнию. Саманта так никогда и не узнала, что ее отцу было известно больше, чем ей хотелось бы, о ее отношениях с Джонни. Он ненавидел мальчишку и в то же время был напуган их привязанностью друг к другу, понимая, что бороться с этим бесполезно.

Он сделал единственное, что считал правильным, — увез свою дочь подальше от соблазна, перевез семью на другой конец страны и втайне от Саманты намеренно не оставил в Коттоне нового адреса.

Спустя месяц после переезда, видя, что ни одного письма до них не доходит, а его дочь каждую ночь засыпает со слезами на глазах, мистер Карлайл все еще утешал себя, что его действия продиктованы самыми лучшими побуждениями. Что в один прекрасный день дочь все поймет.

Этот день так и не наступил.

Саманту пронзила дрожь, когда руки Джона Томаса сжали ее чуть крепче. Видно, не только она сохранила в памяти их былую дружбу.

Он бросил все ради нее. Он здесь, в Лос-Анджелесе.

Саманта вздохнула, когда его руки нежно отвели пряди волос с ее лица.

— О, Джонни, — всхлипнула она. — Я не могу поверить, что ты приехал.

Джон Томас и сам не до конца в это верил. Но он все-таки стоял в доме на лос-анджелесской улице, обнимая Саманту Карлайл и раздумывая, что делать дальше. Когда-то он знал эту девчонку лучше, чем себя самого. Но в присутствии женщины, в которую она превратилась, он отчего-то сильно нервничал.

Джон Томас обнял ее еще раз, подержал в кольце своих рук, затем отпустил и, вытащив из кармана носовой платок, протянул Саманте.

— Вытрись, — сказал он.

Она повиновалась.

— А теперь высморкайся.

Она усмехнулась, но послушно исполнила приказ.

— В одном я убедилась точно, — сказала она, возвращая платок. — Ты ничуть не изменился. Командуешь, как всегда.

Он слегка улыбнулся. Это она подметила точно. Джон Томас любил, чтобы все было по-его.

Саманта вглядывалась в лицо Томми, начиная осознавать, что рядом с ней стоит настоящий покоритель женских сердец. Ей был знаком такой тип мужчины. Она просто не могла окончательно поверить, что ее Джонни — уличный мальчишка с огромным самомнением — все еще прятался внутри этого незнакомца, готовый вырваться на свободу без предупреждения.

Этот огромный мужчина излучал обаяние и выглядел уж очень сексуально.

— Так что, Сэм... Зачем я здесь? — спросил Джон Томас. — Почему ты послала такое отчаянное письмо?

Улыбка сползла с ее лица; Саманта отступила назад, высвобождаясь из его рук.

— Дело в том, — произнесла она, — что какой-то псих хочет перевести меня на иной уровень космического сознания.

Джон Томас нахмурился.

— Что это, черт возьми, значит?

— Это значит, что кто-то ненавидит меня так сильно, что хочет моей смерти.

— Не понимаю. Неужели полиция не может его поймать? Как долго все это продолжается?

Саманта вздохнула и подвела Джона к столу.

— Это долгая история, Джонни. Ты располагаешь временем?

Взгляд, который он бросил на нее, развеял былой страх, но на смену ему пришло непонятное волнение. Темные глаза Джона Томаса были такими спокойными, а прикосновение руки, потрепавшей ее по щеке, сказало больше, чем любые слова.

— В свое время я бы ответил, что всей моей жизнью. До того как ты уехала из Коттона. — Джон Томас не мог, да и не хотел говорить больше о старой боли, все еще терзавшей его. Время так и не заполнило пустоту в душе от ее предательства. — А теперь я хочу, чтобы ты рассказала мне все.

С губ Саманты сорвался невольный вздох. Его ответ сказал больше, чем она ожидала. Но все равно, девушку невольно охватила досада оттого, что он так небрежно упомянул об их расставании. Видимо, оно ранило Джонни не так сильно, как ее. Саманта до сих пор живо помнила бессонные ночи и свои слезы. Даже теперь, спустя годы, его безразличие к ее разбитому сердцу причинило ей боль. Но страхи, терзавшие ее сейчас, были серьезнее, нежели страдания из-за бывшего возлюбленного, бросившего ее. По крайней мере Джонни приехал ей помочь. Он уже сделал больше, чем кто-либо другой.

Девушка указала на стол, заваленный грудой писем и пакетов, содержавших больше ненависти, чем вмещает порой вся человеческая жизнь.

— Присядь, — сказала она, — и получи удовольствие. У меня столько этого дерьма, что тебе не разобраться и до утра.

Горькая усмешка на ее губах отозвалась болью в его сердце. Джон Томас сел и уставился на бумажную гору перед собой, гадая, с какого конца начинать.

— Не волнуйся, — сказала она, невольно ответив на его невысказанный вопрос. — Не важно, откуда ты начнешь. Вообще во всех посланиях одно и то же. Кто-то ненавидит меня. Кто-то хочет моей смерти.

После этих слов Саманта отвернулась, внезапно застыдившись того, что этот высокий привлекательный незнакомец сейчас узнает так много о ее жизни.

Джону Томасу оказалось достаточно одного взгляда на гримасу боли на ее лице, чтобы принять решение. Он встал и отодвинул от себя бумажные кипы.

— Это может и подождать, — заявил он. — Я слишком много времени провел в самолете, а на сумасшедших улицах этого города — и того больше. Я голоден. Выбирай место, куда мы пойдем. Я угощаю.

— Нет! — Саманта побледнела и стиснула руки. — Ты не понимаешь, Джонни. Я не могу выйти. Что, если он заметит меня? Обнаружит меня снова? — Она оглянулась на кучи писем на столе. — Что, если в следующий раз он подойдет и выскажет всю эту грязь мне в лицо? Что, если...

— А что, если ты на время предоставишь мне позаботиться об этом сукине сыне? Ведь ты звала меня за этим? Кроме того, я ведь и раньше встречался с плохими парнями, Сэм. Если он сунется к тебе, я знаю, что делать.

Ярость, прозвучавшая в его голосе, дошла до скованного ужасом сознания Саманты. Почувствовав облегчение, она долгим и пристальным взглядом всмотрелась в лицо человека, стоявшего перед ней.

— Джонни, а чем ты сейчас зарабатываешь на жизнь?

Он ухмыльнулся.

— А ты не знаешь? Ты что, вправду не знаешь?

Она отрицательно покачала головой.

Он засунул руку в карман, и то, что он вытащил оттуда, заставило глаза Саманты расшириться от удивления. Медленная, неуверенная улыбка растянула ее губы.

— Хулиган из Коттона, штат Техас, — полицейский?

— Шериф, — поправил он. — Шериф графства Чероки, если быть точным. — Он покачал головой. — Я думал, ты знаешь. Мне казалось, именно поэтому ты позвала меня.

Саманта удивленно посмотрела на Джонни.

— Нет, вовсе нет, — прошептала она. — Я просто хваталась за последнюю соломинку... последнюю надежду — и подумала о тебе.

Прошло столько лет — и все равно, когда наступили тяжелые времена, она позвала, и он приехал. Само по себе это говорило о том, что данные когда-то обещания действуют, о том, что жив их общий секрет, хранимый до сих пор.

Спазм в его желудке не имел ничего общего с чувством голода, просто Джону Томасу необходимо было переменить тему.

— Запомни, я не ем овощей, — предупредил он. — Ну разве совсем чуть-чуть. Я люблю мясо, сочное красное мясо. И то если оно как следует прожарено и...

Саманта рассмеялась.

— О Господи! — Она ткнула его пальцем в солнечное сплетение. — Я все поняла. Ты крутой парень. Твое мясо должно быть как следует прожарено, а...

— Моя женщина послушна, — подхватил он.

Ее лицо вспыхнуло, и впервые за последние месяцы Саманта взглянула на мужчину с чувством, непохожим на страх.

Соединить в мыслях Джонни Найта и любовь оказалось не очень-то легко. Саманта все еще была замкнута на образе, который остался у нее в памяти от восемнадцатилетнего юноши... К этому великану с дерзко очерченными скулами и магнетическим взглядом надо было еще привыкнуть.

— Так ты пойдешь? — спросил он мягко, понимая, что его сексуальное поддразнивание взволновало ее.

— Думаю, да, — ответила она наконец, не вполне уверенная в том, куда и *зачем* он ее приглашает. На обед... или куда-то еще? Сдержанность и Джонни Найт никак не вязались друг с другом в ее воображении.

— Не раздумывай, Сэм. Просто реши. Или мы идем, или нет. Слово за тобой.

На этот раз она окончательно убедилась, что в его словах кроется тайный смысл. Но для нее, павшей духом и потерявшей изрядную долю самоуважения, это было даже приятно.

— Ладно, ковбой, сегодня мы будем вдвоем весь вечер. Но чур не нахальничать. Я скажу, когда... и как далеко ты сможешь зайти. Понятно?

Джон Томас выслушал ее предупреждение, хотя Саманта могла бы этого и не говорить. Он понял все много лет назад, когда все его письма пришли к нему обратно с пометкой «Вернуть отправителю».

Глава 3

Ресторан был переполнен, и это еще больше напугало Сэм. Она чувствовала себя мишенью, распятой на синем стуле. Каждый раз, когда открывалась дверь, она вздрагивала так, будто в нее уже стреляли.

Она никак не могла сосредоточиться на меню. Стоило войти новому посетителю или выйти старому, как она ощущала непреодолимое желание проследить за ним. Ужас ситуации заключался в том, что, если бы убийца вошел в зал и сел рядом с ней, она не узнала бы его.

— Сэм, я очень хорошо помню, как твоя мама говорила: пялиться на людей нехорошо.

Его медленный техасский выговор, так же как и уверенное выражение глаз отвлекли Саманту, но лишь на секунду.

— Она также учила меня: «Не убий». К сожалению, у моего психа и у меня были разные мамы. В противном случае мы, возможно, не сидели бы и не разговаривали сейчас.

Джон Томас уткнулся в меню. Но буквы внезапно стали расплываться перед глазами. Когда он вновь взглянул на нее, у Саманты возникло ощущение, что прошлое вернулось. У Джона Найта было такое же выражение лица, как тогда, когда он разбил нос Хэнку Карверу за то, что тот обидел ее. В глазах Джонни застыло нечто среднее между гневом и готовностью уничтожить.

— Я же сказал: тебе больше не нужно беспокоиться, — произнес он тихо. — Именно для этого я приехал.

Саманта кивнула, зажмурилась и опустила взгляд на меню, внезапно решив наконец сделать заказ. Но ей трудно было что-либо разглядеть сквозь слезы.

— А где сейчас твои родители? — спросил он, не зная, о чем говорить дальше. Его в общем-то не волновало, где они находятся. Родители Саманты ненавидели его и не раз давали ему это понять.

Вопрос застал Саманту врасплох. Он совершенно не вписывался в тему их разговора.

— Погибли. Почти семь лет назад. В автокатастрофе. Обычное дело, как говорят. — Она махнула рукой в сторону улицы. — На дорогах часто гибнут люди.

Вспомнив свою кошмарную поездку в такси, Джон Томас импульсивно ответил, резко и сердито:

— Могу поверить. — Затем он бросил меню на столик. — Сэм, почему ты осталась здесь?

Она уставилась через окно на улицу, не видя густого потока прохожих, протекавшего мимо. Она вспомнила боль и шок от мгновенной потери обоих родителей, чувство пустоты, свои попытки прислониться хоть к кому-нибудь, когда прислониться было не к кому.

— Наверное, потому, что я уже жила здесь, а ехать мне было некуда, — прозвучал наконец ее ответ.

— Но ты могла вернуться домой, — продолжил Джонни.

Она улыбнулась. Слегка.

Джон Томас затаил дыхание. Он мог поклясться, что только что уловил живой огонек, зажегшийся в ее глазах и пробившийся сквозь их ясную, чистую голубизну.

Саманта хотела рассмеяться, но поняла, что эта попытка причинит ей слишком сильную боль.

Что-то странное происходило внутри ее. Она вновь начинала надеяться. И хотя было чудесно сознавать, что эта способность у нее сохранилась, одновременно ей стало страшно. Она слишком хорошо знала, как легко можно отнять надежду. Тот факт, что Джонни Найт все еще считает ее частью своего родного дома, наполнил ее радостью. Как давно она не чувствовала себя кому-то нужной!

— Я была слишком юной, когда мы уехали, — проговорила неуверенно Саманта.

— Тебе было шестнадцать, — ответил он. — Почти взрослая.

Девушка провела пальцами по костяшкам его левой руки, нежно погладив почти зажившую ссадину на безымянном пальце, вспомнив, как после ночи любви она почувствовала себя женщиной, но в душе все равно осталась испуганным ребенком.

— Для тебя, Джонни Найт, шестнадцать, наверное, уже почти взрослый возраст. — Она улыбнулась, чтобы смягчить свои слова. — Но Сэм, которую ты знал, понятия не имела о взрослой жизни. Знала только привязанность... и юную любовь.

Он вспыхнул оттого, что она так буднично упомянула о самой важной ночи в его жизни. И тут же нахмурился, услышав продолжение.

— Знание жизни пришло позже, с тем полночным стуком в мою дверь. Я хоронила своих родителей одна. И ждала, что мир остановится. Но он не остановился, и я как-то умудрилась зацепиться за остатки разума и потихоньку отвоевала себе безопасную нишу для жизни.

Эмоции живо сменялись на ее взволнованном лице. Джон Томас почти физически ощущал старую боль и новые страхи, обуревавшие ее.

— Расскажи мне поподробнее о твоей работе в актерском агентстве. Надеюсь, это интересное дело.

В ответ Саманта рассмеялась, но лишь раз. Это был короткий, живой всплеск, совсем нерадостный.

— О да! Я... я была одним из лучших агентов по найму актеров. Наше агентство имело прекрасную репутацию, так как подобрало актерский состав для нескольких фильмов, получивших «Оскары». У меня самой... была очень хорошая репутация. — Она поморщилась, скрывая боль. — Это было до того, как я потеряла статус ценного работника и превратилась в обузу, от которой были не прочь избавиться.

К столику подошла официантка, чтобы принять заказ.

— Я бы съела ворону, — сказала Саманта и неприятно усмехнулась прямо в лицо официантке.

Джон Томас нахмурился. Но тут же одернул себя. А что он, собственно, ожидал увидеть? Как еще она могла себя вести?

Если бы подобное случилось с ним, он тоже сходил бы с ума.

Он поспешил вмешаться, пока Саманта не успела сказать еще что-нибудь странное.

— Она будет чизбургер и... жареную картошку. И еще клубничный коктейль, — отрывисто буркнул он. — То же самое для меня, только чизбургер двойной и без картошки.

Официантка кивнула и поспешила удалиться. Брови Саманты изумленно изогнулись.

— Что ж, спасибо, что решил все за меня, — протянула она.

— Кто-то должен был это сделать, — парировал Джонни.

Ее брови приподнялись.

— Ты не будешь картошку?

— Я съем твою.

Саманта задохнулась при виде усмешки на его лице и поняла, что самое умное, сделанное ею с тех пор, как она переселилась в этот проклятый Богом город, — это письмо, отправленное в Техас.

***

Позже Саманта мерила шагами свою квартиру, поглядывая время от времени на широкую спину мужчины, сидевшего за столом и просматривавшего груду писем с угрозами. Девушка размышляла, как могло случиться, что из городского хулигана Джонни превратился в того, кто борется с подобными типами.

— Послушай, а где твой отец?

Ее вопрос прозвучал неожиданно, и так же неожиданно старая боль напомнила о себе спазмом в желудке.

Теперь Джон Томас редко вспоминал об отце, но, когда воспоминания все же приходили, ему с трудом удавалось представить себе, как тот выглядел.

Он отбросил на стол пачку бумаг, оттолкнул назад стул, на котором сидел, и встал. Как ни было ему тяжело, он хотел видеть ее глаза, отвечая. В противном случае он потом всегда задавал бы себе вопрос: какова была ее первая реакция?

— Он умер в тюрьме.

Саманта осталась спокойной. Ничто не мелькнуло ни на лице, ни в голубых глазах. Они по-прежнему глядели спокойно и уверенно. Джонни медленно выдохнул.

— Когда?

— Десять недель спустя после того, как я уехал из Коттона. — Он рассмеялся, но смех получился резким, болезненным.

— Я не знала, — прошептала она.

— Откуда было тебе знать? — произнес он с горечью. — Когда я приехал на похороны, тебя уже не было в городе.

Прежде чем он понял, что происходит, Саманта шагнула вперед и прижалась к его груди.

— Прости, — сказала она. — Я не хотела бередить старые раны. — Ее голос был еле слышен, чуть громче шепота. — Я не знала.

Джон Томас приник щекой к ее волосам, погрузил руки в их густой черный водопад, прижимая Сэм к себе с отчаянием, удивившим его самого.

— Это не важно, — сказал он.

— Нет, важно. До сих пор. Если бы я только знала.

— И что бы ты тогда сделала, Сэм? Поплакала бы на похоронах? Ты же всегда боялась его до смерти, признайся.

— Я бы плакала за тебя, — произнесла она мягко.

«Боже, Саманта! И я ведь позволил бы тебе это, потому что точно помню: сам я плакать не мог. Но почему, почему ты отсылала мои письма обратно? Что, черт побери, я сделал плохого, что ты даже не пожелала их прочесть?»

— Кажется, я уловил систему, — сказал он, освобождаясь из ее объятий, прежде чем им обоим стало бы неловко.

— Систему? — Она не могла понять, пока он не указал на письма. — Ах вот ты о чем.

Резкая смена темы разговора удивила ее. Очевидно, она слишком близко подошла к чему-то, что он не хотел обсуждать.

Джон Томас увлек ее к столу и здесь начал расхаживать от одного его края к другому, рассуждая вслух.

— Эти кажутся сердитыми, даже яростными. — Он указал на пачку писем, лежавшую к нему ближе всех. — А эти, — его палец ткнул в среднюю стопку, — эти обвиняют. — Затем Джонни перешел к дальнему краю стола. — Эти же пугают меня больше всего. В них уже содержатся угрозы. Они полны ненависти.

Саманта обхватила плечи руками; ее передернуло.

— Я никогда не смотрела на их содержание под таким углом. Была слишком занята бегством от собственной тени, чтобы анализировать содержание угроз.

— Что сказали в полиции? — Внезапно ему словно пришла в голову какая-то мысль. — Подожди секундочку. Почему, черт возьми, все это находится у тебя, а не в полиции? Это же вещественные доказательства, Саманта. Ты разве не показывала их полицейским?

Его гнев, казалось, сгустился вокруг нее. Саманта начала дрожать. Прежние страхи вернулись к ней, и она ответила резче, чем хотела:

— Да, будь я проклята, Джонни! Да, они видели их. Видели их все!

— Так почему же в полиции не стали действовать?

— Потому что они почти сразу посчитали, что это фальшивки. Решили, что я сфабриковала угрозы самой себе, но неизвестно, почему.

— Откуда взялись такие мысли?

Саманта как-то сразу поникла, и у Джона Томаса возникло непроизвольное желание утешить ее. Но он мгновенно отбросил эту мысль. Ему нужно докопаться до сути, и эмоции не должны этому мешать.

— Потому что все первые звонки, которые они смогли проследить, были сделаны из пустой квартиры, снятой на мое имя, а большинство писем отпечатано на машинке из моего кабинета, вот почему! — выкрикнула она. — Прежде чем спросишь, отвечу, что у меня нет объяснения тому, как это могло получиться. Но я, провалиться мне на этом месте, точно знаю, что *не печатала их сама.* — Сэм начало трясти. — И я не сошла с ума. Слышишь, Джонни?! Я не сумасшедшая!

Он провел пальцами по ее волосам, спутав густые черные пряди. Ему вновь пришлось подавить желание прикоснуться к ней. Сэм казалась ему такой отчаявшейся, такой маленькой.

Губы Джонни сжались в тонкую твердую линию.

— Но я все равно не понимаю. Почему, черт побери, реальные улики по этому делу находятся у тебя? Они должны быть подшиты в досье полицейского дела. Их нужно было исследовать на отпечатки пальцев, возможные следы.

— Они все сделали. По словам детектива, занимавшегося этим делом, у них появились сомнения в реальности угроз. Никаких попыток нанести мне физический ущерб не предпринималось. Я никогда никого не видела. К тому же они проверили и отвергли как потенциальных подозреваемых практически всех, с кем я когда-либо встречалась. Все это привело к тому, что их убежденность в моей одержимости, в том, что я сама себе создала монстра, только укрепилась. Тогда они предложили мне обследоваться у психиатра, и я разозлилась и потребовала письма обратно.

— И что, они отдали их? Просто так — взяли и отдали?!

Саманта хрипло рассмеялась. В ее голосе ясно звучала горечь.

— А почему бы и нет? Ведь это был бы не первый случай в Голливуде, когда кто-то проделывал трюки, чтобы стать знаменитым. Вспомни, Джонни, это ведь страна грез и обмана. Это Калифорния, родина Диснейленда и Голливуда, мыльных опер, фешенебельных улиц типа Родеодрайв, где живут кинозвезды. Именно сюда стекаются Питеры Пэны* со всего мира. Разве ты не знаешь этого, Джонни? Разве... — Слезы покатились по щекам Саманты, но ярость все еще жила в ней. Впервые с минуты их первой встречи Джонни увидел какое-то подобие той Сэм, которую когда-то знал.

— Хватит! Черт побери, прекрати, Сэм! Я вовсе не собирался обвинять тебя в чем-либо. — Он схватил девушку за руки и встряхнул чуть сильнее, чем хотел.

---

* Питер Пэн — герой одноименной сказки известного американского писателя Джеймса Барри. Мальчик, который не становился взрослым и умел летать. — *Здесь и далее примеч. ред.*

Затем не торопясь отпустил ее и погладил по щеке, произнеся смягчившимся голосом:

— Я вовсе не хотел упрекать тебя.

— Зато они в этом преуспели, — ответила Саманта и отстранилась от его руки. Она не могла позволить, чтобы его сочувствие обволокло ее, хотя ей очень этого хотелось. Но Саманта боялась потерять самостоятельность в оценке реальности. Легче всего отдаться течению событий, когда рядом есть кто-то гораздо сильнее тебя.

— Как зовут следователя? Того, кто занимался твоим делом? — спросил Джон Томас.

— Пуласки. Майк Пуласки.

— Бери свою сумочку, — приказал он.

— Куда ты собрался?

— В полицию, нанести визит детективу Пуласки. Ему придется повторить мне то, что он сказал тебе. И обещаю, Сэм, когда мы выйдем оттуда, я получу ответы на все интересующие меня вопросы.

Она схватила сумочку и поспешила к двери.

— Давай возьмем такси.

— Только не это! — воскликнул он, вспомнив свою недавнюю поездку на такси по Лос-Анджелесу. — Мы воспользуемся твоей машиной.

Она кивнула.

— Полицейский участок довольно далеко отсюда. Я не садилась за руль с тех пор, как все это началось. Ужасно боялась, что меня могут застать где-нибудь одну в машине.

— Давай ключи. Я поведу, а ты будешь показывать, куда ехать. Ни за что больше не сяду ни в одно из этих идиотских такси.

Несмотря на страх, сжимавший желудок, она улыбнулась.

Холл полицейского участка остался таким же, каким запомнился Саманте. Ряды столов, заваленных всякой всячиной, от стопок папок с делами до нагромождения стаканчиков из-под кофе трехдневной давности.

На стене висел плакат: «Курить запрещено». Она невольно усмехнулась, так как в этот момент густое облако табачного дыма проплыло прямо перед ее лицом. Видимо, не один Джонни Найт предпочитал игнорировать чужие указания.

— Куда? — спросил он отрывисто.

Саманта указала рукой.

Он взял ее за руку и увлек за собой через всю комнату, целеустремленно двигаясь к маленькому стеклянному отсеку, очевидно, считавшемуся здесь отдельным кабинетом. Хотя вряд ли стеклянные стены комнатушки могли скрыть хоть что-то из происходившего внутри.

Майк Пуласки сидел за столом, на котором царил настоящий хаос, с телефонной трубкой в одной руке и ручкой в другой. Он размахивал ручкой в воздухе, подкрепляя свои аргументы, которые выкрикивал в трубку вперемешку с ругательствами. Даже сквозь стекло было видно, что он разгневан. Наконец с побагровевшим от ярости лицом он швырнул трубку на рычаг. Оттого, что, подняв глаза, он увидел знакомые черты Саманты Карлайл, настроение детектива отнюдь не улучшилось.

— Этого только не хватало, — проворчал Пуласки.

И тут он заметил, что Саманта пришла не одна. Мужчина рядом с ней явно не походил на типичного калифорнийца. Ткань его голубых джинсов выглядела мягкой, истончившейся от долгой носки, белоснежная сорочка плотно обтягивала крепкий торс, а серая куртка отличалась кроем, принятым в западных штатах.

Взгляд Пуласки скользнул по длинным ногам мужчины и зацепился за ботинки, которые уж точно были куплены не на Родео-драйв. Черного цвета, требовавшие хорошей чистки, все в порезах и царапинах и слегка загнутые вверх на мысках. Резкие упрямые черты незнакомца подчеркивал серый стетсон, сидевший на его голове как влитой.

— Так. То, что надо. Ковбой.

Ковбой вошел внутрь, не дожидаясь приглашения.

Майк Пуласки откинулся на спинку стула, так что тот чуть не опрокинулся, и скрестил руки на объемистом брюшке жестом, который, как ему казалось, должен был изображать пренебрежение. Ему не нравились настырные личности.

— Раз уж вы вошли, чем могу быть полезен? — Майк нахмурился, когда здоровяк усадил Саманту Карлайл в кресло, не спросив его разрешения.

Джон Томас успокаивающе коснулся плеча Саманты, затем обернулся и смерил полицейского долгим взглядом, прежде чем показать ему свой значок; затем положил его на стол перед своим собеседником.

— Шериф Джон Томас Найт, графство Чероки.

Ноги Майка Пуласки стукнули об пол. Не успев подумать, что делает, он уже стоял на ногах и протягивал руку: профессиональная вежливость по отношению к другому блюстителю порядка была в крови у каждого полицейского.

— Шериф! Рад познакомиться! К сожалению, не знаю, где находится графство Чероки. Вы из какого департамента?

— Из техасского.

Пуласки уставился на Джона Томаса. Так он и знал. Но остановиться было уже невозможно.

— Из Техаса? Вы из графства Чероки, Техас? — Майк ухмыльнулся и почесал затылок. — Тогда что, позвольте спросить, вы делаете здесь, так далеко от дома? Преследуете преступника?

— Нет. — Голос Джона Томаса был отрывистым и резким. — Я приехал узнать, почему его не преследуете вы.

Саманта судорожно сглотнула. Джонни ни на йоту не изменился. Как и раньше, отвечал ударом на удар. Она улыбнулась про себя. И с каких это пор он стал называть себя Джон Томас? Она продолжала звать его Джонни, и он не возражал, даже сегодня.

— Простите? — озадаченно спросил Пуласки, бросая яростный взгляд на Саманту.

Должно быть, решил, что это она все подстроила.

— Не думаю, что готов это сделать, — коротко бросил в ответ Джон Томас. Он наклонился вперед, упершись руками в стол Пуласки и уставившись тому прямо в глаза. — Мне нужны кое-какие ответы, Пуласки. Я хочу знать, почему, черт побери, Саманте Карлайл отказано в полицейской защите. Я хочу знать, почему не были как следует прослежены телефонные звонки. Я хочу знать, почему вы предпочли отмахнуться от мольбы этой женщины о помощи. Убедите меня в своей правоте, и тогда я, может быть, пожелаю простить вас. Ясно?

Лицо Пуласки снова побагровело.

— Вы не имеете права врываться в мой кабинет и учить меня, как надо работать.

— Я не собираюсь учить вас работать. Я просто хочу знать, *почему вы не работаете.* А на это я имею право.

— С чьей санкции? — встал в позу Пуласки. Джон Томас обернулся к Саманте, заметил ее испуганный взгляд и ткнул в нее пальцем.

— Вот с ее санкции. — Он улыбнулся Саманте и подмигнул. — Мы старые приятели. — Вновь повернувшись к Пуласки, он с вызовом посмотрел на полицейского.

Саманта поежилась. *Старые приятели?* Они ведь были гораздо больше, чем просто приятели.

Старые приятели не делают того, что сделал Джонни. Они шлют сочувственные письма, порой даже деньги. Но они не ставят свою жизнь на кон и не бросаются через полстраны к тому, кого не видели уже пятнадцать лет.

Она смотрела в затылок Джонни, время от времени улавливая отголоски словесной баталии между двумя полицейскими, и спрашивала себя: если Джонни Найт не старый приятель, то кто же он?

— Старинные друзья, понятно, — процедил Пуласки, стараясь удержать грязную ухмылочку.

— Да, именно. Старинные друзья. — Вот уже много лет Джонни не приходилось объяснять, кто он такой, и теперь при его взрывном темпераменте объяснения давались ему нелегко. — Я не видел ее пятнадцать лет, но знаю с младенческих пор. Ее отец был директором нашей школы. Мы друзья детства. Мы, черт возьми, вместе лазили по деревьям, я даже учил ее, как чистить рыбу. — «И я первый мужчина в ее жизни», — добавил он мысленно про себя.

Джонни повернулся и взглянул на Сэм, зная, что ей понятно, о чем он подумал. Правда, в этот момент ему было все равно.

Она справилась со своей паникой, увидев выражение его лица. Ей захотелось надеяться, что увиденное ею может быть правдой, но она не осмелилась. Не смогла. Слишком сильно Джонни обидел ее тогда, чтобы поверить ему вновь. Кроме того, она сейчас боролась за свою жизнь, а это не оставляло места для мыслей о любви.

Пуласки сдался и поднял руки.

— Я все понял, — сказал он. — Но и вы меня поймите. Здешний народец вытворяет тут такое... Приходится иметь дело с наркоманами...

— Саманта Джин, ты когда-нибудь принимала наркотики? — прервал полицейского Джон Томас. Обернувшись, он пригвоздил ее к месту требовательным взглядом.

Сэм сглотнула и вскочила на ноги. Интонации в его голосе были столь похожи на интонации ее матери, что реакция оказалась инстинктивной.

— Нет! Конечно, нет! — ответила она поспешно и рухнула обратно в свое кресло.

Джонни кивнул, удовлетворенный ответом, и вновь повернулся к Пуласки.

— Она не наркоманка. Так что вы говорите совсем не то. Я хочу получить ответы на свои вопросы.

Пуласки опустился на свой стул, поняв наконец, что давно уже не владеет ситуацией. Все, что ему оставалось, — это цепляться за поручни мчащегося локомотива.

— Вот так просто? Обернулись, спросили и поверили на слово? Кажется, вы сказали, что не видели ее пятнадцать лет? Так откуда же вам знать, что она говорит правду?

— Я уже сказал — мы старые друзья. К тому же Сэм никогда не лжет.

Саманта моргнула, пораженная убежденностью, прозвучавшей в его голосе. Глаза девушки наполнились слезами. Комок застрял в горле, зато спазм в животе немного ослаб. Как давно уже она перестала надеяться, что кто-то поверит ей, промелькнуло в голове. Слова, прозвучавшие из уст Джонни, переполнили Сэм счастьем.

Пуласки кивнул. Все, что он говорил, видимо, не имело значения. Великан, очевидно, даже не собирался вникать в его доводы.

— Послушайте, — произнес Пуласки, — дело не в том, что мы ей не поверили. Просто все факты указывали на фальшивку.

Он пожал плечами. Если им не нравится правда, тогда и приходить сюда не следовало.

— Выходит, этот парень умнее вас? Впрочем, это неудивительно, детектив. Я ведь тоже полицейский, не забыли? На свободе бродит еще слишком много талантливых преступников, и нам обоим об этом хорошо известно. Что до ваших доводов, то Сэм рассказала мне — да и вам — об этой путанице с телефонами, так же как и о том, что ее печатной машинкой воспользовались, чтобы отпечатать те послания с угрозами. Разве, кроме нее, никто не имел к машинке доступа? — выстрелил вопросом Джон Томас.

Пуласки нахмурился. Ему было неуютно под таким напористым допросом.

— Нет, черт побери, — отрезал он. — Мы не дураки, шериф. Мы проверили и исключили всех, кто имел доступ к машинке.

— Значит, кого-то вы пропустили.

У Пуласки дернулась щека.

— Нет, не пропустили. А сама она дала нам слишком мало материала для работы. Несколько писем с угрозами, возможно, сделанными самой себе, десяток телефонных звонков, всегда записанных на автоответчик, что, по сути, означает, что отправила она их себе сама.

— Вы так и не установили за ней наблюдение?

— Нет, мы отправляли сотрудника присматривать за ней. Но за все время, что он провел на этом задании, ничего не произошло. А людей у нас и так не хватает.

— Кстати, о том, что она не дала вам достаточно материала для работы, хочу заметить, что это ваше дело. Мне казалось, что гражданину достаточно сообщить о преступлении, а остальное должна сделать полиция.

Пуласки вспыхнул.

— Вы не совсем правильно меня поняли, — пролепетал он. — Я имел в виду, что нам практически не за что было уцепиться.

Джон Томас смерил детектива холодным взглядом.

— По моим подсчетам, у вас на руках находилось двадцать девять писем с угрозами, которые, позвольте добавить, вы вернули этой женщине не моргнув глазом. В последнем из писем ей обещали смерть в самых разнообразных формах и видах. Там, откуда я приехал, мистер, это называется реальной угрозой жизни.

— Ну, сейчас вы не в Техасе, — резко ответил Пуласки.

Джон Томас выпрямился и презрительно посмотрел на детектива.

— Это точно, но, без сомнения, скоро там буду. — Джонни вытащил из кармана свою визитную карточку и припечатал ее к столу Пуласки. — Если вам еще что-нибудь потребуется от мисс Карлайл, можете связаться с ней через меня по этому номеру.

— Вы забираете ее с собой в Техас? — Неожиданно Пуласки почувствовал, что задет этим сообщением. Он даже ощутил, не желая себе в том признаться, смутные угрызения совести.

— Я забираю ее домой, — ответил Джон Томас.

Саманта была в не меньшем шоке, чем полицейский. «Техас? Я еду в Техас? С Джонни?» Представив себе это, Сэм задохнулась от нахлынувших на нее эмоций. На этот раз, несмотря на все усилия сдержаться, слезы хлынули из ее глаз. «Боже, я еду домой!»

Джон Томас коснулся двумя пальцами полей шляпы, схватил Саманту за руку, и они вдвоем покинули кабинет Пуласки, даже не оглянувшись.

Когда дверь в стеклянной стене захлопнулась со звонким стуком, люди в огромной приемной подняли головы и увидели удаляющихся здоровенного ковбоя и Саманту Карлайл.

— Что, разрази меня гром, это было? И что за тип пришел с этой Карлайл? — спросил один из подошедших детективов.

Пуласки закатил глаза, нащупывая карточку, брошенную на его стол Джоном Томасом. Ухмылка понемногу начала возвращаться на его лицо.

— Так, по-моему, покоряли Дикий Запад. Этот парень — шериф. Настоящий техасский шериф. Так что если и впрямь существует какой-то сумасшедший, охотящийся за Самантой Карлайл, и он столкнется с... — Пуласки взглянул на карточку, чтобы освежить память, — с Джоном Томасом Найтом, тогда я этому психу не завидую.

Майк покачал головой, вернулся в свой кабинет и прикрыл за собой дверь, внезапно ощутив потребность в тишине и покое.

Ни дорожная сумятица по пути к дому Саманты, ни послание на автоответчике ее телефона не нарушили спокойствия Джона Томаса.

Как только они вошли в комнату, лицо девушки побледнело при виде мигающего красного огонька. Ноги ее примерзли к полу; она почувствовала неизбежную угрозу, которую предстоит выслушать. Затем в приступе отчаяния она заметалась по квартире, проверяя запоры на дверях и окнах, словно они могли защитить ее от жестоких слов, записанных на пленке автоответчика. Но нельзя остановить то, что уже произошло. *Оно* пришло как всегда и уже ожидало, предупреждая, грозя.

Сэм кинулась бежать, но Джон Томас перехватил ее, мягко сжав на мгновение в своих объятиях.

— Не надо, Сэм. Возможно, это не от него.

Саманта передернула плечами и спрятала лицо на его груди.

— О, Джонни, ты не понимаешь. Это *всегда* от него.

Боль, прозвучавшая в ее безжизненном голосе, передалась и ему.

— Тогда давай послушаем, что наговорила эта скотина, ладно? Только на этот раз ты будешь выслушивать это не в одиночку.

Сэм кивнула, подошла к автоответчику и нажала кнопку; затем прильнула к Джонни и стояла неподвижно в кольце его рук, пока из аппарата неслись брань и угрозы.

Я видел тебя с ним. Он тебе не поможет, Саманта. Ты можешь бежать, можешь даже прятаться, но тебе никогда от меня не уйти. Только не от меня. Ты заплатишь своей жизнью. Ты еще не поняла? Зачем сопротивляться? Не лучше ли просто подождать, когда это придет? Когда потечет кровь и очистит все!

Голос был изменен электронным способом. В этом не было сомнений.

Джон Томас ощутил свое бессилие. И ярость. И еще он чувствовал, как рассыпается на куски Саманта в его руках. Он дотянулся до шнура и выключил аппарат из сети, оборвав поток ненавидящих слов. Потом он развернул Саманту лицом к себе.

— Посмотри на меня, Сэм. — Ее тело в его руках сотрясала дрожь, голубизна глаз таяла, превращаясь в безжизненную, тупую серость. — Черт возьми, посмотри на меня! — выкрикнул он.

Она медленно повиновалась.

— Не смей! Не позволяй этому больному ублюдку убивать тебя одними лишь словами! Это не больше чем слова, Сэм! Он пока не коснулся тебя даже пальцем, и — Бог мне свидетель! — у него больше не будет даже малейшего шанса на это. Тебе ясно? — Джонни слегка встряхнул ее, чтобы подчеркнуть значимость своего обещания.

Сэм прикусила нижнюю губу, чтобы не закричать, в отчаянии цепляясь за силу Джонни, потому что в этот момент собственных сил у нее совсем не осталось.

— Вот и хорошо! — Он обнял ее еще раз и твердо отстранил от себя. Он видел, насколько близка Сэм к истерике, и понимал, что излишнее сочувствие может стать тем толчком, который приведет к срыву.

Кроме того, Джонни не хотелось вновь эмоционально сближаться с ней. Он будет защищать ее, но влюбляться не намерен. Тем более в женщину, которая не умеет прощаться.

Саманта смотрела, как он мерит шагами комнату. На секунду ей показалось, что перед ней пума, готовящаяся к прыжку.

— Мы не можем брать с собой много вещей, — говорил Джонни. — Нам не нужно, чтобы он знал о твоем отъезде. Следует создать впечатление, что это поездка не больше чем на день.

— Что? Куда брать? — пробормотала Саманта, на секунду растерявшись от резкой смены темы разговора.

— В Техас. Ты что, забыла? Я везу тебя домой.

Ее щека дернулась, и, несмотря на то что Сэм до боли прикусила губу, слезы все равно полились из глаз.

— Вот черт! — мягко произнес Джонни, привлекая ее обратно в свои объятия. — Вовсе не обязательно столь бурно выражать радость по этому поводу.

Много часов спустя Саманта заворочалась во сне, когда колеса джипа Джона Томаса свернули с асфальта на неровную грунтовую дорогу. Она, моргнув, приоткрыла глаза, но не увидела ничего, кроме темноты вокруг.

Поездка от Лос-Анджелеса до Далласа была больше похожа на побег. По совету Джонни машину Саманта оставила на платной парковке. Оттуда они направились в банк, где Саманта сняла деньги со счета, затем в ресторан, где удивили хозяйку, отказавшись от столика. Только заказали такси и исчезли через заднюю дверь, теперь уже двинувшись в сторону аэропорта.

Оказавшись в Далласе, Джон Томас запихнул Саманту и ее скромный багаж в свой джип, оплатил служащему парковки его услуги и направил машину на восток, к выезду из города, оставляя за спиной заходившее солнце.

Где-то между Террелом и Тайлером Сэм заснула. Она так и не увидела, как они проскочили Коттон, лежавший на пути к дому Джонни. Но когда прекратились шум и тряска, она поняла, что машина стоит перед небольшим домиком.

Темные его очертания выделялись на фоне буйной зелени: силуэт дома был виден отчетливо, несмотря на то что луна почти на светила. Напряжение последних нескольких часов начало отпускать Саманту. Казалось, сгрудившиеся вокруг деревья готовы защитить ее. Тишина леса успокаивающе обволакивала. Сердце Саманты забилось в мирном ритме, радуясь вновь обретенному умиротворению.

— Где мы? — спросила она.

— Дома.

Никогда еще не слышала Сэм более прекрасного слова. Все еще скованная, она выбралась из джипа и глубоко вздохнула. Ее тут же захлестнули воспоминания, и слезы мгновенно полились из глаз. Она не была здесь долгие годы, но забыть Техас было невозможно.

Воздух был напоен ароматом сосен, резким и пряным. Саманта улыбнулась, ощутив знакомые сладкие запахи кизила и жимолости. Они росли под окном ее спальни в Коттоне, когда Саманта была ребенком, а Джонни Найт был всем в ее жизни.

— Пошли, Сэм. Мы с тобой устали до смерти. У тебя будет море времени завтра, чтобы осмотреться. А сейчас единственное, чего я хочу, — это увидеть свою подушку.

Она позволила ему провести себя через темный двор, помочь подняться на крыльцо и стояла рядом, пока Джон Томас в темноте возился с замком, пытаясь попасть ключом в скважину.

— Не можешь попасть? — спросила она сонно.

Джонни замер с рукой, застывшей в воздухе, и возблагодарил Господа за спасительную темноту вокруг. Ее вопрос сразу же вызвал в его воображении совершенно иные образы и ассоциации, не имевшие ничего общего с ключами и замочными скважинами.

— Да нет, я прицелился очень хорошо. Обычно я всегда попадаю сразу. У меня было достаточно практики, с тех пор как мы... — Его голос перешел в хриплое ворчание.

Несмотря на охватившую ее сонливость, Саманта уловила боль в голосе Джонни и удивилась, откуда она. Ведь это он, как говорится, «сделал дело» и сбежал. Это он не писал и не звонил.

— Мне вовсе не обязательно напоминать о том, что было между нами, Джонни, и будет хорошо, если ты запомнишь это. Я тебе не какая-нибудь шлюха, которую ты приводишь в дом. Мне тридцать один год, я взрослая женщина, и ты, черт побери, знаешь это.

Джон Томас нахмурился. Вспышка гнева сразу показалась совершенно неуместной. Ведь это она отправила обратно нераспечатанными целую кипу писем. Но сейчас было неподходящее время, чтобы выяснять, кто в чем виноват. На карту было поставлено нечто гораздо большее, чем их старая любовная история.

Он просунул ключ в скважину и с силой повернул. Дверь распахнулась, Джонни потянулся к выключателю и включил все лампы, которые были в доме.

Взяв Сэм под локоть, он завел ее в дом, затем повернулся и запер дверь. Не говоря ни слова, он подхватил ее багажную сумку и двинулся в глубь дома, ожидая, что Саманта последует за ним. Она так и сделала. Дверь в гостевую спальню открылась беззвучно, и он тут же включил свет.

— Ванная дальше по коридору. Нам придется пользоваться ею по очереди.

Не ожидая ответа, Джон Томас пересек комнату и открыл окно рядом с кроватью. Свежий воздух сразу хлынул в спальню.

— Еще что-нибудь нужно? — спросил он тихо.

Саманта покачала головой, внезапно засмущавшись в присутствии этого большого человека с грустным взглядом.

Джонни двинулся было к двери, но, остановившись, обернулся.

— Сэм.

Девушка подняла на него глаза.

— Я собираюсь сказать это лишь один раз. То, что было между нами, произошло очень давно, но это объединило нас. Ты не должна бояться быть со мной здесь вдвоем или ощущать угрозу с моей стороны. Что бы ты ни думала, я не воспользуюсь ситуацией, чтобы овладеть тобой. Я уважаю желания моих женщин. Так что ложись и спокойно спи.

Сердце Саманты гулко стукнуло один раз, когда за Джонни закрылась дверь, и вновь вернулось к обычному ритму. Желания? Когда-то она и не действовала по-другому. Но Сэм была слишком измотана, чтобы анализировать свои противоречивые чувства. У нее еще будет время заняться этим потом.

Она достала майку большого размера, верно служившую ее любимой ночной рубашкой последние пять лет, и, быстро сняв одежду, облачилась в нее. Затем села на кровать и прислушалась к звукам льющейся в ванной в конце коридора воды.

После того как затихли шаги Джонни, ушедшего в комнату напротив ее спальни, Сэм выскользнула наружу и двинулась по полутемному коридору, улыбаясь про себя предусмотрительности человека, оставившего свет в ванной для гостьи. Необходимые процедуры заняли немного времени, после чего Саманта освежила в душе усталое тело.

Вытирая лицо полотенцем, висевшим около раковины, она вдохнула слабый аромат его крема для бритья.

Вместо того чтобы просто вытереть лицо, Сэм вдруг обнаружила, что проводит полотенцем по шее, вниз по рукам и по телу медленным, задумчивым движением.

Несколько минут спустя, забравшись в постель и укрывшись одеялом, Саманта уткнула лицо в подушку и вновь втянула в себя воздух. Теперь она уловила не только запах хвои, вливающийся в комнату через открытое окно, но и частицу Джонни Найта, захваченную с собой.

Эта волнующая мысль побыла с ней какое-то время, прежде чем изнеможение не увлекло Саманту в сон.

Глава 4

Сэм просыпалась медленно. На секунду, пока глаза еще были закрыты, ей показалось, что вот-вот послышится голос матери, зовущий ее вставать, так как она опаздывает в школу.

Знакомые запахи поджариваемого бекона, бульканье кофе и свежий ветерок, струившийся через открытое окно, подсказывали, что она снова дома, в Коттоне. Саманта зарылась лицом в подушку, не желая расставаться с уютом постели, и улыбнулась в полусне шелесту соснового леса. Но тут она вспомнила о Джонни и о том, где находится и почему.

Она действительно была в Коттоне или так близко к нему, что разница практически не ощущалась. Позднее она узнает, что дом Джонни Найта стоит меньше чем в двух милях от городской черты Коттона. Всего в нескольких милях к юго-востоку располагается Раск — административный центр графства Чероки. Но вернулась Саманта не погостить, а восстанавливать здоровье. Что ни говори, а помирать в ее возрасте было противоестественно.

Она перекатилась на спину, потянулась и зевнула, затем открыла глаза и вздрогнула от удивления. Она никак не могла решить, что лучше: испепелить его взглядом или откинуть простыню и пригласить присоединиться к ней. Он стоял в дверном проеме, наблюдая, как Саманта спит.

— Доброе утро, Сэм, — произнес он мягко и сделал большой глоток кофе из кружки, которую держал в руке. Затем Джонни медленно проглотил напиток, тем самым сумев избежать каких-либо комментариев, за которые мог бы схлопотать по физиономии. Он отдавал себе отчет в некоторой беспардонности своего прихода сюда. Джонни надо было заглянуть к ней, как собирался, и затем удалиться, предоставив Сэм просыпаться в одиночестве. Поначалу он просто хотел проверить, все ли с ней в порядке. Он вовсе не хотел задерживаться.

Но вид длинных черных волос, разметавшихся по белой подушке, вздернутого носика, уткнувшегося в простыню, и соблазнительных очертаний умиротворенно раскинутых стройных ног и изящных рук глубоко спавшей Саманты просто заворожили его. Он был не в состоянии двинуться с места.

Саманта рывком натянула простыню до подбородка и бросила на Джона Томаса взгляд, который, ей хотелось верить, должен был сойти за убийственный. Ей было невдомек, что Джон Томас скорее воспринял его как приглашение. Ее веки слегка припухли со сна, а губы были нежными и такими же беззащитными, как и выражение ее глаз.

— Когда оденешься, будем завтракать, если ты проголодалась.

Саманта нервно сглотнула. Она бы съела его самого, такого аппетитного в своих низко сидящих потертых джинсах и рубашке навыпуск, застегнутой лишь наполовину. Глядя на копну густых черных волос, обрамлявших его лицо, Сэм заподозрила, что он пренебрегает расческой и пользуется вместо нее собственной пятерней.

Она все же сумела кивнуть.

— Хорошо ли тебе спалось? — спросил он, все еще не двигаясь с места, не в силах или не желая освободить место, необходимое Саманте для того, чтобы выбраться из кровати.

— Да, спасибо. Спалось отлично. А сейчас уходи, Джонни, дай мне одеться. — Она улыбнулась. — Или мне следует обращаться к тебе «Джон Томас», раз ты теперь такой важный и серьезный?

— Зови меня так, как тебе нравится. Ты ведь всегда так делала.

Сэм задумалась было над подтекстом его заявления, но тут же решила не развивать дальше свою мысль. Скрестив руки на груди, она вопросительно изогнула брови и пристально посмотрела на Джонни, ожидая, когда он двинется с места.

Джонни ухмыльнулся.

— Намек понял. Но лучше поторопись, пока Бандит не сожрал все, что осталось от завтрака.

Саманта встрепенулась.

— Кто это — Бандит?

Джон Томас кивнул в сторону низкого открытого окна рядом с ее кроватью, предвкушая удивление Саманты. Но все произошло совсем не так, как он ожидал, и Джонни сразу вспомнилось, что Саманта всегда умудрялась делать все по-своему, без всяких ссор.

Сэм взвизгнула от неожиданности при виде морды в окне. Огромная коричневая гончая с обвислыми ушами и самой грустной мордой, какую она когда-либо видела, уставилась на девушку из рамы окна. Язык пса вывалился из пасти набок, а карие глаза с просительным выражением напряженно смотрели на Саманту, словно вымаливая кусочек пищи, которой так вкусно пахло из дома.

Саманта сложила губы трубочкой и тихо свистнула, после чего позвала собаку по имени. Бандит, казалось, обрадовался тому, что его заметили. Саманта улыбнулась.

— У него твои глаза, — заметила она.

Джон Томас рассмеялся.

— Твоя взяла, — сказал он, отсалютовав ее остроумию полупустой кружкой с кофе, и захлопнул за собой дверь, предоставив Сэм одеваться в одиночестве.

— Ну знаешь, — протянула Саманта, пристально глядя на здоровенного пса, продолжавшего торчать в окне. — Боюсь, что твои манеры ничуть не лучше, чем у твоего хозяина.

Но Бандит не шевельнулся, лишь облизнулся и сглотнул, после чего язык его вновь вывалился из часто дышащей пасти, но только с другой стороны.

— Я так и думала, — заключила Саманта и, тихо рассмеявшись про себя, начала выбираться из кровати.

— Ты готова, Сэм? — спросил Джон Томас, когда его джип уже почти подъехал к Коттону.

Он понимал, что возвращение домой, пусть вынужденное, все же волнительно для Саманты.

Когда она жила здесь, жизнь была такой простой: она была маленькой девочкой, и с ее семьей все было в порядке.

— Думаю, да, — ответила Сэм и с интересом стала вглядываться в знакомый пейзаж, когда они повернули на углу Четвертой и Дауни-стрит. Волнение отразилось в ее голосе. — О, Джонни! Он все еще здесь!

Радость в ее голосе заставила его улыбнуться.

— Конечно, Сэм. Неужели ты думаешь, что я привез бы тебя на твою родную улицу, чтобы расстраивать?

Саманта покачала головой и принялась вновь рассматривать широкую веранду маленького домика и шпалеры с восточной стороны, с которых тяжело свисали побеги глицинии и жимолости.

Джонни, правда, не собирался рассказывать Саманте, как часто он наведывался сюда и вспоминал девочку, что жила здесь много лет назад. Он также не хотел рассказывать ей, как потрясен был, вернувшись домой на похороны отца и обнаружив, что в доме живут чужие люди.

Саманта повернулась на сиденье и в волнении протянула руку.

— Даже цветы те же самые.

— Скорее, похожие на те. Вспомни, сколько времени прошло.

— А кажется, все было только вчера, — произнесла Саманта негромко и снова протянула руку. — Я всегда старалась открывать заднюю дверь потихоньку, когда убегала встречаться с тобой без маминого разрешения, но петли каждый раз так ужасно скрипели.

— Мне искренне жаль твоих родителей. Я знаю, как близки вы были. Ты, должно быть, сильно тоскуешь по ним.

Саманта медленно кивнула, вспоминая ровное течение своей жизни и длинные тягучие летние дни. Дни, когда ей казалось, что она останется ребенком навсегда и ничто не изменится в устоявшемся порядке вещей.

В этот момент из дома выскочила маленькая девочка, очевидно, сбежавшая от чего-то или кого-то внутри. Она обернулась к двери: тонкие светлые волосы развевались на бегу, и улыбка удовольствия сияла на лице.

— Смотри! — воскликнула Саманта и указала на девочку. — В моем доме живет семья с детьми.

Джон Томас усмехнулся.

— Да, я знаю. Но ты в жизни не догадаешься, кто они.

Сэм выжидательно посмотрела на него.

— Помнишь Хэнка Карвера?

— Того мальчишку, который довел меня до слез? Как я могу забыть его? Он был первым и последним драконом, которого убили ради меня. Ни одна девушка не забывает такого, Джонни. Даже если ей всего-навсего двенадцать лет.

Джон Томас в душе пожалел, что не может убить драконов, угрожающих ее жизни сейчас. Это было не так легко, как разделаться с Хэнком Карвером. Джонни наблюдал за Самантой уголком глаза, стараясь, чтобы она не догадалась, о чем он сейчас думает.

«Хотел бы я понять, как ты смогла так легко позабыть нашу любовь. Как ты могла лежать рядом со мной и любить меня так нежно, а затем уехать без единого слова?»

Но на незаданные вопросы невозможно получить ответа. А Джон Томас и не собирался спрашивать. Он давным-давно понял, что на вопросы можно легко получить ответы, которые тебе не понравятся.

— Джонни?

— М-м-м?

— А все-таки, за что ты разбил нос Хэнку Карверу?

Руки Джонни застыли на рулевом колесе, а память услужливо вернула его в тот день, когда ему впервые пришлось понять, что Саманта Джин может в один прекрасный день перестать быть его собственностью.

Он приподнял бровь.

— Ты уверена, что хочешь это знать?

Саманта нахмурилась.

— Конечно, иначе я бы не спросила.

— Я поставил ему фонарь, когда он заметил, что ты носишь лифчик.

Щеки Сэм залил легкий румянец, но ей все же удалось усмехнуться.

— И из-за этого ты разъярился?

— Ну, не совсем. Больше всего меня взбесило, что он заметил, как ты выросла, а я нет. Ты была моей, Сэм. Всегда. И всегда бу... — Джонни замолчал на середине фразы и уставился на дорогу перед собой. — Черт.

Его раздражение было беспричинным, как будто он винил ее в чем-то, однако Сэм знала точно, что все было наоборот.

— Поехали, — попросила Саманта. Тень, набежавшая на его лицо, озаботила ее, и ей захотелось разрядить атмосферу. — Покажи мне еще что-нибудь. Давай подъедем к нашей школе. А потом, если останется время, мы могли бы выехать за город и побывать на ферме старого Келлога, посмотреть, не созрела ли там ежевика. Ох, Джонни, помнишь, как мы ели ягоды и веселились?

— Для ежевики еще рано. Да, нам было весело, Сэм. Еще как. — «Возможно это были самые большие радости в моей жизни, Саманта Джин. Но они закончились, когда ты покинула меня».

— Как скажешь, — согласилась она. — Просто веди машину, а я буду смотреть. Мне достаточно и этого.

Джон Томас наблюдал за быстрой сменой эмоций на лице Сэм и думал, каким же надо быть абсолютно сумасшедшим, чтобы попытаться лишить жизни такое создание, как Саманта Карлайл. Он не мог представить себе мир без нее.

Сквозь опущенное стекло джипа в кабину ворвался легкий ветерок и откинул с лица Сэм прядь волос. В старой футболке и закатанных до колен джинсах она казалась еще моложе, еще беззащитнее и, черт побери, еще женственнее. Их короткое путешествие по Коттону, должно быть, понравилось ей, но Джонни по-настоящему сомневался в том, понравилось ли оно ему, — он боялся, что начинает просто терять голову.

Новость о том, что маленькая Саманта Карлайл вернулась в город, разлетелась быстро; на каждом углу судачили о ней.

Джон Томас посчитал, что самым простым способом защитить Сэм будет рассказать всем, что с ней случилось. А быстрее всего это можно сделать, рассказав все Ангусу Уиверу. Ангус просто не мог хранить тайны, он моментально выбалтывал их.

Надо, чтобы люди знали: если в городе появится незнакомец, шериф должен сразу узнать об этом. Поэтому Джон Томас рассказал Ангусу все о письмах и других угрозах, которые получила Саманта в Лос-Анджелесе, добавив, что лос-анджелесская полиция не поверила в реальность опасности. Большего не потребовалось.

Обитатели городка приняли печальную историю близко к сердцу, посчитав себя обязанными помочь. И любой бедняга, имевший несчастье остановиться на бензоколонке Коттона или перекусить в придорожном кафе, начинал ощущать на себе зловещую недружелюбность местных жителей. Как-никак, Саманта была своей, коттонской девочкой, и кто-то угрожал ее жизни.

После того как все необходимые слова были сказаны, началось ожидание. И оно оказалось самым трудным делом.

Джон Томас посмотрел на будильник, стоявший на столике рядом с кроватью, и мысленно послал его к черту за напоминание о том, что придется промучиться в темноте еще по крайней мере четыре часа, пока не рассветет и он не сможет подняться, как полагается нормальному человеку.

Последние четыре дня были и лучшими, и худшими в его жизни. Было чудесно сознавать, что Саманта здесь, в его доме, но мучительно знать, что, когда наступит ночь, они простятся в полутемном коридоре и разойдутся по разным комнатам, лягут в разные кровати. Узы их детской дружбы были крепки, но теперь его влекло к ней по-другому, как к женщине.

Порой он замечал, как проявляются в ней прежние ребяческие черты, но почти все время это была взрослая женщина, сводившая его с ума. Мрак в ее глазах постепенно рассеивался, а улыбка на губах с каждым днем становилась все шире, особенно когда ей становилось весело. И то, что Сэм захватила с собой всего три смены одежды, вовсе не смущало его. Джону Томасу нравились те рубашки и джинсы, которые она побросала в свой рюкзак, собираясь в путь. Особенно он любил майки, облегавшие ее тело как раз в тех местах, которые бы он сам с удовольствием потрогал, если бы мог.

Джонни не знал, что Саманта замечает, как он смотрит на нее, когда думает, что она этого не видит. Он не знал, что она наблюдает за тем, как его любопытство перерастает в заинтересованность, как заинтересованность рождает желание. Узнай Джонни об этом, он тут же отмел бы подобное предположение, и Саманта сделала бы то же самое.

Она считала, что ее Джонни был надежным и до болезненности щепетильным. И еще она поняла, что Джону Томасу Найту можно доверить все, в том числе и ее жизнь. Он доказал это, сразу приехав за ней. Сэм только не знала, можно ли доверить Джону Томасу — мужчине свое сердце.

Джонни любил ее, а затем обманул ее доверие. Увидев Джона Томаса снова, Сэм поняла, что так до конца его и не простила. Поэтому они кружили друг вокруг друга, осторожно и напряженно, пытаясь делать вид, что все в порядке.

За окном ухнул на дереве филин, и Джон Томас опять бросил взгляд на будильник. Негромно тявкнул на крыльце Бандит, напоминая тем, кто не знает, что вторгаться на его территорию запрещено.

В комнате напротив скрипнули пружины матраса. Даже отсюда Джон Томас услышал стон Сэм. Судя по тому, как она ворочалась и металась, ей опять снились кошмары. Он спустил длинные ноги с кровати и прислушался, тихо сидя в темноте. Услышав новый вскрик, Джон Томас в мгновение ока пересек коридор и оказался в комнате Саманты раньше, чем Бандит успел среагировать на шум.

— Нет! — кричала она.

Саманта убегала. Ее ноги двигались, но ей казалось, что она стоит на месте. Руки, крепко схватившие ее за плечи, причинили острую боль. Дыхание преследователя, обжигавшее ей затылок, заставило Саманту рвануться вперед в отчаянной попытке выпутаться из простыней и избавиться от кошмара. И тут сильные руки мгновенно перенесли ее из ада в рай, выдернув из кровати.

— Саманта, милая. Проснись! Проснись! Это я, Джонни. Ты в безопасности. Я с тобой.

Он опустился на край кровати и посадил Саманту к себе на колени, раскачиваясь вместе с ней. Она обвила руками его шею, зарылась лицом ему в грудь, проглотив последнее рыдание.

Когда страх отступил и сознание прояснилось, Сэм вздохнула и прислонилась к его груди, обхватив себя руками, словно защищаясь. Она вовсе не боялась прикоснуться к Джонни, просто старалась успокоить неистово бьющееся сердце.

Он еще долго качал и баюкал ее, пока совсем не ушел страх.

— Ну как ты? — спросил он наконец глубоким голосом, нарушившим тишину в спальне. В эту минуту Саманта поняла то, в чем боялась себе признаться. Она поняла, что должна найти способ вновь обрести веру в этого человека, потому что если она расстанется с Джонни во второй раз, то никогда уже не будет сама собой.

Тепло летнего утра обволакивало обоих. Они словно растворялись друг в друге. И вдруг другое тепло заструилось между ними: пришло осознание того, что если они отдадутся своим чувствам, то это может привести к чему-то большему, чем просто наслаждение теплом друг друга.

Саманта заворочалась в его руках, почувствовав чуткую реакцию его тела. Она чуть слышно застонала и закрыла лицо руками. Сэм еще не была готова к этому, но беспокоиться ей не стоило. Джон Томас чувствовал то же самое. Ему тоже надо было изгонять своих демонов.

Он поднял Сэм с колен, нежно положил обратно в постель и вышел из комнаты без лишних слов. Думая, что рассердила его, Саманта была немало удивлена, когда буквально минуту спустя он появился вновь.

Яркая белизна его трусов и высокая мускулистая фигура отчетливо выделялись в дверном проеме. Старые воспоминания о том, как однажды их тела сливались в порыве любви и страсти, переполняли ее. У Саманты появилось сильнейшее искушение просто лечь на кровать и протянуть к нему руки. Но вместо этого она ждала, когда Джон Томас сделает первый шаг.

Он подошел ближе. Она даже уловила запах его тела и слабый, едва уловимый аромат мыла, оставшийся после душа. Она закрыла глаза, ожидая всего, но только не холодного полотенца, коснувшегося ее лица: Джонни протер лоб Саманты влажной тканью.

— Вот, милая, — нежно сказал он. — Это немножко успокоит тебя и поможет заснуть.

«Черта с два!» — подумала Сэм.

— Плохая ночь, да?

— Была, но прошла, — ответила она и вздохнула, отдавая ему инициативу, как всегда делала в детстве. — Сейчас уже лучше. По правде говоря, я давно уже не умывалась. — Саманта улыбнулась, зная, что в темноте он не разглядит выражение ее лица.

Но Джон Томас уловил улыбку в интонации ее голоса и, бессознательно наклонившись, поцеловал ее в висок, где крошечные прядки волос, смоченные полотенцем, завивались, как у младенца.

— А еще дольше меня как следует не целовали на ночь, — добавила Сэм, едва дыша.

Он услышал, как изменился тембр ее голоса. Насмешка уступила место мольбе. Этому противиться Джонни не мог. Он наклонился немного ниже, и на этот раз его губы прижались к ее приоткрывшемуся в ожидании рту.

Джонни ощутил, как она задохнулась, судорожно втягивая воздух, и это было последнее, что он помнил. Ее руки обвили ему шею, сплетаясь на затылке, и Джонни услышал, как она тихо застонала, когда их тела соприкоснулись.

— Черт, — произнес он негромко и остановился, ощутив болезненные толчки в пояснице, вызванные желанием. Вот он лежит на ней, напряженный и страдающий. Этого не должно было случиться.

— Нет, Джонни. — Ее мягкий, чуть хрипловатый голос пригвоздил его к кровати и к Саманте так крепко, словно она привязала его. — Нет, мне вовсе не плохо. Наоборот, это было очень, очень приятно. Я просто не...

— Не говори ничего, Сэм. — Голос Джонни стал резким. — Я виноват, что потерял контроль над собой, и обещаю, что это больше не повторится. Я не хочу обжечься второй раз.

Застонав, он скатился с Сэм и встал с кровати, мужественно стараясь не замечать выпуклости между ногами и пустоты в руках.

Он вышел за дверь не оглядываясь, и Саманте осталось лишь удивляться, почему он так рассердился. Ведь это ее бросили, не его.

Ей казалось, что она никогда не уснет. Но стоило закрыть глаза, как сразу же навалился сон, и вместе с ним вернулись воспоминания о прикосновениях мужских рук и губ, тяжести его тела, жара, охватившего их обоих.

Утром сам воздух, казалось, стал другим, так как наполнился все растущим пониманием между ними. Дни текли ровно, и Саманта сначала на минуты, а затем и на целые часы стала забывать, что кто-то жаждет ее смерти. Однако она никогда, никогда не переставала быть настороже.

Каждое утро, после того как Джон Томас уезжал на работу, Саманта оставалась дома одна. Единственным серьезным делом для нее был выбор блюда, которое надо приготовить на ужин. На работе Джон Томас теперь злился на задержки и бумажную волокиту, оттягивавшие приезд его нового помощника. Ведь когда он возвращался домой, Сэм ждала его.

Они успокоились, настороженность ослабла, и поэтому, когда началась паника, Джон Томас воспринял ее так, словно она была неожиданностью для него.

— Кэрол Энн, соедини меня, пожалуйста, с Сэм, пока я подписываю эти бумаги.

Диспетчер, улыбнувшись, потянулась к телефону. Шериф Найт стал совершенно другим человеком после возвращения из Калифорнии в компании со своей старой подругой. Если раньше он практически жил на работе, то теперь, как все нормальные люди, не мог дождаться конца рабочего дня.

Набрав номер, Кэрол Энн стала ждать, предполагая, что через два-три гудка услышит низкий, протяжный голос Саманты Карлайл. Но этого не произошло. Кэрол Энн нахмурилась и после десятка или более гудков разъединилась и попробовала опять, думая, что, возможно, неправильно набрала номер.

На этот раз она насчитала двадцать гудков, прежде чем повесила трубку. Шокированное выражение на лице диспетчера сразу передалось шерифу, когда Кэрол Энн сообщила:

— Она не отвечает.

Джон Томас нахмурился.

— Попробуй еще раз, может, ты ошиблась номером, — приказал он.

— Я уже пробовала.

Он выхватил трубку из ее руки и набрал номер сам — и на этот раз потерял счет гудкам. Равнодушные звонки бились и бились в его ухо.

Кэрол Энн не удивилась, когда шериф швырнул трубку на рычаг и заявил, что едет домой.

Нужно было быть совсем дурочкой, чтобы не заметить, как волновало шерифа Найта присутствие гостьи в его доме. В зависимости от настроения он становился либо настороженным, либо разъяренным при упоминании ее имени.

Джон Томас все время помнил, что причиной появления Саманты в Техасе была угроза ее жизни. Но последние дни казались такими спокойными, что она могла забыть обычную осторожность. А если ее жизнь действительно *в опасности*, одной ошибки будет достаточно.

Своему джипу, стоявшему за зданием, он предпочел патрульную машину, решив, что ему понадобится более скоростная машина, и в то же время молясь, чтобы это оказалось не так.

Через несколько секунд он был уже за пределами города. На полном ходу свернув на дорогу, ведущую к дому, Джонни подумал, что они оба стали слишком беспечными. Выровняв машину, которую занесло на повороте, он прибавил скорость, не обращая внимания на спазмы в желудке и тяжесть на сердце. Джон Томас не мог представить себе, что потеряет Саманту. Только не теперь. Не теперь, когда он снова нашел ее. И хотя сознание подсказывало, что она не принадлежит ему, Джонни отбросил эту мысль и еще сильнее надавил на педаль акселератора.

Подъехав к дому, он выпрыгнул из машины раньше, чем улеглась поднятая ею пыль, бросился к двери и, распахнув ее ударом ладони, побежал по комнатам, громко зовя Саманту. Ответом на его крики было лишь эхо собственных шагов. Тишина в доме лишь усугубляла его тревогу.

Джонни дважды обежал весь дом, прежде чем окончательно понял, что ее здесь нет. Все было на месте, кроме Сэм.

Он выбежал на крыльцо и остановился, напряженно вглядываясь в стену деревьев, окружающих дом. Впервые за свою жизнь он подумал о них не как о защите и ограде, а как о месте, где мог спрятаться неизвестный.

Джон Томас сложил ладони рупором, намереваясь выкрикнуть ее имя, но тут увидел *их*, идущих через скошенный луг за дорогой, и почувствовал, как вся кровь в его теле стекла в ноги.

Джонни затрясло, он попытался сдвинуться с места. Но облегчение оказалось столь сильным, что некоторое время он был просто не в состоянии шевельнуться.

Легкий ветерок, дувший от густой рощи, играл волосами Саманты, бросая пряди ей на лицо. Она рассеянно пинала пыль у себя под ногами, время от времени подбирая веточку, чтобы бросить ее вперед, к великому удовольствию Бандита, который немедленно кидался за «игрушкой».

На Саманте были поношенная, когда-то голубая, футболка и джинсовые шорты, обнажавшие длинные ноги; волосы были собраны в конский хвост. Он увидел, как Сэм нагнулась в высокой траве и подняла палку, затем размахнулась и швырнула ее вперед. Задрав голову, девушка следила за траекторией полета, затем восторженно захлопала в ладоши, когда Бандит рванулся вслед за палкой. Улыбка, которой Саманта провожала собаку, вызвала у него боль. Джон Томас глубоко вздохнул и медленно двинулся ей навстречу.

Сэм подняла глаза. Увидев Джонни, идущего через луг, она махнула ему рукой и побежала навстречу.

— Привет, — сказала она, остановившись перед ним, слегка задыхаясь от бега. — Я не знала, что ты приедешь домой.

— Ты не отвечала на телефонные звонки, — произнес он тихо.

Она подняла глаза, удивленная глубиной чувств, открывшейся в этих нескольких словах, и поняла, *как* он испугался.

— Прости, — быстро извинилась она. — Мне просто надоело сидеть внутри, совсем одной.

А снаружи было так хорошо... Я подумала, что ничего не случится, если я...

Он пожал плечами.

— Я среагировал слишком бурно. Все в порядке.

Но она знала, что не все в порядке.

— Мы ходили к ручью, — сказала она, показав рукой на Бандита, подбежавшего в этот момент и положившего к ее ногам найденную палку.

Джон Томас был околдован ею. Глаза Саманты отражали синее небо над головой. Капелька пота выступила на виске и потекла вниз по шее к вороту футболки. Джонни завороженно следил за ее маршрутом, думая, что скоро она исчезнет в...

Он вовремя спохватился и увел свои мысли с извилистой тропы вожделения, на которую они чуть было не стали.

— Кто из вас бегал за дичью, а кто прокладывал путь? — спросил он.

— Что ты имеешь в виду?

— Вы с Бандитом выглядите так, словно оба гоняли зайцев. И ты, и он взмокли, разгорячились, ваши хвосты в пыли. Ясно как Божий день, судя по грязи на твоих ногах, что ты побывала в самом ручье. — Джонни слегка усмехнулся. — Простая полицейская наблюдательность.

Ее рот приоткрылся от изумления. Она посмотрела на Бандита, потом на свои ноги и рассмеялась. Сэм смеялась заразительно, откинув голову, и от этого смеха у Джона Томаса подвело желудок. Стоя в полдень посреди скошенного луга, Джон Томас ощутил, как качается под ним земля.

Чтобы не поддаться искушению схватить ее на руки и опустить на траву, Джонни наклонился, стряхнул пыль с ее колен и махнул шляпой Бандиту, предлагая всем идти к дому.

Позднее они сидели в тени на ступеньках крыльца, уплетая сандвичи с лимонадом и бросая кусочки псу, нежившемуся на прохладной земле в тени высокой сосны рядом с крыльцом.

С крайней неохотой Джон Томас все же решил возвратиться в Раск.

— Полагаю, мне пора обратно на работу, — сказал он и испытал легкое удовлетворение при виде расстроенного выражения на лице Саманты. Она была так явно удручена, что Джонни, не успев подумать, охватил руками ее голову и быстро прижался ртом к ее губам. Ее губы чуть приоткрылись от удивления, но поцелуй был таким крепким и требовательным, что мир закружился перед глазами Сэм и она повиновалась его ласке, не думая противиться.

Он отпустил ее так же внезапно, как и обнял.

— Будь осторожна, черт побери, — пробормотал он низким голосом и побежал к машине с единственной мыслью в голове: ему надо убираться отсюда, пока он не натворил такого, о чем они оба потом будут жалеть.

В это время Саманта думала, что надо будет потом, когда она придет в себя и сможет связно мыслить, напомнить себе, что это был всего лишь поцелуй между друзьями.

Два дня спустя, на другом конце страны, в Лос-Анджелесе, совершенно иной взрыв разорвал тишину раннего утра в жилом комплексе, покрытом розовой штукатуркой. Стены покачнулись, вздрогнула земля, из квартир посыпались сонные испуганные жильцы, полагая, что началось землетрясение.

Только через несколько минут было замечено отсутствие каких-либо разрушений, кроме квартиры 214. Прибывшая вскоре пожарная бригада определила, что взрыв был подготовлен заранее. Когда же стало ясно, что бомба была с дистанционным управлением, замешательство и испуг жителей дома достигли высшей точки. То, что квартира принадлежала Саманте Карлайл, окончательно запутало дело.

Звонок в кабинете детектива Пуласки из лос-анджелесского полицейского управления раздался именно в этот момент.

— Пуласки слушает, — ответил Майк, прожевывая пирожное с кремом. Его цветущее лицо мгновенно побледнело, и, подавившись пирожным, он кашлянул, затем сделал большой глоток горячего кофе, чтобы проглотить вместе с жидкостью полученные новости.

— Вы уверены? — спросил он, быстро записывая то, что ему говорили. Несколькими минутами позже, повесив трубку, он пробежал глазами свои записи и выругался. Звонок привел его в ярость. Он, Майк Пуласки, почти никогда не ошибался. И ненавидел себя за ошибки, особенно за такие. Угроза безопасности и жизни Саманты Карлайл внезапно стала реальностью, и теперь ему придется жить с чувством вины и угрызениями совести. Она все это время говорила им чистую правду!

Вскоре Пуласки уже был на месте взрыва. И то, что он узнал, повергло его в настоящий шок. Остатки того, что было когда-то домом Саманты Карлайл, были разбросаны по всем трем комнатам квартиры и частично выброшены взрывом во двор.

У детектива были теперь все необходимые доказательства того, что ее жизни угрожает опасность, потому что только он один знал из первых рук, что мисс Саманта Карлайл, жительница Лос-Анджелеса, Калифорния, была теперь в надежных руках техасского шерифа. Она находилась за тысячи миль отсюда, когда остатки ее мира взлетели на воздух.

Майк Пуласки вернулся в управление, оставив экспертов из лаборатории собирать вещественные доказательства. Ему необходимо было позвонить, и этот звонок мог оказаться для него очень нелегким. Ему потребовалось несколько минут, чтобы отыскать карточку, которую бросил на его стол Джон Томас Найт. Найдя ее, Майк остановился, обдумывая, что скажет шерифу.

Разница во времени между Техасом и Лос-Анджелесом составляла два часа, поэтому он был уверен, что шериф уже давно на работе. Глубоко вздохнув, детектив набрал номер и стал ждать, когда шериф Найт снимет трубку...

— Когда?

Вопрос прозвучал как громовой удар, и Пуласки, поморщившись, отодвинул трубку от уха.

— Сегодня утром, — ответил он и посмотрел на часы. — По вашему времени около десяти часов.

Джон Томас медленно втянул в себя воздух, прикрыл глаза и потер переносицу, пытаясь успокоить внезапно появившуюся головную боль.

— Что удалось выяснить на нынешний момент?

Пуласки вздохнул.

— Не много.

— Интересно, отчего это я не удивлен?

— Послушайте! Я совершил промах, не отрицаю. Но у нас отличные эксперты по взрывам. Если там хоть что-то осталось, они это найдут.

— А пока они рыщут по останкам жизни Саманты, что, вы думаете, я должен делать? Вы представляете, *что* с ней будет, когда она об этом узнает? Черт вас возьми, Пуласки, почему вы не поверили ей раньше, когда еще можно было все исправить?!

Пуласки вздохнул, вспомнив, как безразлично отнеслись руководители агентства, в котором работала Саманта Карлайл, к угрозам в ее адрес, особенно после того, как прошло довольно много времени и ничего не случилось. Тот факт, что он, Майк Пуласки, позволил их точке зрения повлиять на свою, самоуважения ему не прибавлял.

— Я хотел бы изменить то, что случилось, но это не в моих силах. Послушайте, шериф, я обычный человек, понимаете? Как и все мы. Все, что я могу вам сказать, — будьте настороже, особенно в отношении незнакомых людей.

Джон Томас коротко рассмеялся.

— Ну, это, Пуласки, будет не так уж и трудно. Каждый новый человек в нашем городке, где жителей меньше двух тысяч, будет на виду, как корова в стаде кастрированных быков.

От такого сравнения Пуласки только покачал головой, решив, что сказанное Найтом, возможно, что-то означает у них в Техасе.

— Ну хорошо, — сказал он. — Как только получу дополнительную информацию, я вам позвоню. Но пока вы должны исходить из того, что преследователь Саманты знает о ее отъезде и, без сомнения, пришел в ярость.

— Почему вы думаете, что он знает? — спросил Джон Томас. Предупреждение прозвучало неожиданно, и то, что за ним крылось, ему не понравилось. Совсем не понравилось.

— Потому что бомба лежала на ее кровати, вот почему. Наш штатный психолог сказал, что место расположения бомбы можно интерпретировать двояко. Взорвав кровать, убийца как бы хотел дать понять мисс Карлайл, что, перебравшись из нее в вашу, она все равно никуда от него не денется. Либо его просто взбесило то, что она уехала. Так или иначе, но он знает — Саманты Карлайл нет в Лос-Анджелесе.

— О дьявол!

— Сочувствую вам, — попрощался Пуласки и повесил трубку. Джон Томас, нахмурившись, осторожно положил замолчавшую трубку на рычаг и закрыл лицо руками.

— Дерьмо собачье.

— Плохие новости? — поинтересовалась Кэрол Энн.

Джон Томас улыбнулся. Но радости в улыбке не было заметно. При взгляде на лицо шерифа диспетчер невольно поежилась.

— Черт побери, Кэрол Энн, разве в этом деле могут быть *хорошие* новости?

Хлопнув дверью, Джон Томас пошел к своему джипу. Меньше всего на свете ему хотелось ехать домой и рассказывать Саманте то, что он недавно узнал, и видеть, как гаснет улыбка на ее лице.

Однако выбора у шерифа не было. Еще до окончания сегодняшнего вечера его новости вновь поселят страх в ее душе.

Глава 5

Бандит тявкнул один раз при шуме мотора подъехавшей машины и вновь уронил голову на лапы, следя взглядом за женщиной, стоявшей у кухонной раковины.

Саманта взглянула на умильное выражение собачьей морды и рассмеялась, махнув длинной деревянной ложкой, чтобы выгнать пса из кухни.

— Если это все, что ты можешь, тогда убирайся, бесполезное животное, — сказала она и, подняв глаза, увидела Джона Томаса, стоявшего в проеме кухонной двери с озадаченным выражением на лице.

— Но я ведь только вошел, — произнес он. — Можно поесть, прежде чем ты выгонишь меня вон?

Она ухмыльнулась.

— Я не имела в виду тебя, — ответила она. — Я разговаривала с Бандитом.

— Уже разговариваешь с собаками, вот как?

Саманта услышала насмешку в его голосе и поняла, что сама явилась ее мишенью.

— По крайней мере он не пререкается со мной, — отрезала она.

Улыбка сползла с лица Джонни, когда он отвернулся, чтобы повесить шляпу на крюк с наружной стороны двери. Сэм видела, что Джонни изо всех сил старается вести себя пристойно, что было не в его духе. У него явно была какая-то причина для беспокойства. Саманта чувствовала это. Но она считала, что, если захочет, он скажет об этом сам, когда придет время.

— Я пойду ополоснусь и переоденусь, — сказал Джон Томас. — Через пару минут вернусь и помогу тебе приготовить ужин.

Саманта, глядя вслед Джонни, заметила, как напряжены его плечи. Пост шерифа целого графства имеет, как видно, свои преимущества и свои недостатки. Сегодня скорее всего последние возобладали над первыми.

В своей комнате Джон Томас швырнул пистолет и кобуру на полку шкафа и тяжело сел на край кровати. Пружины под его весом жалобно заскрипели.

Он расстегнул ремень, вытащил рубашку из брюк и резко рванул за воротничок рубахи. Кнопки нехотя подались его настойчивому усилию. Джонни прикрыл глаза и глубоко вздохнул, молясь про себя, чтобы новости, которые он принес, не стерли улыбку с ее лица. Пытаясь расслабиться, он медленно привыкал к переменам, которые принесло с собой печальное известие.

Его дом был стар, но крепок, с сосновыми стенами и полом. На полу не было ничего, что могло смягчить стук каблуков, стены были просто окрашены краской. Это был дом мужчины, и именно таким он нравился Джону Томасу.

По крайней мере до последнего времени. Сейчас же он поймал себя на мысли о босых ножках Сэм, шлепавших по коридору ночью. Он снова вздохнул и уловил соблазнительные ароматы готовящейся пищи и легкие запахи мыла и стирального порошка. Он готов был побиться об заклад на месячную зарплату, что Сэм вылезла из ванной меньше чем час назад. Его живот напрягся при одной только мысли о ее обнаженном теле, о том, как оно должно выглядеть: влажное, покрытое мыльной пеной.

— Это никуда меня не приведет, — пробормотал он и, схватив один свой сапог за каблук, дернул. Тот не сдвинулся ни на йоту, и Джонни проклял сегодняшнюю жару, от которой его ноги в сапогах так распухли.

— Помощь нужна? — раздался голос Саманты.

Он выпрямился, немного удивленный тем, что она пришла, но тут же приказал себе не искать за этим какого-то второго смысла. Они мерили друг друга взглядами, словно оценивая. Затем он кивнул. Только тогда Сэм прошла от двери в комнату.

— Задери ногу, — приказала она, слегка усмехаясь озадаченному выражению на лице Джонни, пока он выполнял ее распоряжение. Она закинула ногу и оседлала его сапог, словно коня, оставив на обозрение Джона Томаса лишь спину и соблазнительные округлости ниже. После этого Сэм слегка наклонилась вперед и взялась за сапог обеими руками.

— Толкай, — приказала она и постаралась ни о чем не думать, когда Джонни твердо уперся второй ногой ей в ягодицы.

Она с силой потянула и, когда почувствовала, что тугая кожа начинает поддаваться, рванула еще сильнее. Удовлетворенно хмыкнув, Саманта наконец выпрямилась с сапогом в руках.

Его нога опустилась на пол одновременно с отброшенным сапогом. Ослепший для всего, кроме соблазнительного вида, который предстал секунду назад перед его глазами, Джонни вздрогнул, когда Сэм взгромоздилась на другую его ногу и произнесла:

— А теперь эту.

Саманта ухватилась за оставшийся сапог, туго сжав бедрами ногу Джонни и терпеливо ожидая, пока он поставит свою ступню на ее спину. Но на этот раз Джон Томас коснулся ее медленно и нежно, и Сэм ощутила, как его нога в носке скользнула от бедра к талии, прежде чем утвердилась на нужном месте.

Она поежилась от этого прикосновения, пожалев, что не его рука касается ее столь интимно. Разозлившись, она выпалила следующие слова грубее, чем хотела на самом деле.

— Чем ты там занимаешься сзади, территорию осматриваешь? Давай, черт тебя подери, толкай! У меня ужин подгорает.

Губы Джона Томаса сжались, глаза сощурились. Она хочет, чтобы он толкнул? Что ж, почему он должен спорить? Джонни резко выпрямил ногу, удовлетворенно улыбнувшись при виде того, как согнутое тело Сэм полетело через всю комнату, посланное, словно снаряд из пушки. Споткнувшись, она сумела остановиться лишь у кресла, через которое чуть было не перелетела. Сэм обернулась и разъяренно уставилась на Джонни, готовясь немедленно дать отпор любой насмешке или издевке. Но он не позволил себе ни того, ни другого.

— Спасибо, Саманта.

Его голос был так же глубок и искренен, как эти его чертовы карие глаза, скрывающие тайны, которые ей никогда не удавалось разгадать.

Саманта сдвинула брови и потерла рукой бедро.

— Не стоит благодарности, — коротко ответила она.

Бандит тявкнул один раз.

Саманта принюхалась.

— Кажется, свиные отбивные готовы, — сообщила она.

Джон Томас сел на кровати, провожая взглядом убежавшую Саманту.

— Ну и дела! Мой пес тоже разговаривает с ней. И, что удивительно, она его понимает, — проворчал он. Как бы ему хотелось так же легко понимать то, что происходит между ними!

На кухне крышка громыхнула о кастрюлю, послышался шум льющейся воды.

— Джонни! — позвала она.

— Иду! — отозвался Джон Томас. Он выбрался из своей рабочей одежды, натянул потрепанные джинсы, сунул ноги в старые парусиновые шлепанцы и двинулся к двери.

По пути к ванной он выхватил из шкафа рубашку. Ужин давал ему возможность оттянуть тот момент, когда придется рассказать ей о звонке из Калифорнии. Он подождет и расскажет ей все после ужина. Но не позднее. Саманта должна знать, что преследователь вновь нанес удар, но на этот раз не словами.

Джон Томас вынимал последнюю сковороду из мойки, когда Саманта выпустила воду из раковины. Он слегка протер сковороду мягким полотенцем и поставил в другую, бóльшую, в ящик внизу.

— Закончили, — заключила Саманта.

Он кивнул и попытался ответить улыбкой на ее улыбку.

— Давай выйдем на улицу ненадолго, — предложил он. — После всей этой готовки ты, наверное, и сама пышешь жаром.

— Не так уж это и страшно, если привыкнуть. Кроме того, когда чем-то занят, время летит быстрее, а у меня сейчас столько свободного времени, что я не знаю, чем его занять.

Сетчатая противомоскитная дверь протестующе скрипнула, когда Джонни распахнул ее пошире, ожидая, что Сэм выйдет вслед за ним. После того как они миновали дверной проем, он потянулся внутрь и выключил свет.

— Теперь не налетит мошкара, — зачем-то объяснил он. Ей вспомнилось, как ночные мотыльки и майские жуки, бывало, бомбардировали любые источники света, безрассудно бросаясь на все, что встречалось им на пути.

— Наверное, надо было установить в доме вентилятор или что-нибудь подобное, чтобы охлаждать воздух. Но я никогда не любил кондиционеры, — произнес он. — Чувствуешь себя словно в клетке.

Саманта опустилась на диванчик-качалку, оставив место и для него, и откинула голову на высокую деревянную спинку. Диванчик качнулся, потом принял прежнее положение, так как Джон Томас положил руку на спинку, чтобы уравнять их вес. Это дало ему возможность сесть поближе к Сэм.

— Я тебя, наверное, стесняю, Джонни? У тебя со мной нет ни одной свободной минуты. Извини, что все так...

— Он взорвал твою квартиру.

Слова были подобны раскату грома, прогремевшему неожиданно. Чтобы осмыслить то, что сказал Джонни, Саманте потребовалось какое-то время, но когда смысл его слов дошел до ее сознания, девушка тут же забыла, о чем собиралась говорить.

За деревьями тявкнул койот, где-то за диванчиком завел свою скрипучую, но мелодичную песенку сидевший в траве сверчок. За холмом басовито заквакали лягушки-быки; их концерт гулким эхом отражался от крутого берега реки, вплетаясь в общий хор других ночных звуков, приветствовавших приход темноты.

— О Господи!

Джонни ожидал, что Сэм испугается. Но от этого тихого, беспомощного вскрика ему стало плохо. Он вглядывался в ее лицо, пытаясь понять в темноте, что она чувствует. И тут он услышал. Почти неразличимый безнадежный всхлип. Диванчик качнулся, когда Саманта закрыла лицо руками.

— Проклятие, Сэм. Не плачь.

Он чуть ли не яростно прижал ее к себе, чувствуя, как страх охватывает Сэм, затуманивает ей разум.

Ее боль казалась ему самому почти нестерпимой. Он удерживал ее и баюкал, шептал что-то, о чем-то умолял. Но слезы продолжали литься из ее глаз, тело сотрясала дрожь, несмотря на все его старания.

Вскоре пришла ярость. Словно молния, сверкнувшая посреди ночи. И хотя Джон Томас принес присягу, поклялся соблюдать закон, ему стало понятно, что, если в этот момент ему пришлось бы столкнуться с монстром, преследующим Саманту, он убил бы его.

— Я не позволю ему обидеть тебя, — прошептал он ей в щеку. Как-то само собой забылось, что она лгала ему когда-то. Он забыл, что она предала их любовь. Он забыл, потому что хотел этого.

— Я позабочусь о тебе, Сэм. Обещаю. Истинный крест, чтоб мне умереть. Я всегда буду рядом. Ты это знаешь.

Саманта вздрогнула, затем прислонилась лбом к его плечу, пожалев, что не видит его лица. Она вслушивалась в его слова и верила им безоглядно. Но она отдала бы все на свете, чтобы увидеть выражение на его лице, когда он их произносил.

Внезапно ее посетило эгоистичное желание, чтобы то, в чем он поклялся, диктовалось не только чувством долга. От Джонни Найта ей хотелось большего. Она просто не была уверена в том, что он готов дать ей что-то еще, кроме пустых обещаний. Когда-то Сэм могла поклясться жизнью, что он любит ее. Но она ошиблась. Возможно, она обманывается и теперь.

— Ну как, приходишь в себя?

— Разве у меня есть выбор? — отозвалась она. — Думаю, надо благодарить Бога за то, что меня не оказалось там во время взрыва, и теперь я сижу здесь, оплакивая потерю.

Джонни вздохнул, вспоминая, как много он еще не успел ей сказать. Она почувствовала движение его широкой груди, когда он задержал дыхание, и попыталась подавить вторую волну страха.

— Что-то еще? — спросила она.

— Пуласки говорит, что это произошло — я имею в виду взрыв — как-то странно. Полицейский психолог считает — убийца будто хотел сказать тебе что-то этим взрывом.

— Вот как? — прошептала она, не осознавая, что стискивает в кулаках рубашку Джонни, прижимаясь к нему на диванчике.

— Он знает, что ты уехала. И, возможно, знает, что ты уехала со мной.

— Не понимаю, — еле слышно произнесла Саманта. — Как они смогли узнать все это из одного взрыва бомбы в моей квартире? Он что, оставил какую-то записку или...

— Взрыв и был чем-то вроде записки, — ответил Джон Томас. Он напряг руки, неосознанно прижимая Сэм крепче к себе. — Бомба была подорвана дистанционно, из другого места. Но лежала, когда взорвалась, на твоей кровати.

— На моей кровати?!

— Своеобразное извращение, высокомерное предупреждение о том, что ты не можешь безнаказанно перебраться из своей постели в мою.

Ее молчание было слишком долгим. Но Джонни тоже больше нечего было сказать.

— Меня настолько тошнит от всего этого, что я готова закричать, — произнесла Саманта тихо.

Его удивили нотки гнева в ее голосе.

— Я не знаю, кто такой этот псих на самом деле, но он еще пытается указывать мне, с кем спать, а с кем нет? Да, просто здорово! — Она горько рассмеялась, вскочив на ноги и высвобождаясь из его объятий, и рванулась к сетчатой двери. — Интересно, знает ли он, что я спала одна так чертовски долго, что, приведись мне сейчас разделить с кем-то постель, я не буду знать, как это сделать!

Дверь за Самантой с треском захлопнулась, и Джон Томас остался наедине с темнотой. Он так долго сидел на деревянном диванчике, что у него затекла нога. Но он был не в состоянии двинуться с места после того, что услышал. Она спала одна! Это значило, что в ее жизни не было никого особенного. Причем давно, очень давно.

Несколько часов спустя Джонни лежал на кровати, упершись взглядом в потолок и спрашивая себя, как долго еще будут тянуться эти изматывающие отношения, прежде чем что-нибудь произойдет. Чем больше времени он проводил с Сэм, тем больше его интересовала та женщина, в которую превратилась Саманта Карлайл.

Ему не следует доверять ей. Как только ее проблемы будут разрешены, она уедет и он опять останется один, только с болью в душе. Но одно дело — понимать, и совсем другое — поступать в соответствии с этим пониманием. Предстояло еще посмотреть, что возьмет верх: его гордость или его чувства.

На следующее утро перед единственной в Коттоне автомастерской дежурный механик Пит Мюллер стал свидетелем другого взрыва. Правда, он произошел прямо у заправки, и его жертвой стал запыленный «ягуар» бордового цвета. Сразу же вслед за взрывом из-под капота автомобиля повалил пар, со свистом вырываясь изо всех щелей и отверстий. Водитель чуть не взорвался сам, в ярости ругаясь, как потом утверждал Пит, на трех разных языках одновременно.

Аарон Рубин проклинал все автомобили и двигатели, механиков, налоговую систему и сам штат Техас, бегая вокруг своей умирающей машины и злобно пиная ее колеса.

— Вот блеск! Застрял черт знает где! Ну как теперь, разрази меня гром, я доберусь до Далласа из этой дыры?! — вопил Рубин.

Пит засунул промасленную тряпку в карман на левом бедре и не торопясь двинулся к водителю и его машине, при этом прикидывая, кто же из них шипит и плюется громче.

— Вы вовсе не в дыре, мистер. Вы находитесь в Коттоне. Хотите, чтобы я взглянул на вашу машину?

Рубин презрительно ухмыльнулся.

— Смотри на все, что хочешь. Только ответь мне на один вопрос. Ты когда-нибудь имел дело с «ягуаром»?

Пит отрицательно покачал головой.

Рубин закатил глаза.

— Ну а тебе вообще приходилось ремонтировать хоть какую-нибудь машину, кроме грузовиков или тракторов?

Пит засунул руки в карманы и двинулся от Аарона прочь. У него сложилось мнение, что этот сукин сын либо псих, либо дурак. Иначе с чего он оскорбляет единственного человека в округе, предложившего ему свою помощь? Тут взгляд Пита упал на номерной знак машины — она была зарегистрирована в Калифорнии. Теперь все ясно. Чокнутый турист.

— Эй! — завопил Рубин, осознав, что обидел свою единственную надежду на спасение. — Посмотрите, что с ней можно сделать, ладно?

Пит обернулся и пожал плечами.

— Никаких обещаний давать не буду, — сказал он.

— Интересно, отчего это меня не удивляет? — пробормотал Рубин. Затем, уже громче, спросил: — Где здесь ближайший мотель?

Пит показал рукой.

— Ближайший и единственный. Через три квартала направо.

Глядя на удаляющегося мужчину, Пит вспомнил о несчастье Саманты Карлайл и мысленно отметил, что надо бы рассказать шерифу Найту о человеке из Калифорнии, который ближайшие несколько дней будет жить в мотеле «Техас Пиг».

Рубин вытащил с заднего сиденья свой чемодан и побрел по улице, злобно ворча и вздымая клубы пыли при каждом шаге. Когда же, свернув за угол, он увидел бетонную статую броненосца больше чем в натуральную величину на постаменте из известняка, настроение у него отнюдь не улучшилось.

Статуя служила единственным украшением крохотного дворика мотеля.

Приземистые раздельные коттеджи стояли как по линейке. Всего их было семь. Табличка на двери приемной гласила, что в мотеле «Техас Пиг» имеются свободные места.

— И опять, почему это меня не удивляет? — пробормотал себе под нос Рубин, переложил чемодан из одной руки в другую и направился к дверям.

Джон Томас сидел прямо на своем стуле и старался не хмуриться, глядя, как новый помощник шерифа подписывает последнюю из бумаг, лежавших перед ним, и протягивает ее ему обратно.

Джон Томас вновь взглянул на подпись «Монтгомери Тернер». Тернер оказался вовсе не тем, кого он ожидал увидеть, и объяснения этого сосунка, сидевшего напротив, о том, как это все вышло, не успокоили шерифа.

Парню на вид было не больше двадцати пяти. Немного выше среднего роста, весу в нем не больше шестидесяти килограммов. Тернер выглядел слишком хрупким для тяжелого кожаного ремня, опоясывавшего его бедра. Даже рукоятка пистолета, выглядывавшая из кобуры, казалась великоватой для его ладони. Но огонек в глазах и упрямый желвачок на скуле подсказывали шерифу, что у мальчишки есть характер.

С возрастом многое придет. Хорошее питание и упражнения с гантелями позволят нарастить мускулы, но только время покажет, есть ли в Монтгомери Тернере то, что требуется для настоящего техасского блюстителя закона.

— Ну вот, Монтгомери. С этого момента ты официально получаешь зарплату. У тебя есть расписание работы, твой значок и, начиная с этой минуты, новое звание. Теперь ты официально вступил в обязанности помощника шерифа графства Чероки.

Монти ухмыльнулся. Все оказалось слишком просто. Он боялся, что знаменитый Джон Томас Найт будет метать громы и молнии из-за того, что ему прислали не того помощника, которого он ожидал. Но прием оказался пусть не очень теплый, но все равно хороший.

— Пожалуйста, сэр, зовите меня Монти.

Джон Томас кивнул:

— Только если ты перестанешь звать меня «сэр». Предлагаю на выбор: шериф, или Джон Томас, или даже босс. «Сэры» и «мистеры» меня как-то раздражают, если ты понимаешь, о чем я толкую.

Монти кивнул:

— Договорились, шериф. У меня, правда, есть еще одна проблема, которую хотелось бы решить, прежде чем приступать к работе. Мне негде жить, а единственное свободное жилье в Раске несколько дороже, чем я могу себе позволить. Нет ли у вас чего-нибудь на примете?

Джон Томас на минуту задумался. Да, в Раске свободного жилья было отнюдь не в избытке. Те многоквартирные дома, где жилье сдавалось в аренду, были почти всегда полностью заняты. И тут он вспомнил. Старый графский дом. Может быть, там окажется свободное место.

— Возможно, и есть, если ты не очень привередлив, — сказал Джон Томас.

— Показывайте дорогу, — ответил Монти.

Джон Томас так и сделал.

Старый двухэтажный дом, выглядевший так, словно был построен еще до того, как страна получила независимость, стоял в окружении рощи вековых дубов и сосен, которые, казалось, росли здесь уже не одно столетие.

Широко раскинутые дубовые ветви с густыми пучками листьев почти не пропускали солнечный свет на землю. Сосны, попадавшиеся среди дубов, были похожи на высоких древних солдат, направивших атакующие ветки-пальцы в сторону солнца.

Монтгомери Тернер, к его чести, сумел скрыть свои истинные чувства при виде дома. Все, что он позволил себе, — это долгий глубокий вздох. Затем он выбрался из патрульной машины и последовал за шерифом по дорожке к дому. Глаза ему сразу ослепило солнцем, и Монти привычным движением вынул из кармана солнцезащитные очки и нацепил их на переносицу.

— Чертовски жарко для этого времени года, не правда ли? — протяжно произнес Монти, перекладывая свой единственный чемодан в другую руку.

Джон Томас усмехнулся про себя. У мальчишки точно есть характер. Старое графское поместье, конечно, никогда бы не попало на обложку журнала «Лучшие дома и сады», но ему нравилось думать, что у этого места есть свой особый шарм.

— В комнатах есть кондиционеры, — ответил Джон Томас.

«Боже, благодарю тебя за маленькие радости», — мелькнуло в голове у Монти. Деревянная обшивка стен когда-то была белой, но время ее не пощадило, и теперь она приобрела светло-серый, блеклый вид. Жимолость и плющ покрывали почти всю южную стену. В зеленых зарослях были аккуратно прорезаны квадраты, чтобы зелень не мешала смотреть из двух пар двойных окон на каждом этаже. В остальном деревьям и кустам была предоставлена полная свобода. Над фасадом дома нависал широкий козырек. Будь здание построено несколькими сотнями миль восточнее, этот навес назвали бы верандой. Но поскольку дом находился в Техасе, он считался всего-навсего крыльцом.

В целом же перед Монти Тернером стояло величественное, солидное сооружение, несмотря на всю обветшалость. Стоило присмотреться к дому попристальнее, как начинало казаться, что козырек над фасадом — это модная широкополая шляпа, одетая на седую голову старой дамы.

— Вот мы и пришли, — сказал Джон Томас. Он открыл дверь и вошел внутрь, указывая на величественную широкую лестницу в нескольких шагах от них. — Должно быть, она ведет к двум квартирам наверху. Владелец сказал, что твоя квартира... — шериф всмотрелся сквозь сумрак холла в две двери напротив друг друга, — номер два на первом этаже.

Он вручил Монти ключ и отступил, давая молодому человеку возможность пройти.

Монтгомери сразу наткнулся на стену и покраснел, завозившись с солнечными очками: в этом темном, сумрачном коридоре они скорее мешали, чем помогали.

— Спасибо, — поблагодарил он, запихивая очки в карман, и взял у Джона Томаса ключ. — Что ж, посмотрим, что это за «дом, милый дом»*.

Дверь, открываясь, скрипнула, Монтгомери взглянул на верхнюю петлю и поморщился.

— Надо слегка смазать, — произнес он, приступая к осмотру комнаты. Оба — и шериф, и его помощник — оказались приятно удивлены: внутри все выглядело гораздо лучше, чем снаружи.

Обставленная мебелью с какой-то дешевой распродажи, вплоть до старого потертого плетеного коврика, комната, как ни странно, производила впечатление уютного жилища.

Занавеси на окнах были белоснежными, покрывала на старой софе — зелеными в узкую бор-

* «Дом, милый дом» («Home, Sweat Home) — популярная американская песня, посвященная родному дому.

довую полоску и очень чистыми. На диване были разбросаны подушечки бордового цвета, а единственное легкое кресло закрывал зеленый чехол, тоже подобранный в тон.

Направо от гостиной Монтгомери заметил край стола и стул и уловил шум старого холодильного мотора. Там, очевидно, была кухня.

Он вошел, пригласив шерифа следовать за собой, и двинулся налево, к единственной закрытой двери. Она приоткрылась на несколько сантиметров, и Монти пришлось нажать на нее плечом, чтобы открыть полностью.

— Немного туговата. — Он вошел в безликую спальню и швырнул свой чемодан на кровать. Окинув бесстрастным взглядом маленькую ванную, он вернулся в гостиную. — Мне подходит, шериф. Спасибо за помощь.

Джон Томас кивнул, довольный, что молодой человек не высказал ни единой претензии к качеству квартиры. Хотя видно было, что парню никогда еще не приходилось жить без удобств.

— Может быть, подбросить тебя обратно в участок? Возьмешь там свою машину, — предложил Джон Томас. — Остаток дня можешь устраиваться. Купи продукты, освойся с улицами Раска и окрестностями. По работе, случается, приходится выезжать за город, так что тебе в любом случае надо хорошо ориентироваться на местности.

Монтгомери улыбнулся и нахлобучил свою широкополую шляпу поглубже на голову.

— Просто покажите, как пройти к ближайшей закусочной, и я буду счастлив. Я холостяк и не очень умею готовить.

— Местечек, где можно перекусить, в округе полно, — ответил Джон Томас. — А что касается холостяцкого образа жизни, то, если начнешь осваиваться здесь слишком рьяно, не вини меня, если чей-то папаша влепит тебе в задницу заряд из своего ружьишка. Ну а если спутаешься с чужой женой, то я буду рядом с ее мужем со смолой и перьями наготове. Надеюсь, мы поняли друг друга?

Шерифа удивило странное, почти потерянное выражение, появившееся на лице Монти.

— У меня нет желания рыскать по окрестностям в поисках приключений, и я не нарушаю законов, — смущенно произнес он, — ни юридических, ни моральных.

Мужчины обменялись взглядами, и, когда отвели глаза друг от друга, показалось, что оба удовлетворенны тем, что увидели.

— Вот и хорошо, — подытожил Джон Томас. — Сейчас я отвезу тебя, чтобы ты забрал свою машину, и увидимся завтра утром. Мне надо съездить домой и проверить, как там одна женщина. — Последние слова Джон Томас сказал, чтобы скрыть свои истинные чувства.

Шериф направился к двери, за ним следовал его помощник. Джон Томас уже стоял одной ногой на ступеньке крыльца, собираясь шагнуть вниз, когда вопрос, заданный Монтгомери Тернером, остановил его на полшаге.

— Она ваша жена, сэр?

Джон Томас резко повернулся. Его внезапно охватил гнев. Ведь Саманта могла быть его женой — если бы не солгала.

— Я думал, что уже просил тебя прекратить называть меня «сэр».

Монти кивнул.

— Как ее зовут?

— Ее зовут Сэм. Она попала в беду. Я что-то вроде няньки.

Монти снова кивнул, сощурив глаза.

— Мы выросли вместе, — добавил Джон Томас. «Мы клялись в любви и любили друг друга». Тут у него мелькнула мысль: а почему он пошел на все, бросил привычную жизнь, когда пришло ее письмо? Единственным объяснением, которое пришло в голову шерифу, было то, что старые обещания, которые он когда-то давал, оказались крепче, чем любовь.

Монтгомери заметил, как напряглась спина его шефа, как тот распрямил плечи, широким шагом преодолевая расстояние до патрульной машины. Помощник шерифа сбежал с крыльца, прыгая через ступеньку, и упал на пассажирское сиденье буквально за секунду до того, как Джон Томас включил первую передачу.

Видно, он сказал что-то такое, что не на шутку задело шерифа.

Глава 6

Джон Томас въехал на подъездную дорожку и остановил машину у дома. У него учащенно забилось сердце, когда Саманта открыла дверь и улыбаясь вышла на крыльцо.

На какое-то мгновение Джонни забылся и почти раскрыл объятия, собираясь приветствовать Сэм по-своему. Но вовремя одернул себя.

«Черт тебя побери, Сэм! Черт тебя побери за то, что заставляешь опять хотеть тебя!»

Бандит прошмыгнул мимо Саманты из дома и бросился с крыльца, виляя хвостом, с языком, вывалившимся из пасти. Пес, казалось, умолял хозяина почесать его за левым ухом, похлопать рукой по загривку.

— Поздоровался бы с ним, — сказала Саманта, указывая на собаку, энергично мотавшую хвостом у ног Джона Томаса. — Он лежал у двери больше часа, ожидая, когда раздастся шум твоей машины. Я думаю, он влюблен.

«Клянусь преисподней, дорогая, — подумал Джон Томас, отсутствующим взглядом глядя на Бандита, — конечно, он влюблен. Ни у него, ни у меня не осталось ни капельки благоразумия. С тех пор как ты вошла в нашу жизнь».

— Ты уверена, что он влюблен именно в меня? — спросил Джон Томас, с удовольствием отметив, как лицо Сэм залила краска смущения.

Он ласково почесал пса за ухом и хлопнул по покрытому густой шерстью загривку так, что в воздух поднялось облачко пыли.

Бандит плюхнулся на землю рядом с крыльцом и начал яростно чесать свое брюхо. Джон Томас перешагнул через него и поднялся по ступеням.

Не удержавшись от соблазна слегка подразнить ее, Джон Томас, приподняв бровь, взглянул сначала на Бандита, затем на девушку и лукаво спросил:

— А что тебе почесать?

Обвив рукой талию Саманты, Джон Томас нацелился губами ей в щеку, зная, что сейчас она его оттолкнет. Так и случилось.

Саманта слегка ткнула его в живот, ускользая от приглашения, которое прочитала в этих теплых карих глазах.

— Ты невозможен, — ласково проговорила она и указала на открытую дверь. — Обед ждет.

— Я тоже, — парировал Джонни, продолжая стоять и смотреть на слегка озадаченное выражение на ее лице, в широко распахнутые голубые глаза.

Повисло долгое, томительное молчание, и Саманта наконец поняла, что Джонни не сдвинется с места, пока она ему не ответит.

— Чего же ждешь *ты*? — спросила она, не в силах отвести глаз от его лица.

— Ответа, Саманта Джин. А ты?

— Что я? — невнятно переспросила она, отводя глаза. Но Джон Томас ухватил ее большим и указательным пальцами за подбородок и нежно развернул к себе. Она вздохнула и посмотрела ему в глаза, неосознанно желая, чтобы Джонни продолжал. Он так и сделал.

— Так почесать тебя немного или обойдемся одним обниманием?

Тон его был поддразнивающим, но глаза говорили совершенно о другом. Саманта поежилась.

— Думаю, достаточно будет просто обняться, — прошептала она, отлично понимая, что получит не только это, но и многое другое, если даст Джонни хоть малейший шанс.

— Но только обняться и все, — добавила она, предупреждая. Его улыбка получилась чуть кривоватой и повиновения не обещала. Джон Томас протянул руки и застыл в ожидании.

Тогда Саманта вздохнула и шагнула в его объятия, наслаждаясь мгновенным чувством безопасности и теплоты, понимая, что с этим мужчиной она больше никогда не будет одинока. Но даже зная все это, она не могла забыть их прошлое, не могла забыть, что он любил ее и потом бросил. Подобное легко может повториться снова.

— Добро пожаловать домой, Джонни. Я скучала по тебе, — произнесла она мягко и прижалась носом и губами к его рубашке, с любовью вслушиваясь в стук его сердца, тая от удовольствия в его руках. Объятия Джонни были так крепки, что любая попытка отодвинуться могла бы причинить боль.

— Спасибо, Сэм. Приятно знать, что по тебе скучают. Что у нас на обед?

Он отпустил девушку и прошел в дом, не в силах смотреть на ее потрясенное лицо. Он не хотел быть таким резким, но, почувствовав, как ее тело прижалось к нему, понял: это единственное, что ему остается, иначе он возьмет ее на руки, отнесет в свою кровать, разденет и...

Саманту шатнуло; ей пришлось ухватиться за перила крыльца, чтобы устоять на ногах. Она смотрела на Джонни, открывавшего сетчатую дверь, чтобы войти в дом, и спрашивала себя — что с ним такое случилось?

И тут она вспомнила его объятие, какое-то отчаяние в том, как он держал ее, и решила, что будет лучше, если она оставит свой собственный вопрос без ответа. У нее было такое чувство, что ответ ей известен.

— Цыпленок, — ответила она, двинувшись следом за Джоном Томасом.

При ее словах Джонни резко обернулся и застыл с суровым выражением, снова с удовольствием наблюдая, как густо краснеет ее лицо, шея, как краска распространяется дальше по телу, исчезая из виду под воротничком ее рубашки.

— Надеюсь, ты говоришь о том, что приготовила, а не даешь мне всякие прозвища, дорогая, потому что, должен тебе напомнить, я всегда отвечаю на вызовы.

— О Боже, — прошептала Саманта, делая шаг назад. — Это... Я хотела... Я имела в виду...

Она еще какое-то время бессвязно что-то лопотала, пока наконец не пришла в себя и с разъяренным видом не оттолкнула его.

— Разрази тебя гром, Джонни! Не надо так больше делать! Не своди меня с ума, мне и так тошно! — Сэм ринулась мимо него на кухню. —

Я поджарила цыпленка. Можешь его съесть, а можешь надеть себе на голову.

Его пальцы сжались в кулаки, но он подавил в себе желание дотянуться и схватить Сэм, когда она проносилась мимо. Джонни лишь ухмыльнулся, глядя, как возмущенно колыхнулся, исчезая за дверью кухни, конский хвост.

— Жду не дождусь, когда смогу откусить кусочек, — произнес он так громко, чтобы она слышала.

В ответ раздался какой-то звон, потом приглушенное ругательство.

— Я пойду помоюсь, — крикнул Джон Томас в дверь. И тут же громко расхохотался, услышав, что Саманта кричит ему вслед, желая оставить за собой последнее слово:

— Не забудь вымыть свой рот!

Чемодан был пуст. Монтгомери Тернер повесил последнюю пару брюк в узенький шкафчик и прикрыл дверцу, затем отступил и прислушался к гулу и лязгу, издаваемому кондиционером под окном соседней комнаты. По крайней мере можно было утешаться тем, что спать он будет в прохладе.

Монти прошел в кухню и, открыв дверцу холодильника, осмотрел его скудное содержимое.

Да, он побывал в магазинах, но Монти Тернер совершенно не умел готовить, а жевать кукурузные хлопья с молоком ему не хотелось. Особенно сегодня.

Он уже знал несколько мест в Раске, где можно было пообедать. Все они были приличными, с богатым выбором блюд. Монти знал, что может выбрать себе любую еду по вкусу, но сегодня вечером ему хотелось чего-то большего, чем посещение незнакомого заведения и одинокий ужин. Ему хотелось *атмосферы*.

Вспомнив, что шериф живет где-то в окрестностях Коттона, и зная, что до заката еще далеко, Монти решил изучить местность в этом направлении и посмотреть, куда приведут его ноги и желудок.

Выезд из города не занял много времени, и еще несколько минут спустя он заметил крышу придорожного кафе для водителей грузовиков на самом въезде в Коттон. По опыту помощник шерифа знал, что в таких вот закусочных для водителей можно обнаружить самую вкусную еду и почти домашнюю обстановку.

Монтгомери внезапно захотел ощутить себя своим среди жителей этого городка. Он устал быть незнакомцем, заглядывающим в чужие окна. А после того как повернулась его жизнь в последние несколько месяцев, его терпение и вовсе оказалось на исходе.

Не раздумывая больше, он свернул на стоянку грузовиков и запарковался между фиолетовым дальнобойным тягачом, блестевшим хромовой отделкой, и грузовичком-пикапом с пустым прицепом для перевозки скота.

Вонь подсыхающего навоза неприятно смешивалась со слабым запахом дизельного топлива. Сморщив нос от отвращения, Монти пулей бросился ко входу. Смесь вони горящего жира, дыма сигарет и прохладного воздуха встретила его за дверями. Казалось, такая смесь тоже должна была вызвать отвращение, но этого, как ни странно, не произошло.

Дружелюбные лица приподнялись и затем снова уткнулись в свои тарелки. Водители как по команде кивнули, не переставая жевать, а официантка, проскользнувшая мимо, подмигнула Монти и бросила ласковый взгляд на его форму и широкополый стетсон. Одновременно она каким-то чудом удерживала поднос с четырьмя дымящимися тарелками, предназначенными для столика у дверей.

Монтгомери улыбнулся и приложил указательный палец к своей шляпе. У него возникло ощущение, что это как раз такое место, где человек может спрятаться от всех и все же не ощущать себя одиноким. Именно такую атмосферу он и искал.

— Присаживайся, сладкий мой, — ласково проворковала уже немолодая, но фигуристая блондинка, пробегая мимо с полным кофейником в руках. — Я подойду к тебе через минуту.

Монтгомери сел, как ему было сказано, и стал ждать. Ожидание оказалось недолгим. Женщина оказалась человеком слова.

— Вот и я, — сказала она, внезапно остановившись около его столика, и шлепнула перед ним меню. Незаметно рядом с левой рукой Монти очутился стакан воды и приборы, завернутые в бумажную салфетку. — Меня зовут Мэрили. А ты, должно быть, новый помощник, которого ждал Джон Томас. Слышала, что ты появился в городе. Жареный цыпленок у нас хорош, но свиные отбивные еще лучше. К гарниру, кроме жареной картошки, подаем еще два вида овощей на выбор. Список в меню. Как тебя зовут, сладенький, и что ты будешь пить?

— Зовите меня Монти, а пить я буду чай со льдом.

Мэрили усмехнулась:

— Твой чай будет в мгновение ока, Монти.

Он откинулся на стул и улыбнулся. Теперь помощник шерифа знал, куда пойти, если почувствуешь себя одиноким. Может, готовят здесь и не по высшему классу, зато заведение пропитано духом искреннего гостеприимства. Да еще Мэрили. В комплекте они заставят любого человека почувствовать себя действительно хорошо.

Монти дожевывал вторую свиную отбивную, когда какой-то шум снаружи перекрыл ровный гул голосов внутри, проникнув даже через толстую входную дверь кафе.

— Нет! Нет! Ты не можешь так со мной поступить! — кричала женщина.

Заинтригованный Монти, так же как и остальные посетители «Мэрили Трак Стоп Кафе», невольно прислушался к драме, разворачивавшейся снаружи.

— Будь ты проклят, Тони! Ты же обещал!

Ответом на страстные мольбы было лишь молчание, затем послышался знакомый звук заводящегося грузовика-большегруза, лязганье включенной передачи и рев мотора, в котором потонуло окончание фразы, что выкрикивала женщина.

Посетители все как один сидели и прислушивались, ожидая продолжения диалога. Но новых криков и воплей не последовало. В дверях показалась, всхлипывая и шмыгая носом, худощавая блондинка в обтягивающих брюках и открытой блузке. Словно не замечая остолбеневшей аудитории вокруг, она бросила свой рюкзачок прямо у двери и начала отряхиваться от покрывающей ее пыли, явно пытаясь справиться с истерикой.

Монтгомери был не единственным, кто застыл с куском во рту и смотрел на нее во все глаза, но он чувствовал себя каким-то виноватым из-за этого. Тут женщина подняла глаза и заметила, что все собравшиеся уставились на нее. Она прикусила губу, глубоко вздохнула и начала рассказывать, время от времени тыча пальцем в окно и всхлипывая.

— Этот мерзкий дорожный ковбой! Уехал! Просто взял и уехал! А ведь говорил, что любит меня. — Она закрыла лицо руками и поплакала еще немножко. Кудряшки ее светлых волос тряслись в такт вздрагиванию худеньких плеч при каждом новом всхлипе.

Монтгомери еще какое-то время смотрел на женщину, но тут вспомнил, что у него рот забит свининой, и проглотил полупережеванный кусок отбивной, запив его чаем.

— Как тебя зовут, сладкая моя? — ласково спросила Мэрили.

Лицо женщины было мокрым от слез; длинные черные потоки дешевой туши для ресниц широкими бороздами прочерчивали накрашенные щеки.

— Клаудия, — пролепетала та, вытирая лицо пучком бумажных салфеток, которые успела подать ей Мэрили. — Тони — свинья! Грязная, лживая свинья. Он говорил, что любит меня. Мы должны были пересечь всю страну и пожениться у него дома в Лас-Вегасе.

Выдав эту порцию сведений, женщина вновь зарыдала, уткнувшись лицом в плечо Мэрили. Та, слегка ошарашенная непосредственностью незнакомки, просто-таки бросившейся в ее объятия, все же не смогла не посочувствовать, узнав, в чем дело. В свое время Мэрили тоже пришлось пострадать от мужской лжи.

— Ладно, ладно, — успокаивающе проговорила хозяйка кафе, крепко похлопав Клаудию по спине. — Все образуется. Так всегда и бывает, дорогая. Просто нужно взять себя в руки и идти дальше, словно ты никогда и не знала его. Этот поганый сукин сын не стоит того, чтобы из-за него так переживать, слышишь?

Некоторые мужчины в кафе начали нервно оглядываться по сторонам, словно побаиваясь, что присутствующие женщины сейчас набросятся с кулаками на них вместо исчезнувшего Тони, который бросил Клаудию.

Ткнувшись еще раз в шею Мэрили, Клаудия еще несколько раз шмыгнула носом, затем подняла к ней заплаканное лицо.

— Мне нужна помощь, — заявила она.

Мэрили с трудом сдержала стон. Так она и знала.

— Нет, я не прошу милостыни, — сказала Клаудия, яростно вытирая салфетками лицо. — Я подумала, может, у вас найдется вакансия. Я хорошая официантка. Мне бы поработать ровно столько, чтобы накопить денег на автобусный билет домой. Моя семья живет в Неваде, и они приютят меня, пока я снова не стану не ноги.

У Мэрили не было свободных рабочих мест. Но у нее было доброе сердце, да и воспоминания о собственных невзгодах еще больше усилили ее сочувствие брошенной женщине.

— Думаю, что смогу поставить тебя в вечернюю смену, — сказала Мэрили. — По минимальной ставке, но чаевые здесь неплохие. Так что ты быстро накопишь на билет домой.

— О, благодарю вас! Благодарю! — Клаудия обвила руками шею Мэрили, совершенно не обращая внимания на то, что вокруг полно людей и что она минуту назад посвятила их во все свои проблемы.

Мэрили усмехнулась, подталкивая свою новую официантку в сторону кухни, но новый вопрос Клаудии остановил ее.

— А не знаете ли вы поблизости дешевенького местечка, где я могла бы поселиться, пока не начну зарабатывать деньги?

Мэрили вздохнула. События развивались слишком быстро.

Монтгомери сразу заметил растерянность хозяйки кафе. Немного поерзав на своем месте, он поймал нервный взгляд Мэрили и вдруг осознал, что говорит ей о свободной квартире на верхнем этаже старого графского дома. Правда, в следующее мгновение он почувствовал себя идиотом из-за того, что ввязался в это дело.

Но когда обернувшаяся Клаудия одарила его такой улыбкой, что помощник шерифа уронил свою вилку в стакан с чаем, Монти решил, что, может, в конце концов, он все-таки поступил правильно. К тому же он служитель закона, он принес присягу и должен вершить правосудие и защищать невиновных. А эта Клаудия, судя по всему, нуждалась в защите.

— Пойдем, девочка, — позвала Мэрили. — Я позвоню владельцу дома. Я его знаю, может, он согласится сдать тебе эту квартиру на условии понедельной оплаты.

— А это далеко отсюда? — спросила Клаудия, следуя за Мэрили в ее крошечный импровизированный кабинетик, выгороженный из кухни. — Я не против ходить пешком, но если это очень уж далеко...

И тут Мэрили, к своему удивлению, предложила женщине пользоваться своим старым черным пикапом, пока та не заработает себе на автобусный билет. Правда, хозяйка кафе честно предупредила, что пикап, по сути, кусок металлолома.

— Я не пользовалась им многие годы, разве что вывозила мусор. Далеко на нем не уедешь, — добавила Мэрили.

Светло-зеленые глаза Клаудии засияли сквозь потеки туши, и, прижав руки к груди, она стала превозносить Мэрили, называя своей чудесной спасительницей.

Немного утомленная пылкостью новой знакомой, Мэрили повела ее на кухню. В мгновение ока у Клаудии появилось новое жилье, подержанный пикап-грузовичок и десять долларов в качестве аванса.

К тому моменту когда Монтгомери покончил со своим смородиновым коктейлем, поданным сегодня на десерт, Клаудия уже была в строю официанток, которые с радостью позволили новенькой разделить с ними первую вечернюю смену и чаевые.

Возвращаясь позднее домой, Монтгомери подумал, что теперь, очевидно, он будет видеть Клаудию не только в кафе. Судьба порой выкидывает странные коленца, размышлял он, въезжая в пригород Раска. Он хотел всего-навсего поужинать, а на деле же вышло, что он невольно вмешался в судьбу незнакомой женщины. Монти не знал, правильно он поступил или нет, но сожалеть было уже поздно. Что сделано, то сделано. К тому же у него есть куча собственных проблем, не имеющих ничего общего с брошенными женщинами и негодяями водителями.

Джон Томас перевернулся и сел, выпрямившись в кровати. Потом вновь прислушался к звукам, вырвавшим его из крепкого сна. Вот опять! Он услышал их снова и на этот раз понял, что это такое. В гостиной скрипели половицы, как всегда, когда по ним кто-нибудь ходил.

«Сэм».

Стоило ему произнести ее имя, как Джонни понял, что сейчас он пойдет к Саманте. Он уже не в первый раз слышал, как она ходит по дому в то время, когда давно полагается спать. Она с трудом засыпала по вечерам. Жить в одном доме, да еще в соседних комнатах, стало просто невозможным для обоих. Джонни выбрался из кровати, надел голубые джинсы, оставив впопыхах две верхние пуговицы незастегнутыми, и поспешил к ней. Сбежав вниз по лестнице в гостиную, Джонни остановился, вглядываясь в темноте в силуэт женщины, стоявшей у окна и смотревшей в ночь.

— Что-то не так?

Его слова заставили Саманту вздрогнуть. Она испуганно обернулась, затем с облегчением прислонилась к окну, узнав знакомую фигуру в дверном проеме.

Вместо ответа она пожала плечами.

Слабый лунный свет пробивался сквозь деревья, окружавшие дом, и просачивался в комнату через тонкие прозрачные занавески на окнах. Джон Томас заметил легкое движение ее плеч и то, как она в отчаянии опустила голову. В долю секунды он пересек комнату и обнял ее.

— Я не могла уснуть, — призналась она. И не отстранилась от его рук. В ней не осталось сил противиться Джонни этой ночью. Ей нужно было то, что он мог ей дать: его сила и его защита.

— Мне тоже не спится уже несколько дней, — прошептал Джон Томас, погладив ее волосы.

Он запустил пальцы в шелковистые локоны и рассеянно провел рукой вниз неторопливым, успокаивающим жестом. Он вздрогнул, когда она придвинулась ближе и, вздохнув, обмякла в его руках.

— О Боже, Сэм, — зашептал он и обхватил ее плечи обеими руками. — Как мне хочется помочь тебе. Я бы отдал год своей жизни, лишь бы тебе не пришлось больше страдать так, как сейчас.

На глаза Саманты навернулись слезы, но она не могла позволить себе совсем расклеиться. Она боялась, что, если это произойдет, даже Джону Томасу, каким бы сильным он ни был, не удастся привести ее в норму.

— Не торгуй своей жизнью, Джонни, — прошептала она и обвила руками его талию. Саманта с наслаждением чувствовала, что ее щека ощущает тепло его обнаженной груди; было слышно, как учащенно бьется его сердце от ее движения.

— Это не торговля. Это подарок. И говорил я серьезно. — Его руки коснулись ее спины и затем, вопреки его воле, двинулись дальше вниз, остановившись чуть выше того места, где начинались изгибы ее бедер. Ему потребовались все его силы, чтобы не продвинуться на несколько сантиметров дальше и не накрыть ладонями соблазнительные округлости.

— Иди обратно в постель, Джонни. Ты будешь себя отвратительно чувствовать завтра, если не поспишь хоть чуть-чуть.

— Только вместе с тобой.

Его слова взволновали ее. Она не могла понять, что он имеет в виду. Не говоря ни слова,

Сэм откинула голову, вглядываясь в темноту в попытке рассмотреть знакомые черты мужчины, любить которого она начинала учиться снова.

Джонни отступил назад. Правой рукой он коснулся ее плеча, затем опустил руку ниже и нащупал ладонь Саманты.

Она вздрогнула, когда его пальцы переплелись с ее и сжали их нежно, но твердо, умоляя о том, о чем Джонни не осмеливался просить вслух.

На мгновение они оба замерли. В следующий момент Саманта обнаружила, что следует за ним сквозь мрак коридора. Джон Томас остановился между дверями их спален; в долгой тишине слышалось лишь их тяжелое, напряженное дыхание.

Наконец Джонни решил, что время настало, и двинулся вперед в спальню Сэм, ведя ее к кровати.

Он наклонился и тщательно расправил смятые простыни, после чего нежно подтолкнул девушку к кровати, которую она покинула не так давно.

Голова Саманты коснулась подушки, и вот уже Джонни, склонившись, укрывал ее легким покрывалом: ступни, ноги, всю ее до пояса. Его руки чуть замешкались, немного не дойдя до полукружий ее груди, и задержались там ровно настолько, чтобы Саманте стало ясно, как мучает Джона Томаса ее отказ.

Она подняла глаза на тонущие во мраке спальни черты ее первого возлюбленного и поняла, что с этого момента юноша из прошлого навсегда утрачен для нее. Мужчина, которым он стал, значил для Сэм гораздо больше.

— Джонни...

— Спи, Саманта Джин, спи, — прошептал он и в последний раз пробежался пальцами по густым черным волосам, разметавшимся по подушке. Затем он тяжело вздохнул и выпрямился. — Тебе нечего бояться.

Следующим утром шериф завтракал в скверном расположении духа: темные круги под глазами Саманты не шли у него из головы. Именно они подтолкнули Джона Томаса к принятию решения.

— Одевайся. Поедешь со мной, — приказал он и вышел на заднее крыльцо, даже не обернувшись проверить, слышала его Сэм или нет. — Мне нужно выезжать через пятнадцать минут, так что не возись долго.

Саманта с трудом проглотила застрявший в горле кофе и уставилась на Джонни.

— С чего бы это вдруг? — спросила она, но отвечать было уже некому.

Она поставила свою чашку на стол и вышла вслед за Джонни наружу. Капот его джипа был поднят: Джон Томас был занят доливанием масла в двигатель.

— Что все это значит? — поинтересовалась она, подходя к нему вплотную.

— Ты слишком долго пробыла здесь в одиночестве, вот что. Мне не следовало оставлять тебя здесь наедине с одним только Бандитом.

Саманта улыбнулась и скрестила руки на груди, не сознавая, сколь соблазнительной она выглядит, стоя босыми ногами в пыли, одетая в светлые джинсы и старую футболку Джона Томаса.

— Не спорь со мной, — продолжал он. — У меня нет времени.

— Да я ничего и не сказала, — дружелюбно ответила Саманта и повернулась, чтобы идти к дому.

— Что ж, прекрасно, — ответил он. Правда, по опыту было известно, что женщина всегда должна спорить, и если она не делает этого, следует быть настороже.

Масло капнуло на носок его сапога. Джон Томас посмотрел вниз и поморщился, гляда на каплю, растекавшуюся по коже.

— Точно в цель, — пробормотал он и стер масло тряпкой, которую держал в руке.

Пять минут спустя Джонни забрался в джип и, захлопнув дверь, устраивался в кабине до тех пор, пока не понял: больше задерживаться он не может. Его ладонь уже легла на центр рулевого колеса, готовая надавить на клаксон, когда Сэм вышла из двери.

Никаких предупреждений не требовалось. Саманта сделала то, что обещала. Она поспешила. Она была одета. И улыбалась. Он сглотнул, затем перегнулся через сиденье и открыл дверцу со стороны пассажирского места.

Она залезла в машину, захлопнула дверцу и начала возиться с ремнем безопасности. Через полминуты, подняв глаза, она невольно удивилась выражению лица Джона Томаса, которое он не успел поменять.

— Ну, чего мы ждем, Рождества? — спросила она и, не ожидая ответа, начала заправлять футболку в джинсы.

Джонни довольно усмехнулся. Было счастьем увидеть огонек жизни, вновь зажегшийся в ее глазах.

— И кто научил тебя таким колким словечкам, Сэм?

Она ответила ему улыбкой.

— Был у меня знакомый мальчишка, когда я была маленькой. У него был всегда готов ответ на любой вопрос — не важно, правильный или нет. Думаю, что-то от него передалось мне.

— Согласен, — кивнул Джон Томас и тронул машину с места.

Диспетчер Кэрол Энн невольно улыбнулась, следя за тем, как лицо ее босса постепенно заливается краской: женщина, которую он представил как Саманту, весело чмокнула его в щеку и собралась исчезнуть за дверью.

— Да, да, буду звонить каждые два часа, — повторила Саманта, зная, что подобное напоминание готово сорваться у Джона Томаса с языка. — Нет, я не буду брать конфеты у незнакомцев, не буду пить из городских фонтанов и заходить в общественные туалеты.

— Господи Иисусе, Саманта Джин, ну и язычок у тебя, — промямлил Джон Томас и нахмурился, услышав сзади восхищенное хихиканье Кэрол Энн.

— Кто бы говорил, — парировала Саманта с улыбкой.

Он вытолкал ее за дверь и проводил взглядом, завороженный тем, как техасское солнце отражается от ее волос, блестевших, словно полированные.

— Черт, до чего же ты хороша, — произнес он тихо и тут же возненавидел себя за подобное признание.

— О, Джонни, что за речи, — проворковала Саманта и поспешно отвернулась, чтобы скрыть бурю радости, охватившую ее от слов Джонни.

— Свяжись со мной в полдень, — напомнил он. — Если я буду не на вызове, мы сможем перекусить вместе.

Саманта обернулась. Улыбка на ее лице лишила его последней уверенности в себе, окончательно спутав все мысли. С трудом заметив ее согласный кивок, Джон Томас безмолвно следил, как она удаляется.

Монтгомери Тернер припарковался перед конторой шерифа как раз вовремя, чтобы увидеть хорошенькую женщину, машущую на прощание рукой его боссу.

Печальное выражение появилось на лице помощника шерифа, но, когда он выбрался из машины, оно исчезло.

— Доброе утро, шериф, — поздоровался Монти, ступив на тротуар.

Джон Томас так и подпрыгнул. Он даже не слышал, как подъехал его новый помощник. Он посмотрел сверху вниз на молодого человека и из-за этого не увидел, как Саманта завернула за угол и исчезла из виду.

— Смотрю, вы привезли вашу даму с собой в город сегодня? — сказал Монти. — Она собирается пройтись по магазинам?

— Полагаю, — ворчливо ответил Джон Томас и двинулся к офису. — И она не моя дама, — добавил он сердито, сам удивляясь, отчего так разозлился.

— Простите. Я видел, как вы были нежны друг с другом. Наверное, я сделал слишком далеко идущие выводы. Мог бы догадаться, что у дамы из Лос-Анджелеса не может быть ничего общего с техасским полицейским.

Уязвленный Джон Томас ринулся в офис, предоставив молодому помощнику следовать за ним. Через несколько минут Монти уже уехал. Начальник направил его расследовать случай возможного отравления скота на ферме Райта, что на выезде из Коттона.

Лишь через какое-то время после его отъезда Джон Томас вдруг задался вопросом, откуда Монтгомери Тернеру стало известно, что Саманта приехала из Калифорнии. Непонятный страх охватил его, но тут же прошел. Возможно, парню об этом рассказали в городе. В тесном маленьком

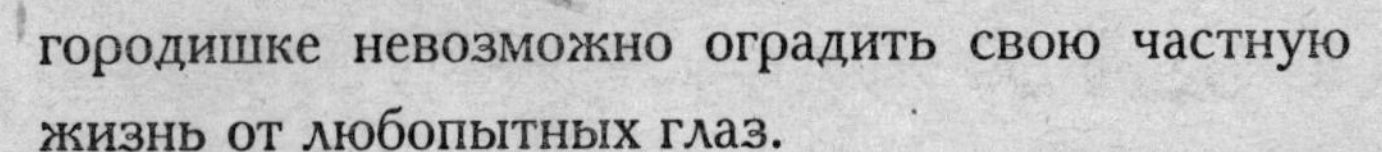

городишке невозможно оградить свою частную жизнь от любопытных глаз.

— Я скоро начну шарахаться от собственной тени, если не возьму себя в руки, — пробормотал Джон Томас и швырнул пачку канцелярских папок в проволочную корзину на своем столе.

— Вы что-то сказали, шериф? — спросила Кэрол Энн из соседней комнаты.

— Ничего особенного, — ответил он и начал просматривать сообщения о поступивших телефонных звонках, одним глазом косясь на часы, а другим на дверь. Оставалось только сожалеть, что у него такая подозрительная натура. Пока Саманта бродит где-то по улицам, его воображение будет играть с ним в черта и дьявола весь день.

Глава 7

Прошла почти неделя с того дня, когда Джон Томас начал брать Сэм с собой на работу, и каждый день оказывался повторением предыдущего. Она гуляла по улицам Раска, чувствуя себя здесь дома, так же как чувствовала себя на улицах Коттона в детстве.

Она завязала приятельские отношения с владельцем «Мемориз», магазина антиквариата и предметов коллекционирования на центральной площади, получила постоянное приглашение на еженедельный сеанс в салоне «Бьюти Квест», чтобы получать удовольствие от того, что кто-то другой моет, сушит и укладывает ее длинные густые волосы.

Она стала знать, чем торгуют в «Моникс юник бутик», лучше, чем продавцы этого магазина, а два дня назад обнаружила, что ходила в школу вместе с кассиром банка «Саузерн Чероки кредит юнион». Саманта возвращалась к себе и своему прошлому, постепенно обретая былую раскрепощенность.

Смена Кэрол Энн приближалась к концу. Она встала и потянулась, радуясь тому, что ее дневная работа в офисе шерифа скоро подойдет к концу. Когда девушка уже начала собирать свои вещи, сквозь заднюю дверь вошел ее сменщик.

— Ну слава Богу, Делмар, ты как раз вовремя, — сказала она. — Мне хотелось смыться отсюда с того момента, как я появилась здесь утром. — Тут Кэрол Энн улыбнулась, чтобы смягчить свою жалобу.

— Что, было так плохо? — спросил Делмар Фоллет и сразу понизил голос, видя, что Кэрол Энн нахмурилась и указала на дверь, ведущую в кабинет Джона Томаса.

— Вернее, *он* был так плох, — прошептала Кэрол Энн. — Я не знаю, как долго он еще протерпит, но подозреваю, что наш шериф готов взорваться.

Старик улыбнулся.

— Я знаю Джона Томаса с пеленок. У него больше мужества, чем здравого смысла, но я бы поставил на парня, Кэрол Энн. Какие бы проблемы у него ни были, он решит их.

— Да нет, с ним ничего страшного не происходит, кроме того, что он влюблен. А пока он либо не догадывается об этом, либо боится признаться самому себе. Я бы поставила на последнее. А в остальном он все тот же старый добрый шериф.

— О Боже ты мой! Это же совсем другое дело. Спасибо за предупреждение, — поблагодарил Делмар и ухмыльнулся. — Буду поаккуратнее и постараюсь не попадаться ему на глаза, пока дела не пойдут на лад.

Над входной дверью звякнул колокольчик. Это было единственное средство узнать, что кто-то вошел в приемную. А поскольку секретарша уже два дня как болела, диспетчеру нужно было идти встречать посетителя.

— С этим я разберусь, — сказала она Делмару, — но следующий уже будет твой.

— Готов он ехать? — спросила Саманта.

— Спроси его лучше сама, — отозвалась Кэрол Энн. — Я уже закругляюсь. Мне очень не хотелось бы проплакать всю дорогу домой только потому, что он опять накричал на меня без причины.

Саманта закатила глаза и вздохнула.

— Прости. Думаю, что я действую ему на нервы. Должно быть, закоренелому холостяку непросто делить с кем-то свой кров, особенно с женщиной в бегах.

— Не думаю, что проблема в общей крыше, девочка, — со значением произнесла Кэрол Энн. — Я полагаю, дело в том, что под общей крышей вы все еще находитесь на слишком большой дистанции друг от друга. Если хочешь помочь ему по-настоящему, поцелуй его как следует и избавь от страданий.

— Кэрол Энн! — лицо Саманты покрылось пунцовым румянцем. — Что ты такое говоришь! — Но тут же Сэм забыла о негодовании, которое вроде бы должна была испытывать, поскольку почувствовала сильное искушение сделать именно так, как посоветовала ей Кэрол Энн.

— До завтра, — пропела Кэрол Энн, заговорщически улыбнувшись ей на прощание.

Саманта чуть ли не целую минуту колебалась, решая, можно ли побеспокоить шерифа Джона Томаса Найта в его святая святых. Но затем успокоила себя мыслью: «Он может быть шерифом для кого угодно, но для меня он просто Джонни».

Саманта глубоко вздохнула, нацепила на лицо дежурную улыбку и вошла в его кабинет. Поняв, что Джонни ее не заметил, она остановилась у двери, обрадовавшись возможности рассмотреть его без помех.

Шериф был глубоко погружен в работу, разбирая пачку документов, лежавшую перед ним. В задумчивости Джон Томас постукивал ручкой по пустой банке из-под газированной воды.

«Боже, Джонни! Почему ты не приехал за мной много лет назад? Почему потребовалось появиться убийце, чтобы ты начал заботиться обо мне?»

Но не существовало никакой разумной причины, из-за которой так внезапно и необъяснимо прервалась их юная любовь.

Если бы у Сэм не заурчало легонько в желудке, напоминая о том, что пора что-нибудь туда бросить, она могла бы любоваться гораздо дольше широкими плечами Джонни, обтянутыми темно-синей рубашкой с длинными рукавами, тем, как он ерошил рукой свои волосы, превращая короткие густые пряди в беспорядочную гриву, вовсе не походившую на аккуратную прическу, подобающую блюстителю закона.

Поняв, что она следит за ним слишком долго и это опасно для нее самой, Сэм слегка кашлянула, чтобы привлечь его внимание. Удивившись постороннему звуку, Джонни поднял глаза, нахмурясь, и в этот момент стал больше похож на бандита, чем на офицера полиции.

— Сэм? — Как долго она находилась здесь? Шериф бросил взгляд на часы и вновь посмотрел на девушку. — Прости, я не заметил, что уже так поздно.

Она не ответила, и Джон Томас забеспокоился, гадая, что у нее сейчас на уме.

Когда же она плавно двинулась к нему через комнату, огибая стол, словно волчица, подбирающаяся к добыче, сердце его чуть не выпрыгнуло из груди.

Во что, черт возьми, она играет теперь?

Сэм наклонилась к Джонни, ее длинные черные волосы касались стола. Господи!

Все, что ему нужно сделать, — это зажать ее волосы в руке и потянуть...

Саманта улыбнулась, забрала у него авторучку, положила бумаги, которые он держал в руке, поверх пачки остальных и сделала вид, что не замечает его напряженного взгляда.

— Сегодня, случайно, не захватывали заложников? — спросила она. Джонни покачал головой, слишком удивленный, чтобы говорить. — Грабили ли сегодня какой-нибудь банк, может, убили кого, пока я покупала косметику?

— Нет, — выдавил Джон Томас, гадая, к чему она клонит.

— Тогда не кажется ли тебе, что пора отвезти меня домой и покормить? Я умираю с голоду. — Саманта наклонилась вперед, пока не смогла заглянуть в его теплые карие глаза и убедиться с радостью, что они с каждой секундой расширяются. — Пожалуйста, — добавила она и вздохнула так, что ее дыхание мягко коснулось его щеки.

Он вздрогнул, пробормотал какое-то ругательство, которое она не смогла разобрать, и встал столь стремительно, что стул отлетел к стене у него за спиной. Ручка скатилась со стола и упала на пол, в то время как Джонни схватил Сэм за руку. После этого он сдернул с крючка шляпу, нахлобучил ей на голову и, не говоря ни слова, двинулся к выходу.

Саманта уселась в джип с едва заметной довольной улыбкой и уставилась в окно, словно ее вдруг весьма заинтересовало окружающее.

— Мне нужно остановиться в Коттоне по пути домой и захватить проволоку и столбы для забора, — сообщил Джон Томас, когда машина уже выруливала задом со стоянки.

— О'кей. Ты меня знаешь. Я всегда найду чем заняться.

Долгим тяжелым взглядом Джон Томас посмотрел на невинное выражение на ее лице, после чего вздохнул, убеждая себя, что усмотрел в ее действиях больше, чем следовало, и давая себе слово не попадать снова в ту же самую ловушку.

Но Джонни чувствовал себя совершенно несчастным, вспоминая то, что было между ними, и стараясь понять, почему Сэм совсем не волнует, что он почти сошел с ума.

Они выехали из города в молчании.

— Это все, что вам нужно? — спросил продавец хозяйственного магазина, забрасывая последнюю бухту проволоки в багажник джипа Джона Томаса.

— Да, не хватает только моей пассажирки, — ответил шериф и вгляделся в убегавшую вдаль главную улицу Коттона, надеясь заметить Саманту, стоящую перед какой-нибудь витриной.

— Я видел, как она пошла в сторону парка, — произнес продавец.

Джон Томас бросился через улицу к парку. Ступив на траву, он почувствовал, как кровь в нем забурлила. Он не мог объяснить почему, но, кажется, ему было известно, куда отправилась Сэм: тропинка вела к их старому детскому укрытию.

Саманта увидела, что Джонни направляется в ее сторону. Глядя через проем в густых кустах, она могла видеть, как его длинные ноги быстро сокращают расстояние между ними. Но когда он остановился и окликнул ее по имени, она не смогла оставить его призыв без ответа.

— Я здесь, — сказала Сэм и вышла из-за ровного ряда деревьев, чтобы он мог заметить, где она находится.

Джонни свернул к ней, не в состоянии унять стук сердца при виде ее улыбки и приветственного движения руки.

— Мне следовало бы догадаться, — сказал он, вступая в тень дерева и шутливо дернув ее за длинную косу, переброшенную на грудь.

— Пойди взгляни, Джонни. Здесь все осталось таким же, как когда мы были детьми. Даже мимоза выглядит точно так же, только кажется побольше. — Саманта схватила Джона Томаса за руку и увлекла глубже в заросли, окружавшие парк.

— Посмотри! — Она показала на землю под старой мимозой, где они принесли друг другу клятву на крови в вечной дружбе. — Помнишь, Джонни? Помнишь ту ночь, когда мы...

Он развернул девушку лицом к себе, обхватил ладонями ее лицо, оборвав ее на середине фразы, и его карие глаза словно заглянули ей в душу.

— Я помню тот вечер, когда мы были здесь в последний раз. Это была лучшая и в то же время худшая ночь в моей жизни. Ты подарила мне нечто особое, Сэм. Но почему? Почему тебе не захотелось, чтобы это продолжалось?

Его слова больно ранили ее. Радость, которую она только что испытывала, улетучилась под его обвинениями.

— Я? Я не захотела? Но ведь это ты сбежал! И жертвой стала я, а не ты. Забыл?!

Гнев Сэм лишил Джонни благоразумия. Что ему действительно следовало сделать, так это просто уйти прочь. Но Саманте удалось разбередить старые раны у него в душе.

— Я? Забыл? Черт возьми, Сэм, вот что я не забыл!

Она не успела ни о чем подумать, как он уже обнимал ее. Земля ушла у Саманты из-под ног, когда губы Джона Томаса скользнули по ее лицу, безошибочно отыскивая ее приоткрытый рот. Их губы слились в глубоком поцелуе.

Джон Томас застонал и языком проник между ее губ, коснувшись зубов. Он ощутил, как страсть сотрясает все ее тело, и даже подумал, что Саманта плачет.

Но остановить происходившее между ними было невозможно. Он оторвал ее от земли и, широко расставив ноги, качнулся к стволу мимозы. Если бы Джонни не нашел опоры, они оба оказались бы на земле, а он чертовски хорошо помнил, что произошло когда-то под этим деревом.

Сэм застонала, принимая все, что он хотел ей дать, сознавая, что, если Джонни отпустит ее сейчас, она может умереть. И тут же Саманта вспомнила, к чему это уже привело однажды... и то, что она тогда едва выжила. Она не хотела, не могла допустить, чтобы это повторилось.

Вдалеке зарокотал гром, напоминая тем, кто может слышать, что скоро пойдет дождь.

Все тело Джона Томаса заныло, и сердце на мгновение замерло в груди, когда Сэм обвилась вокруг него. Каждый из них жаждал большего, чем в ту минуту мог получить.

— Проклятие, — пробормотал он, с сожалением отрываясь от ее губ. Это добьет его окончательно, но он, безусловно, должен отпустить Саманту.

Та сделала глубокий вдох и прикусила нижнюю губу, все еще вздрагивая от ощущения Джонни на своем языке. Саманта скользнула вдоль его тела вниз, и он ослабил объятия. Единственное движение, на которое она оказалась способна, было прижаться лбом к его рубашке. Казалось, ни один из них не хотел первым разрушить то состояние, которое охватило обоих.

— Темнеет, — прошептала она, чувствуя, как Джон Томас покрывает поцелуями ее щеку, нащупывает ртом мочку уха и целует так, что дрожь желания пробегает по ее спине.

— Думаю, будет дождь, — проворчал он, когда ее ладони скользнули по его талии и дальше, в задние карманы джинсов, сжав ягодицы и тем самым призывая Джонни к большему, чем то, чем он занимался сейчас.

Джон Томас с трудом мог дышать от снедавшего его желания. Она прижималась к нему все теснее, но все равно этого было недостаточно для того, чтобы утолить желание, охватившее обоих.

— Так что мы собирались делать? — хрипловатым шепотом спросила она, в то время как он погрузил пальцы в неразбериху ее волос, созданную им самим, и двинулся дальше вниз вдоль косы, чувствуя, как Сэм подается все ближе, прижимаясь к его бедрам в беспомощном танце неудовлетворенного желания.

— Некоторое время тому назад мы собирались перекусить. — Джон Томас тихонько застонал, когда его плоть начала рваться из сковывавшей ее одежды. — Но то, что мы собираемся сделать сейчас, — это выбираться к дьяволу из-под этих деревьев.

— О Джонни. — Саманта обмякла в его руках, беспомощно прижавшись к мощной груди, за которой тяжелым молотом стучало его сердце. — Что произошло с нами? Что, во имя небес, оказалось не так?

— Не знаю, дорогая. Поверь, я просто не знаю. — Со вздохом сожаления Джонни поцеловал ее в последний раз и отстранился, глядя в затуманившиеся глаза Саманты.

Ее губы слегка припухли и покраснели. Видимо, он был несколько грубее, чем рассчитывал, и потому, нежно улыбнувшись, извиняюще провел кончиком большого пальца по маршруту, уже пройденному минуту назад его губами.

— Я сделал тебе больно, — сказал он. — Прости.

— Мне больно, да, — отозвалась Саманта, — но только потому, что ты остановился.

— Вот чертовка, — буркнул Джон Томас себе под нос и, схватив Сэм за руку, бросился прочь от деревьев, направляясь к месту, где они оставили джип.

— Почему так спешим? — задыхаясь, крикнула Саманта, пытаясь поспеть за ним. Он остановился. В темноте, обволакивавшей их, она могла слышать лишь несказанное удивление в его голосе.

— И ты еще спрашиваешь?

Он не мог видеть ее улыбки, но почувствовал ее.

— Пошли, я что-то смертельно проголодалась, — произнесла Саманта и, прежде чем он опомнился, сама пошла вперед.

***

Придорожное кафе Мэрили было почти пустым, но, даже будь его зал забит до отказа, они бы все равно не заметили этого. Джон Томас сделал заказ, но, хоть убей, не мог бы вспомнить, что заказал. Он понял, что будет очень удивлен, когда заказанное принесут.

Саманта не могла оторвать глаз от его губ, охвативших край бокала, когда он сделал долгий жадный глоток чаю со льдом. Или от капельки влаги, оставшейся в углу его рта, после того как он отнял стакан.

Саманта закрыла глаза и подумала о том, как эти же самые губы соприкасались с ее губами и как эти руки обжигающе касались ее тела, так что она чувствовала себя на грани реальности.

— С тобой все в порядке, Сэм?

Он видел, как она отвела взгляд в сторону. Наблюдал, как дрожат ее губы. В голосе его чувствовалось беспокойство, а прикосновение ладони, скользнувшей по столу и сжавшей ее пальцы, было бесконечно нежным.

— Все нормально, — сказала она, подняла взгляд и попыталась улыбнуться. — Я просто... вспоминала.

Он глубоко вздохнул, надеясь, что ему удастся закончить этот ужин, не выставив себя в глупом свете.

— Понимаю, Сэм. Нам нужно многое вспомнить.

Она кивнула, затем опустила взгляд к тарелке, придавленная воспоминаниями, внезапно обрушившимися на нее. Воспоминаниями о той единственной ночи радости, которую он подарил ей. Она хотела вернуть эту ночь. Ее и все годы, что прошли с тех пор.

«Не будь дурой, — одернула она себя. — Не забывай, сколько лет грусти и разочарования доставил тебе именно он».

У Джона Томаса болело почти все тело, так что он боялся пошевелиться. Но, страстно желая Сэм сейчас, он все же не мог забыть, каким же сумасшедшим был раньше. Он готов был умереть ради нее, но это не помогло ему ее удержать.

Старое, почти забытое горе вновь напомнило о себе, хотя они старались не смотреть друг на друга, не касаться друг друга, пытались не вспоминать, что когда-то давно, здесь, в Коттоне, весь мир вращался вокруг их любви.

Мэрили усмехнулась, гляда на парочку из-за стойки.

— Ого, шериф втюрился в девицу по уши, — произнесла она тихо, приподняв бровь при взгляде на их кабинку.

Клаудия обернулась и взглянула в том же направлении. Ее ярко накрашенный рот сжался, когда она прищурилась, чтобы получше разглядеть тех, о ком шла речь.

— Так это, значит, тот самый знаменитый шериф Найт. Я много слышала о нем, — сказала она.

— Что бы ты ни слышала, этого мало для такого человека, — отозвалась Мэрили. — Вот в каких мужчин надо влюбляться. А не в никчемных шоферюг, у которых по девке в каждом городе да на языке одно вранье для доверчивых дур.

Клаудия фыркнула:

— Не моя вина, что мой парень уехал. Я как умела пыталась удержать его.

— Заказ готов, — крикнул повар, и Мэрили повернулась забрать тарелки, которые он протянул в проем между кухней и залом.

— Я их обслужу, — предложила Мэрили Клаудия, — а ты передохни немножко. Ведь весь день на ногах, а я только пришла.

— Спасибо, сладкая, — сказала Мэрили. — Я тебе так признательна.

Клаудия пожала плечами.

— Я должна тебе гораздо больше, — отозвалась она, подхватив дымящиеся тарелки в обе руки вместе с бутылочками кетчупа и острого соуса.

— А вот и я, — с улыбкой произнесла Клаудия, ставя перед ними тарелки.

Саманта взглянула на официантку. Ей сразу же бросились в глаза кудряшки, как у Ширли Темпл, и яркий рот, как у Долли Партон. Появилась мысль, зачем понадобилось этой женщине соединять вместе несоединимые вещи, но, посчитав, что ей до этого нет никакого дела, Саманта отвела глаза.

— Будете заказывать что-нибудь еще? — спросила Клаудия.

— Не сейчас, — ответила Саманта. — Если надумаем, то позовем вас.

Клаудия бросила на Саманту холодный взгляд и, резко развернувшись, отошла.

— Что это с ней? — спросил Джон Томас.

— Думаю, что я ей понравилась еще меньше, чем ты, вот что, — буркнула Саманта.

Он ухмыльнулся и взболтал бутылочку с кетчупом, прежде чем отвинтить крышку и плеснуть густой красный соус на свою жареную картошку.

— Фу, какая гадость, — поморщилась Сэм, оглядывая тарелку, после чего неторопливо вытащила лук из своего гамбургера.

Джон Томас взял ломтик картофеля, обмакнул его в кетчуп и поднес к ее рту.

— Открой рот и закрой глаза. Получишь что-то для мудреца.

Саманта громко рассмеялась. Она слышала эту считалочку давным-давно, в детстве. Почему-то все, что происходило с ней в последние несколько месяцев, вдруг отодвинулось куда-то в ее памяти, как будто ничего этого не было. Просто хорошо было чувствовать себя дома, да еще рядом с Джонни Найтом.

— Я попробую, — сказала она. — Но намерена сделать это с открытыми глазами. Я ничего не делаю вслепую.

— А занятия любовью? — спросил он, запихивая картошку ей в рот. — Попробуй как-нибудь. Чертовски возбуждает.

Саманта задохнулась

— Все, что нужно сделать, — продолжил он, словно ненамеренно бросив сексуальную бомбу замедленного действия в самый разгар их ужина, — это сконцентрироваться на прикосновениях и ощущениях. Тебя удивит, сколько точек на твоем теле окажутся взрывоопасными.

Саманта перестала жевать. Ломтик картошки повис на ее приоткрытых губах, словно сломанная сигарета.

— Не балуйся со своей едой, Сэм. Я ведь знаю, что мама учила тебя хорошим манерам. — Он откусил большой кусок от своего гамбургера, не обращая внимания на потрясенное выражение лица Саманты.

— Ты у меня за это заплатишь, — прошипела она, запихнув картошку до конца в рот и жуя с яростным ожесточением, словно вымещая на еде всю свою злость на мужчину напротив.

— В этом нет необходимости, дорогая, — произнес Джонни спокойно, сделав большой глоток чаю со льдом и подмигнув. — Для тебя это бесплатно.

Она уставилась на него, яростно сверкая глазами. Слов у нее уже не оставалось.

— Боюсь, что дождь мы не пересидим, — сказала Саманта, и в этот момент перед лобовым стеклом джипа полыхнула молния.

— Ты слишком долго возился с десертом.

— Я ел его, потому что мне показалось, ты еще не готова ехать домой, — спокойно парировал он, с трудом удерживаясь на темной узкой дороге, что вела к его дому.

— Почему это не готова? — поинтересовалась она.

— Потому что каждый раз, когда я смотрел на тебя, ты отворачивалась, вот почему, — сказал он. — И я решил: между тем, что произошло в парке, и тем моментом, когда надо будет ложиться в кровать, должно пройти немного больше времени на случай, если я неправильно понял ситуацию.

— О-о!

Ее негромкое восклицание мало чем помогло ему в попытках найти правильный ответ. В области сердца возникла какая-то ноющая боль. «Боже, Сэм. Ты нужна мне, девочка. Пожалуйста, не дай мне оказаться неправым на этот раз».

— Приехали, — произнес Джонни, въезжая во двор как можно ближе к гравиевой дорожке с таким расчетом, чтобы свет фар, словно маяк, освещал ей путь к крыльцу. — Тебе придется пробежаться.

— Давай ключи, — вместо ответа сказала она.

Он покачал головой.

— Когда добежишь до крыльца, подожди меня. Я не хочу, чтобы ты входила в темный дом одна.

— Не глупи, — сказала она, берясь за ручку дверцы. — Это всего лишь твой дом.

Его пальцы сжали ее предплечье.

— Да, я знаю, Сэм, — произнес он негромко. — Но там, в Лос-Анджелесе, тоже был всего лишь твой дом. Неприятности все еще случаются в собственных домах, независимо от того, где они расположены.

В свете огоньков приборной доски Джонни увидел выражение страха на ее лице и смягчил интонацию своего голоса, но не смысл слов.

— Я не хотел пугать тебя, дорогая. Но нельзя ни в чем быть уверенной, пока его не поймают. Даже здесь, понятно?

Она сглотнула, потом кивнула. Прищурив глаза из-за сильного дождя, Сэм выпрыгнула из джипа, попав обеими ногами в глубокую лужу и забрызгав грязью ноги до колен.

Джонни ухмыльнулся ее негодующему визгу, но внезапно застыл, завороженный видом ее стройных ног и точеной фигурки, выхваченных из темноты светом фар. Сэм вспрыгнула на крыльцо, обернулась и махнула рукой, вытирая другой рукой мокрое лицо и дрожа от возбуждения и от холода, предвкушая то, что Джонни последует за ней.

— Ничего не поделаешь, — сказал он себе, выключил фары и открыл дверцу. За несколько секунд Джонни добежал до дома. Светила ему только одинокая молния, прорезавшая темное небо.

— Проклятие! Для летнего ливня водичка уж очень холодная, — пожаловался он, одним прыжком взлетев на крыльцо. Он бросил взгляд назад, на джип, по которому звонко колотил дождь. — Хоть бы града не было.

— Поторопись, — попросила Саманта. Ее зубы выбивали дробь, тело дрожало, хотя она все сильнее прижималась к Джонни, пытаясь согреться. — Я замерзаю.

— Тороплюсь, тороплюсь, — пробурчал он, возясь с ключами в мокрой ладони. — Не толкайся, а то я уроню их. Не пойму только, почему тебе всегда не терпится оказаться со мной наедине в темном доме.

Саманта проборматала что-то невнятное про себя и стукнула его кулачком в плечо.

— Мой папочка предупреждал меня насчет таких быстрых женщин, как ты, — легким поддразнивающим тоном произнес Джон Томас, открывая дверь. Он втащил Сэм внутрь, запер дверь и включил свет.

Ярко-белое сияние затопило комнату, на секунду ослепив обоих. Но когда глаза немного привыкли к свету, Джон Томас понял, что ему не следовало нажимать на выключатель. Она промокла до нитки. Влажная одежда облепила каждую выпуклость, каждый изгиб ее тела, подчеркивая все то, что он хотел увидеть: налитую грудь, совершенную линию бедер, как бы напоминающую о том, что спрятано между ними.

— Иди в ванную первой, — буркнул он, отвел глаза и, бросив ключи на столик у двери, ринулся мимо нее на кухню. — Я сварю кофе.

С печальной миной Саманта двинулась по коридору к своей комнате. Вечер, который так многообещающе начался, закончился так внезапно и разочаровывающе. Несмотря на снедавшее обоих чувство, ни один из них не доверял другому настолько, чтобы открыться первым.

Чувствуя ломоту во всем теле и боль в душе, она уже взялась за ручку двери, когда услышала его шаги в конце коридора. Она обернулась.

Он смотрел на нее.

В свете лампы, светившей сзади Джонни, четко вырисовывался его силуэт. Он стоял, напружинив ноги, готовый к броску, сжав кулаки, словно перед дракой, расправив плечи, как если бы он готовился доказывать свое право находиться здесь.

— Не надо, Сэм, — произнес он тихонько.

— Не надо что? — Заинтригованная его действиями, Саманта все же почувствовала надежду.

— Не отвергай меня. Ты нужна мне. Мне необходимо, чтобы я был нужен тебе... больше, чем просто телохранитель.

От его слов у Сэм перехватило дыхание. Она прислонилась к двери в свою комнату, не в силах устоять на ногах без опоры. Ее колени ослабли, глаза заволокли слезы, она не могла разглядеть его лица. Да это было и не нужно. Сэм знала, что Джонни видит ее отлично. Ее руки взметнулись к вороту рубахи. Нащупав верхнюю кнопку, Саманта потянула за ткань.

Он напрягся, обхватив себя руками, и тут первая кнопка на ее рубашке расстегнулась с тихим, но отчетливым щелчком.

Она не успела уловить его движения, как вдруг Джон Томас вырос прямо перед ней. Слова замерли у нее на губах, когда он взял ее за руки.

— Позволь мне, — умоляюще попросил он. И поскольку она не оттолкнула его, задрожал от облегчения.

Он нежно потянул рубашку вверх, вытаскивая ее края из-за пояса, затем одним резким движением внезапно рванул воротник, словно дальнейшие проволочки стали для него невыносимыми. Все шесть оставшихся кнопок разошлись в едином протяжном хлопке, рубашка распахнулась, полы ее повисли. Саманта поежилась.

— Прости, дорогая. Тебе, должно быть, холодно. — Он скользнул руками по ее плечам и нежно притянул девушку к себе, пока они не соприкоснулись, грудь к груди, и не замерли, вслушиваясь в то, как стучат рядом их сердца.

— Это не от холода, просто я нервничаю, — призналась она и чуть не подпрыгнула от звуков своего голоса, эхом разнесшегося по дому.

Снаружи полыхнула молния, слегка осветив конец коридора, где виднелась открытая дверь в ванную, и высветив абрис маленького узкого окошка над умывальником, выглядывавшего в мокрую дождливую ночь.

В эту секунду Джон Томас заметил промелькнувшее на ее лице странное выражение. Ему представилось, что она выглядит печальной, но это выражение так же быстро исчезло с ее лица, как и появилось. Его рука скользнула к затылку Сэм, и он начал баюкать ее, легонько раскачиваясь вместе с ней посреди коридора.

— Ради Бога, Сэм, скажи мне, что ты не боишься меня. Если это не так, то мне нечего здесь делать. Ты должна знать, что я уйду сейчас без единого слова, если ты этого захочешь.

— Нет, Джонни, ты неправильно меня понял.

Он ощутил, как ее ладони скользнули вверх по его животу и замерли где-то около сердца.

— Я не боюсь тебя. Я боюсь, что сама не смогу соответствовать твоим ожиданиям. Я ведь говорила, что у меня так давно не было...

Его тихий смех не дал ей закончить.

— Сладенькая моя, специалисток этого дела я арестовываю. Кроме того, тебе вовсе не обязательно знать всякие штучки, поскольку они лучше известны мне, — произнес он охрипшим от радости голосом, наклоняясь к ней.

— О Господи! — воскликнула Сэм, полусмеясь-полуплача, когда Джонни взял ее на руки и ногой распахнул дверь своей спальни.

— Знаешь, Саманта Джин, если ты собираешься молиться, мне придется отнести тебя в комнату напротив и оставить спать в одиночестве. Не могу же я соревноваться с самим Господом Богом. Особенно в такое время.

— Замолчи, Джонни, и учи меня. — Ее руки поглаживали пряжку его ремня, в то время как он усаживал ее в изножье кровати. — Научи меня, как правильно любить тебя. Научи меня всему. — «Может быть, тогда ты не оставишь меня снова».

Последнюю мысль она никогда бы не осмелилась произнести вслух.

Когда ее руки тронули твердый бугор под молнией его джинсов, Джон Томас застонал и мгновенно стащил с нее рубашку. Она прижалась к нему, поглаживая ладонями его грудь, стремясь слиться с его телом. Его руки охватили ее нежным, но властным кольцом. Он медленно расстегнул крючки ее бюстгальтера. Сэм вздохнула, высвобождаясь из шелкового плена.

— Теперь будь внимательна, дорогая, — произнес Джон Томас, начиная снимать с нее оставшуюся одежду.

— Да, — произнесла она, с ответной живостью расстегивая пряжку на его ремне и молнию его джинсов. — Но если я что-то упущу, тебе придется повторить все сначала, чтобы я успела освоиться с происходящим.

— С превеликим удовольствием, — отозвался он. — Но сначала... удовольствие получишь ты.

Глава 8

Саманту заворожил мужчина, стоявший у ее кровати, его медленный, размеренный стриптиз. Она не могла даже отвлечься и спросить себя, почему только что ее тело дрожало от холода, а теперь воздух вокруг словно уплотнился и ей стало трудно дышать.

Дрожащими руками она провела по своему телу, откинула с лица и шеи прилипшие волосы, вдруг ставшие горячими и влажными, резко контрастировавшими с прохладой простыней под ней.

Совсем близко ударила молния, и на какой-то момент, ослепленная, Сэм потеряла Джонни из виду. Она быстро заморгала, не желая пропустить ни одного движения человека, заменившего ей вселенную. Когда зрение вернулось к ней, она увидела, что Джон Томас пересек небольшое пространство между стеной и кроватью и открывает окно.

Когда же вместе с порывом свежего ветра он шагнул к кровати, Сэм глубоко вздохнула и потянулась в чувственной радости от бодрящего воздуха, скользнувшего по ее разгоряченной коже.

Джон Томас скользнул в кровать и вытянулся рядом с ней, положив хозяйским, но нетребовательным движением руку ей на живот. Она поежилась, повернулась к нему и скользнула рукой вниз, пока не обхватила пальцами его плоть. Власть, которую он предоставил ей, отдавшись ее рукам, вызывала чувство острого наслаждения.

— Хотела бы я, чтобы мой преследователь оказался здесь прямо сейчас, — прошептала Саманта, придвигаясь еще ближе.

— Почему? — спросил Джон Томас, озадаченный ее неожиданными словами.

— Потому что я хотела бы поблагодарить его за то, что он вновь вернул мне тебя. Когда я потеряла тебя в прошлый раз, моя жизнь, весь мой мир опустел.

«Ты лжешь!»

Мысль появилась столь внезапно, что Джонни почти не запомнил, как оттолкнул от себя руки Сэм и откатился к краю кровати. Любовная игра неожиданно прекратилась.

— Джонни?

В комнате было так темно, что она могла лишь догадываться о том, что написано у него на лице. Но тут вновь сверкнула молния, короткой вспышкой света озарившая комнату. И хотя длилось это какую-то секунду, Саманта все же успела заметить гримасу боли на лице Джонни.

— Ты не потеряла меня, Саманта Джин. Ты меня бросила.

Он вскочил с кровати, схватил на ходу свои джинсы и выбежал из комнаты, не в силах оставаться и выслушивать очередную ложь. Но он также не мог признаться самому себе, что, несмотря на все, что Саманта когда-то совершила, он жаждет ее еще больше.

Сэм отшвырнула простыни, схватила свою рубашку и последовала за Джонни на кухню.

— *Я* бросила тебя?! Я так не думаю! — кричала она. Ее страстность удивила его. Онемевший, он мог лишь стоять и слушать ее дальше.

— Это я поверила тебе, когда ты сказал, что любишь меня. Это я ждала, и ждала, и ждала... — Ее голос сорвался, но она справилась со слезами, подступившими к глазам. — А ты, именно ты, даже не написал. Когда мы переехали, у меня не было другой надежды, кроме как дождаться письма с адресом твоей воинской части. Письма, которое — я была абсолютно уверена — скоро придет.

Саманта ненавидела себя за желание расплакаться. И в то же время ненавидела Джонни за то, что тот заставил ее переживать горе утраты еще раз.

— Черт бы тебя побрал, Джонни, за то, что ты отказался от меня и от всего, что было между нами! — И Сэм схватила первое, что ей попалось под руку.

Кофейная кружка просвистела у его головы и вдребезги разбилась о стену за спиной. Саманта выскочила из кухни и побежала в свою спальню.

Джон Томас остался стоять, пораженный ее яростной вспышкой. Ему впервые пришло в голову, что, может быть, винить стоит кого-то еще. В реакции Сэм было столько боли, что посчитать ее неискренней было просто невозможно. Может, Саманта вообще не получала его писем? Может быть, это ее родители отсылали их обратно?

Он перешагнул через осколки чашки и пошел за щеткой. Странная, чуть кривоватая усмешка появилась у него на лице, пока он аккуратно сметал остатки ее атаки. Закончив, Джонни выключил свет и направился в свою комнату, только на этот раз один.

Около ее двери он остановился и прислушался. Судя по непрекращающемуся скрипу пружин, она металась на постели.

— Сэм.

Скрип немедленно прекратился. Саманта не ответила. Но это было не важно. Он привлек ее внимание, и это было все, что сейчас требовалось.

— Я тебе писал.

Джон Томас вошел в свою комнату и прикрыл дверь. Пусть подумает об этом на досуге, мелькнула мысль. Он-то уже точно подумал.

Сквозь сон Саманта почувствовала аромат свежесваренного кофе. Она открыла глаза и с удивлением обнаружила стоящего у кровати Джона Томаса.

— Доброе утро, — сказал тот.

Она ответила тем же и сразу возненавидела себя за то, что хочет его так же сильно, как прошлой ночью, до того как он ранил ее сердце и вызвал сумбур в мыслях.

Джонни выглядел великолепно. Волосы, еще влажные после душа, блестели, словно черный мех котика. В джинсах, сапогах, с обнаженным торсом, он настороженно протянул ей кружку кофе и отступил назад. Саманта поставила кофе на столик рядом с кроватью и вгляделась в полуодетого мужчину, стоявшего рядом с ее кроватью. Но по его грустным глазам невозможно было прочесть, что он чувствует, что думает о происшедшем между ними прошлой ночью.

Эти проклятые три слова, которые он произнес, перед тем как скрыться в своей комнате, лишили ее покоя и причинили боль, из-за которой она не могла уснуть добрую половину ночи. Но, наконец-то заснув, Сэм продолжала видеть перед собой юношу со слезами на глазах, повторявшего одно и то же: «Я тебе писал. Я тебе писал».

Сейчас она чувствовала себя еще более несчастной. А что, если он говорил правду? Но если так, то почему она не получила написанных им писем?

Один и тот же ответ, о котором ей не хотелось думать, продолжал настойчиво стучать у нее в голове. Если он говорил правду, то это означало лишь одно: ее отец или мать, а может, оба вместе были виноваты в их разлуке. То, что они оба умерли и не могли ей ответить, лишь все усложняло. Саманта не умела обижаться на призраков.

— Куда ты собрался? — спросила она.

— На работу. Я только хотел сказать, чтобы ты одевалась, а то опоздаешь.

Она продолжала смотреть на него.

И тут он потерял самообладание.

— Чего ты, черт побери, хочешь от меня?! — взорвался он.

«Только правды».

Но она не произнесла этих слов вслух. Это привело бы лишь к возобновлению того же порочного круга обвинений, не ведущего ни к чему — лишь обратно к началу.

— Так я и думал, — прорычал он. — Поторопись, Сэм. У меня на восемь назначена встреча.

После их ссоры прошло два дня. За это время их любовь окрепла, но совместная жизнь стала еще более трудной. Саманта стала возражать против того, что каждый день ее тащат в офис шерифа, словно щенка, способного потеряться без поводка. К тому же у нее оставалось все меньше развлечений в Раске. У Джона Томаса была его работа. Ей же оставалось лишь дожидаться пяти часов, чтобы прокатиться с ним до дома. Медленные, ленивые дни, полные жары и скуки, вынудили ее заупрямиться на третий день после памятной им обоим грозы.

— Но со мной все будет в порядке, — доказывала она, стоя рядом с Джонни у джипа. — Я не в депрессии и не страдаю, упаси Боже, синдромом самоубийства. Клянусь, Джонни, если я еще раз увижу, как та женщина меняет товары на витрине в «Моникс», я закричу. У любой женщины есть предел для развлечений, если только она хочет остаться в здравом уме.

Он вздохнул, понимая, что их нынешний распорядок действительно трудно терпеть. Ни разу с тех пор, как они покинули Лос-Анджелес, не произошло ничего, что могло бы нести хотя намек на угрозу. Может, детектив Пуласки поторопился со своими выводами? Ясно, убийца узнал, что Саманта Карлайл уехала, но это не значит, что ему известно — куда.

— Не знаю, — проговорил он, наблюдая, как отчаяние на ее лице становится все сильнее с каждой минутой. Что-то слегка толкнуло его в ногу. Джон Томас посмотрел вниз и сразу же попытался увернуться от мокрого грязного пса, только что вернувшегося с поля, что лежало по ту сторону дороги.

Бандит обнюхал землю, затем носки сапог Джона Томаса, оставив влажный грязный след своим огромным черным носом. Он посмотрел вверх темными заискивающими глазами, словно хотел убедиться, что ему ничто не грозит, что сердитые интонации человеческих голосов не имеют к нему отношения.

— Бандит будет меня сторожить, — сказала Сэм, указывая на вислоухого пса, успевшего усесться у ног хозяина.

— Бандит не сторожевая собака, Сэм. Он охотник, выслеживает дичь. Это огромная разница.

— Ну... если я потеряюсь, он сможет найти меня. Пожалуйста, позволь мне остаться дома. Хотя бы только сегодня. Пожалуйста.

Его добило последнее «пожалуйста». То, с какой нежностью Сэм произнесла это слово.

— Будь я проклят, Саманта Джин. Таких женщин, как ты, надо объявлять вне закона. — И Джонни запечатал ее рот крепким яростным поцелуем, лишившим легкие Саманты воздуха, а голову — рассудка.

Ее слегка шатнуло, когда он отстранился и показал на дверь.

— Забери этого убийцу внутрь, — указал он на Бандита, лениво щелкавшего пастью в попытках поймать муху. — Зайди в дом, запри дверь и не выходи наружу, пока не услышишь звук моего голоса. О'кей?

— Спасибо, Джонни.

Она коротко свистнула. Бандит тут же встрепенулся и потрусил в дом перед Сэм, словно он только что с наивысшей оценкой окончил школу послушания.

Джон Томас покачал головой и нахмурился, когда они захлопнули за собой дверь. Он нехотя взобрался в джип и поехал прочь. Чем скорее он доберется до работы, тем быстрее он ее сделает. Тогда он сможет вернуться домой и разобраться с чувствами, которые они с Сэм тщетно пытаются запрятать внутрь.

— Вижу, вы оставили сегодня прекрасную леди дома совсем одну, — произнес Монти, появляясь в дверном проеме и сдвигая тяжелый оружейный пояс на бедра, где он не жал так сильно.

Джон Томас долго и хмуро вглядывался в невинное выражение на лице своего нового помощника, прежде чем ответить, но когда ответил, его «да» было больше похоже на звериный рык.

— Монти, иногда мне кажется, что ты глуп как пробка, — заметила Кэрол Энн, видя, как солнечное настроение, с которым шериф пришел на работу, постепенно начинает портиться.

— А что я такого сказал? — спросил тот и тут же ухмыльнулся и подмигнул ей, отчего она, воздев руки к небу, ринулась мимо все еще пустого стола секретарши в свой крошечный кабинетик в задней комнате.

— Есть дело для тебя, — сообщил Джон Томас. — Я ждал, когда ты придешь. Уиллис и Лоулер уехали разбираться с тройной аварией на пограничной дороге графства. Так что остались только мы с тобой. Придется ехать расследовать кражу скота на ранчо Уоткинса.

— В вашем распоряжении, — последовал ответ. — Машину поведу я?

Прежде чем Томас Джон успел ответить, они оба услышали телефонный звонок в кабинете диспетчера. Трубку сняли. Судя по тому, как начался этот день, неприятностей будет еще немало.

— Подождите, — выпалила Кэрол Энн, вбегая в главный зал с листочком бумаги в руке. — Хорошо, что я вас застала. Вам срочно нужно заняться этим, шериф. Только что звонила Лиззи Маршал, она в истерике. Сказала, что ее бывший благоверный только что позвонил и направляется к ее дому с ружьем — опять!

— О дьявол! — выдохнул Джон Томас, выхватывая листок с подробностями сообщения из рук Кэрол Энн. — Монти, ты действуешь самостоятельно. Кэрол Энн, объяснишь ему, как доехать до ранчо Уоткинса. Помощник, запомните всю имеющуюся информацию, прежде чем выедете. Возьмите с собой фотоаппарат и...

— Шериф, я хорошо сдал все экзамены. Я знаю, что мне требуется взять для расследования на месте. Оно, знаете ли, будет у меня не первым.

Джон Томас нахмурился, но выбора у него не оставалось. Не мог он послать зеленого новичка вроде Монтгомери Тернера к Лиззи Маршал на встречу с ее обезумевшим бывшим мужем. Когда они в последний раз выезжали к ней по вызову, потребовались два помощника шерифа да еще брат Лиззи, не считая его самого, чтобы усмирить Лема Маршала. Джон Томас пристально посмотрел на горящее энтузиазмом лицо нового помощника. У каждого человека в жизни наступает момент, когда надо проявить себя либо отступить. Очевидно, для Монти такой день настал сегодня.

— Время от времени связывайся с Кэрол Энн. Если ты мне потребуешься, я дам тебе знать, — приказал Джон Томас.

— Слушаюсь, сэр, — выпалил Монти, уже скрываясь за дверью.

Джон Томас вздохнул.

— Кэрол Энн, позванивай в течение дня ко мне домой и проверяй, как там Саманта, ладно?

Она кивнула, и шериф вышел за дверь, окликнув Монти, уже садившегося в свою машину.

— Эй, помощник! А куда тебе ехать, ты не хочешь узнать? — спросил Джон Томас.

Монти покрылся багровым румянцем. Конечно, ведь он выскочил из офиса, не поинтересовавшись информацией, которая ему будет нужна.

— Было бы неплохо узнать, — отозвался он и, ухмыльнувшись, последовал за диспетчером внутрь здания.

Джон Томас сел в свою машину и выехал со стоянки, включив сирену и проблесковые маячки, для того чтобы все уступали ему дорогу. Он должен добраться до дома Лиззи раньше Лема Маршала, пока тот не натворил каких-нибудь глупостей: например, не взял в заложники свою жену и семерых детей, черт бы его побрал.

Полдень пришел и минул. Когда солнце начало спускаться к горизонту, навалилась жара. Медленная, вязкая, размягчающая, казалось, даже кости. Даже Бандит поддался ей, вот уже в третий раз задремав в коридоре, единственном месте в доме, где была тень и обдувал легкий ветерок.

Жара заставила Саманту пойти поискать в шкафах Джона Томаса что-нибудь более просторное и прохладное, чем то, что мог предложить ее собственный, довольно скудный, гардероб. Ей показалось, что подходящую одежду она сможет найти на верхней полке.

Сэм придвинула стул и взобралась на него, чтобы добраться до футболок большого размера, которые ей удалось заметить.

Впопыхах она потянула на себя стопку одежды слишком резко, и ворох маек и рубашек, в коробках и без, посыпался на нее. Сердито бормоча проклятия, Сэм слезла со стула и начала собирать их.

И только подняв последнюю рубашку, она увидела письма, высыпавшиеся из старой обувной коробки. Письма, адресованные ей, написанные почерком Джонни. Их было очень много: все запечатаны, и на каждом стоял штамп «Вернуть адресату».

В одно мгновение пятнадцать лет обиды исчезли как дым.

— О Джонни! А я-то думала, ты забыл меня!

Дрожащими руками Саманта собрала письма в пачку у себя на полке, начав сортировать их по датам, указанным на штемпелях. И разложив по порядку, вскрыла первое. Ведь все равно они предназначались ей.

Вскоре закапали первые слезы. К тому моменту когда она добралась до последнего письма, ей было просто плохо от жалости и раскаяния. Ему было не все равно, он не забыл ее. Он писал. И, несмотря на то что она ни разу не ответила, он все равно вернулся в Коттон, надеясь увидеть ее здесь.

Сэм прикрыла глаза, представляя Джонни восемнадцатилетнего, обиженного и страдающего.

Представляя, как он стоял в своей солдатской форме на похоронах отца, окаменев, без слез глядя, как опускают гроб в могилу, и думая о том, что она бессердечно бросила его.

— Джонни... Джонни. Я не знала. Я не знала.

Саманта упала на пол и, прижимая письма к груди, зарыдала. Из шока ее вывел лишь холодный нос Бандита, ткнувшийся ей в шею.

Она сложила все, что было на полке, в том же порядке, как раньше, оставив себе лишь письма. *Они принадлежали ей.* Только доставка задержалась на пятнадцать лет. Саманта всхлипнула. Как жаль, что они пришли к ней слишком поздно. Как теперь все ему объяснить?

Она перешагнула через собаку и, сбрасывая на ходу одежду, отправилась в ванную. Если нельзя сходить искупаться, то почти такое же удовольствие она может себе доставить другим способом.

Она собиралась наполнить старомодную, глубокую, на разлапистых ножках ванну Джонни доверху прохладной водой, забраться в нее и вообразить, что она лежит на одном из уединенных калифорнийских пляжей.

В течение последующих двух часов Сэм неукоснительно следовала своему плану. От долгого лежания в воде кончики ее пальцев на руках и на ногах стали напоминать белые морщинистые черносливины, но тело освежилось и помолодело.

Выбираясь из ванны, она услышала, как гавкнул Бандит. У Саманты учащенно забилось сердце, и она стала поспешно вытираться. Может, Джонни вернулся домой пораньше? Это было бы чудесно. Она бы быстренько собрала провизию для пикника, и они пошли бы на берег реки, где, лежа под знакомой старой ивой, она сумела бы рассказать ему о том, что нашла письма. Она найдет слова, которые убедят его в том, что она действительно ничего на знала. Потом они поедят, а затем, может быть...

Ее мечтательные раздумья внезапно прервались, так как Бандит вскочил и начал громко лаять. Нервничая, она с трудом натянула старые джинсовые шорты с бахромой на все еще влажные бедра. Что это с собакой? Почему она так лает на Джонни? Но тут Сэм поняла, что дело не в собаке. Должно быть, за дверью стоит кто-то другой! В майке, облепившей все еще влажное тело, Сэм бросилась по коридору к двери, шлепая босыми ногами по сосновым половицам. Бандит стоял около двери в оборонительной стойке. Когда Сэм попыталась обогнуть его, чтобы выглянуть в окно, пес глухо заворчал, не давая ей пройти.

— Бандит, в чем дело?

Саманта наклонилась и погладила собаку по голове. Он позволил ей сделать это, но все равно не отступил. Звук, донесшийся с той стороны двери, заставил ее замереть от страха. Слышно было, как кто-то ходит по деревянному крыльцу.

Бандит вновь зарычал, после чего оглушающе завыл, и Саманте захотелось закричать вместе с ним. И тут она уловила быстрые шаги по крыльцу, затем глухой удар от приземления на землю. Она задохнулась. Тот человек побежал вокруг дома!

О Господи! Черный ход!

Саманта готова была поклясться жизнью, что она забыла запереть его, после того как выходила выбросить помидорные очистки после обеда. Она рванулась к кухне, впопыхах сбив пару стульев. Она даже упала на пол, ободрав коленку. Не заметив этого, Саманта протолкнула сама себя вперед, сначала на четвереньках, потом карабкаясь на полусогнутых ногах и лишь у самой кухни сумев выпрямиться.

К черному ходу они добрались одновременно. Саманта захлопнула дверь в тот самый момент, когда снаружи на заднем крыльце послышались шаги.

Трясущимися руками Сэм схватилась за щеколду и попыталась задвинуть ее. Но перекошенная дверь не позволила стержню войти в гнездо.

Навалившись всем телом на дверь в последнем отчаянном усилии, Саманта все же загнала стержень на место.

Тяжело, судорожно дыша и плача от страха, Саманта прильнула к двери, упершись лбом в прочное дерево, и услышала точно такой же звук тяжелого дыхания с другой стороны... Она поняла, что это дышит тот, другой.

Задохнувшись, она отпрянула назад и в ужасе уставилась на ручку двери, которую кто-то повернул сначала в одну сторону, потом в другую. После этого не последовало ни новых звуков, ни новых движений. Ручка замерла.

Внезапно с той стороны двери раздался низкий, противный смешок, и сердце перестало биться в груди у Саманты. Сзади яростно зарычал Бандит, и она опустила руку, вслепую шаря за спиной, ища хоть какого-то успокоения в присутствии пса.

Медленно вздохнув, она прислушивалась к шагам, удалявшимся по крыльцу. Только когда раздался мягкий, приглушенный удар, означавший, что пришелец спрыгнул на землю, она перевела дух и стала ждать, когда шаги затихнут вдали.

Внезапное желание увидеть лицо убийцы подтолкнуло ее к окну над раковиной. Трясущимися руками Сэм раздвинула занавески и выглянула наружу, надеясь хоть краем глаза рассмотреть непрошеного гостя. Но в поле ее зрения не оказалось ничего, за исключением ворона, летевшего через двор к группе деревьев за забором.

— О Боже! О Боже!

Она закрыла лицо руками и рухнула на колени. Этого не могло быть. Ей казалось, что весь этот ужас, весь этот ад остался в Лос-Анджелесе. Но убийца, как видно, обнаружил ее и здесь.

— Джонни! Надо рассказать Джонни. Он знает, что делать.

Не обращая внимания на дрожащие пальцы, она набрала телефон офиса Джона Томаса и, прижав трубку к уху, вновь откинулась назад, чтобы посмотреть в щель между занавесками и убедиться, что «тот» не вернулся снова.

Но гудков не последовало.

— Проклятие, — пробормотала она и, глубоко вздохнув, попыталась убедить себя, что в панике, очевидно, набрала не то количество цифр. Только начав набирать снова, она осознала, что в трубке нет вообще никакого сигнала.

— Нет! Только не это! Пожалуйста, только не это! Нельзя отрезать меня от Джонни!

Она бросилась в гостиную к аппарату, что стоял там. Бандит не отставал от нее ни на шаг.

Сэм схватила трубку, но единственным звуком, который она слышала, было биение ее собственного сердца, бешеными сокращениями гнавшего кровь по артериям. Линия была мертва. Мертва так же, как будет мертва и она, если не сможет вовремя получить помощь.

Выбраться из дома невозможно. Самое глупое, что можно сделать, — это, выбравшись на улицу, попасть в лапы к убийце. Сэм огляделась вокруг в поисках какой-нибудь подсказки, но ничего не обнаружила. Она слышала лишь глухие удары сердца и собственное затрудненное дыхание, прерываемое всхлипами. Довольно долго она стояла, замерев от ужаса и думая, что, наверное, наступил день, в который ей суждено умереть.

Но пока она стояла так, что-то вокруг изменилось. Она вспомнила найденные только что письма, потерянные годы, их страдания и вдруг снова разозлилась.

Слезы высохли. Губы перестали дрожать, рот яростно сжался. Если *он* появится снова, она будет готова к борьбе.

Сопровождаемая Бандитом, Саманта принялась баррикадировать дверь мебелью. Убедившись, что теперь для того, чтобы войти внутрь, потребуется вызывать армию, они сделала то же самое на кухне, придвинув к двери стол и подперев его стульями, поставленными на две ножки. Баррикады были возведены.

Проверив запоры на всех окнах и опустив шторы, Саманта отправилась на поиски оружия. Джонни ведь полицейский. У него в доме обязательно должно быть оружие, кроме того, что он носит с собой.

На полке шкафа, за коробками с мылом и стиральными порошками, она обнаружила двуствольное помповое ружье, сверкавшее полированной голубоватой сталью и лаком деревянного приклада. Уперев ружье в плечо, Саманта попыталась прицелиться, но пошатнулась под его тяжестью.

Радость ее длилась недолго — лишь до тех пор, пока она не обнаружила, что магазин пуст. Дальнейшие поиски не привели ни к какому результату. Ни единого патрона. Она опустилась на пол и положила голову на колени. В груди задрожали рыдания, но Сэм не позволила им вырваться наружу.

— Джонни, помоги мне! Я не могу найти эти треклятые патроны! — В отчаянии Сэм стукнула кулаком по ноге.

Но лишь Бандит мог услышать ее жалобу. Она все же решила не сдаваться. Пригибаясь, когда приходилось проходить мимо окон, она пробралась на кухню, устроилась в углу напротив двери, сжав в руке нож и положив незаряженное ружье на колени, и постаралась найти себе положение поудобнее.

Тут же появился Бандит, плюхнулся рядом и положил голову ей на колено, повизгивая время от времени. Пес словно говорил, что она не одна, что он все понимает.

Со слезами на глазах, чувствуя спазмы в желудке, Саманта приготовилась ждать. Кто-нибудь придет. Или это будет Джонни, или... ее преследователь. Кто бы ни пришел, на этот раз она будет готова к встрече.

Время близилось к семи, когда Джон Томас вернулся в офис, ведя за собой Лема Маршала в наручниках, изрыгающего проклятия на каждом шагу. Кто из них выглядел хуже, сказать было трудновато. Делмар, диспетчер вечерней смены, изумленно уставился на обоих.

— Черт, шериф! Не могу поверить, что вы повязали его в одиночку!

— Я тоже, — ответил тот устало. — Помоги запереть его.

Делмар выбрался из-за перегородки и обошел вокруг растрепанной, промокшей насквозь фигуры, больше походившей на животное, чем на человека.

— За что мне его держать, Джон Томас?

— Просто отопри камеру, остальное я сделаю сам, — отрезал шериф и, дернув наручники, сковывавшие руки Лема, поволок своего пленника в камеру для задержанных.

— Делмар, не знаешь, догадалась ли Кэрол Энн позвонить Саманте и сказать, что я задерживаюсь? — спросил Джон Томас, расстегивая наручники и заталкивая Лема в камеру. Делмар тут же захлопнул дверь и запер ее.

— Тут вот какое дело, — промямлил Делмар. — Она говорит, что ей ни разу не удалось прозвониться. Она сказала, что звонила много раз, но никто не поднимал трубку. Припоминаю, она вроде сказала, что раз пять или шесть звонила уже после обеда.

Джон Томас ощутил противную слабость в коленях. Комната поплыла перед глазами, словно его начало выворачивать наизнанку.

— Это значит, никто не отвечал?

Делмар нахмурился.

— Точно. Я сам стоял рядом и видел, как она набирала номер в последний раз. Я тогда только заступил. Это было около пяти, возможно, в четверть шестого. Кэрол Энн казалась очень озабоченной. Она сказала, что ей так и не удалось связаться с вами по радио.

— Я был занят другим делом, — ответил Джон Томас, с ненавистью глядя на человека за решеткой камеры, из-за которого он, возможно, потерял не только новую рубашку. В тот же момент он принял решение. — Я еду домой, Делмар. Арест Лема оформлю завтра.

— Я сам начну заполнять бумаги, — предложил Делмар. — А вы добавите, что потребуется, завтра, когда появитесь. Я помню все данные на старика Лема не хуже, чем свои собственные.

Но Джон Томас уже не слушал. Он представил себе, как надрывался телефон в пустом доме, и теперь гадал, куда же делась Саманта.

Взяв патрульную машину вместо джипа на случай, если вдруг придется воспользоваться радио, чтобы вызвать подкрепление, Джонни домчался от Раска до своего дома меньше чем за восемь минут, благодаря Бога за то, что он на той стороне закона, на какой надо. Во времена его юности за подобные трюки можно было очень просто загреметь в тюрьму.

Сумерки уже сгущались, когда он свернул на подъездную дорожку. Даже отсюда было видно, что дом подозрительно темный.

Не заметил он ни приветливо открытой двери, ни улыбающейся Саманты, зовущей его ужинать. И собака не выскочила ему навстречу. Ничто не указывало на то, что в доме кто-то есть.

Джон Томас резко затормозил перед крыльцом, отчего во все стороны полетели грязь и гравий, выскочил из машины и бросился к дому, не переставая молить небеса, чтобы Сэм была там, и одновременно молясь об обратном. По крайней мере, если Саманта ушла, она, может быть, еще жива.

Он колотил в дверь и громко выкрикивал ее имя, но ответа не последовало. Подстегиваемый страхом, Джон Томас спрыгнул с крыльца и побежал вокруг дома к черному ходу. Если потребуется, он разнесет его в щепки.

Глава 9

Левая нога Саманты совсем затекла, спину разламывало от скрюченной позы, в которой она сидела. Забившись в угол кухни, девушка следила за тем, как полуденное солнце катилось к горизонту, и еще долго после этого всматривалась в густеющие вечерние тени, разползавшиеся по всему дому.

Глаза жгло; от усталости и напряжения страх, с которым она начинала свое бдение, сменился непреклонной решимостью. Месяцы жизни под гнетом ужаса ушли в прошлое. Последние несколько недель вместе с Джонни изменили ее отношение к тому, что ее преследуют. Она, возможно, не сумеет остановить убийцу, но то, что сегодня она последний раз чувствовала себя беспомощной, Саманта знала точно.

Несчетное количество раз ее глаза впивались в кухонные часы, висевшие над раковиной, и она молилась, чтобы наконец наступило пять часов. Но когда часы пробили пять и время потянулось дальше без каких-либо признаков появления Джонни, ее храбрость начала потихоньку улетучиваться.

Внезапно Сэм вновь охватил страх. Что, если убийца решил выместить свою злобу и на человеке, увезшем ее? Что, если жизнь Джонни тоже в опасности, а они об этом не подумали?

— Джонни, вернись домой, — прошептала она. Он должен знать, что она нашла эти письма. Ей нужно было сказать ему, как много он для нее значил и значит.

Испугавшись паники в собственном голосе, она глубоко вздохнула и крепко зажмурила глаза, но все равно почувствовала, что слезы катятся по щекам, капая на рубашку.

Бандит вздохнул и завозился рядом с ней, потом подвинулся ровно настолько, чтобы положить голову чуть выше ей на бедро, поближе к руке, лежавшей на полированной поверхности двуствольного дробовика.

Забывшись в полудреме, Саманта не услышала шума подъехавшей машины. Но шаги, простучавшие по деревянным ступенькам переднего крыльца, и резкие неожиданные удары в дверь с наружной стороны заставили ее мгновенно выпрямиться, дрожа всем телом.

Она слышала крики, но, прежде чем ей удалось разобрать слова, оглушительно залаял Бандит, так что единственным, что можно было расслышать, оказалось эхо неистового лая пса. Мертвой тишины как не бывало.

— О Господи, — застонала Саманта. — Он снова здесь!

С трудом встав на ноги, она положила нож на подоконник рядом в собой, так как ей нужны были обе руки, чтобы приподнять ружье хотя бы до уровня бедра. Если он вломится внутрь, ей, возможно, удастся обмануть его, сделав вид, что ружье заряжено. Если не удастся, тогда под рукой есть нож. Больше она ничего не могла сделать, кроме как попытаться сбежать, но от этого желания Сэм уже избавилась. Стоя в испуганном ожидании, она вдруг почувствовала неожиданную волну облегчения. По крайней мере закончилось ожидание неизвестности.

Все повторилось, как и раньше. Звук бегущих шагов вокруг дома и затем глухой топот ног на заднем крыльце.

У Саманты задрожали руки, она неотрывно смотрела на внутреннюю панель кухонной двери, пытаясь представить себе, каков ее преследователь, топчущийся с другой стороны, что он задумал. Но голос, который она услышала, оказался неожиданно знакомым и родным. Ее молитвы были услышаны!

— Сэм! Саманта Джин! Ты здесь? Проклятие, открой дверь!

Это был Джонни! И судя по тому, как он кричал и ломился в дверь, он был готов снести ее, если Саманта немедленно не откроет. Бандит заплясал у ее ног. Сэм перегнулась через мебель, которой заставила проход у двери.

— Джонни, это ты?

При звуке ее голоса Джон Томас почувствовал внезапную слабость.

— Истинный крест, чтоб мне умереть, — отозвался он, с удивлением заметив, как дрожит его голос. Прислонившись лбом к шершавой поверхности двери, он стал ждать, когда сможет увидеть ее лицо.

Он услышал звук, словно растаскивали мебель. Затем непрерывный безумный лай своего пса, затем скрип отодвигаемой щеколды. Дверь распахнулась, и, не дав ему даже войти внутрь, Саманта упала в его объятия.

— Боже, Сэм, что случилось? Что, черт побери, с тобой стряслось? Ты не отвечала на звонки. Я боялся...

Он замолчал, начиная замечать ужасные судороги, сотрясавшие ее тело, и вид кухни за ее спиной. Твердой рукой он подтолкнул Саманту внутрь, зашел сам, затем запер дверь и взял девушку за плечи.

— Расскажи все.

Сэм подняла глаза и заплакала. Давясь слезами, она начала говорить, перемежая рассказ всхлипами и сдавленными рыданиями.

— Кто-то пытался проникнуть в дом. Бандит лаял и рычал у передней двери, и тут я услышала, что этот — не знаю кто — побежал вокруг дома.

Она глубоко вздохнула и показала на перевернутые стулья в соседней комнате.

— Тогда я вспомнила, что задняя дверь не заперта. Я добежала до кухни раньше, чем он, хотя чуть не опоздала.

Взглянув на ее ободранные колени и видя застывший ужас в ее глазах, Джонни понял, насколько серьезны были ее слова.

— Господи Иисусе! — Ярость в его голосе не предназначалась ей, и она знала это, но все равно вздрогнула.

— О, милая, я не имел в виду тебя, — быстро проговорил Джон, рассердившись на себя за то, что невольно вызвал у Сэм страх. Он протянул к ней руки. Не колеблясь, она нырнула под их защиту.

— Я знаю, Джонни. Но у меня есть только одно объяснение. Я провела очень плохой день сегодня. — Саманта попыталась улыбнуться и не разреветься, когда он сжал ее лицо в ладонях и поцеловал ее с нежной мукой.

Джону Томасу было просто плохо.

— Почему ты не позвонила мне, родная? Кэрол Энн сказала, что весь день пыталась связаться с тобой, но никто не отвечал.

Его руки гладили тело, прильнувшее к нему. Подумав, насколько хрупка жизнь и как близок он был к тому, чтобы потерять ее, Джон Томас вздрогнул.

— Телефоны не работают, Джонни. Я пыталась звонить по обоим аппаратам. Когда я поняла, что не смогу связаться с тобой, я попросту спряталась и стала ждать, когда ты придешь за мной.

— Боже мой!

Только теперь он увидел лежавший на столе дробовик, заметил на подоконнике поблескивание стали ножа для разделки мяса. Через какой же ад пришлось ей пройти за эти долгие часы ожидания?!

— Сэм, ружье не заряжено.

— Я знаю.

Чувство вины, словно удар в солнечное сплетение, обрушилось на него. Он боялся даже подумать, какой беспомощной она была, сидя одна в доме лишь с собакой, ножом и незаряженным ружьем.

— Подожди здесь, родная. Я выйду, осмотрюсь вокруг дома.

Обняв Сэм в последний раз, он вышел за дверь в сопровождении Бандита. Ему не потребовалось много времени, чтобы обнаружить цепочку следов, поменьше, чем его собственные, которые огибали дом. Еще быстрее он нашел место, где был обрезан телефонный провод, лежавший теперь на земле, полуприсыпанный рыхлой почвой. Он поднял его и внимательно осмотрел аккуратный ровный срез, который оборвал контакт Саманты с внешним миром.

— Сукин сын! — Больше ему нечего было сказать. Пока Джон Томас играл в шерифа, арестовывая человека, место которому было в ближайшей психиатрической лечебнице, убийца объявился здесь и намеренно издевался над рассудком Саманты.

У него не было никаких сомнений, что подонок просто играл с ней. Ясно, что изолированное положение дома позволяло ему поступить с Самантой так, как он хотел; он мог даже сжечь дом вместе с ней, если бы у него было такое намерение.

Очевидно, он хотел помучить ее подольше, прежде чем убить.

Джон Томас содрогнулся, вспомнив письма и телефонные звонки с угрозами, слова о том, что смерть очищает, смерть лечит. Кого надо лечить, Джону Томасу было абсолютно ясно, так что ему надо добраться до убийцы раньше, чем тот доберется до Саманты, иначе в следующий раз речь пойдет о жизни и смерти уже всерьез.

Он бессильно выругался и пошел к патрульной машине вызывать подмогу, все еще не в состоянии поверить, что его собственный дом стал местом преступления.

Помощник шерифа Лоулер приехал вместе с Монти. Завывание их сирены и вертящиеся полицейские огни на крыше машины, въехавшей во двор, вызвали новый приступ лая у Бандита.

— Они уже здесь, — сказала Саманта, бросив через портьеры гостиной взгляд на мерцавшие огни и соскальзывая с колен Джона Томаса.

Уже смеркалось, но Джону Томасу требовалось проверить еще одну догадку, пока не наступила полная темнота, а для того, чтобы осуществить свой план, ему нужно было дождаться, пока подъедет подкрепление.

Быстро обняв Саманту, он вскочил с кушетки и выбежал за дверь.

— Оставьте фары включенными, — приказал он, когда его помощник остановил машину. — Не заходите за ленту, которой я огородил вот эту зону. Здесь он пробегал.

— Что случилось? — спросил Монти. — Нам лишь сказали, что кто-то пытался проникнуть в ваш дом. С Самантой все в порядке?

— С ней все нормально. Правда, напугана до смерти. Но не ранена, за исключением ободранных коленей. А вы оба, прямо сейчас, отправляйтесь осматривать место преступления. Может быть, обнаружится что-нибудь, что я упустил. У меня появился другой план, но я не мог отойти до вашего приезда: боялся оставить Сэм без присмотра.

— Мы будем здесь, — ответил Майк Лоулер.

— Я отлучусь ненадолго, — сказал Джон Томас. — Что бы вы ни делали, *не оставляйте ее одну*.

— Можете положиться на нас, босс, — заверил Монти и вытащил из-под сиденья свой фонарь.

Саманта вышла на крыльцо, стараясь не показать, что она все еще смертельно боится, однако дрожащий голос выдал ее.

— Куда ты собрался? — высоким напряженным голосом спросила она.

Джон Томас поднялся по ступеням и взял ее руки в свои. Затем мягким движением убрал прядь волос, упавшую ей на лицо, и слегка поддел согнутым указательным пальцем кончик ее носа.

— Я хочу взять Бандита и попытаться пройти по следам убийцы. Если я смогу определить, откуда он пришел и куда ушел, то мне будет легче понять, кто он такой и откуда взялся.

— Мы останемся здесь, рядом с вами, — убеждающе произнес Майк Лоулер.

Сэм кивнула, удовлетворенная его объяснением и тем, что ей не придется быть одной.

— Я собираюсь приготовить ужин. Вы останетесь и поедите с нами, ребята?

— Да, мэм, — ответили те в унисон.

Когда Саманта вышла на крыльцо их встречать, они оба заметили на лице Сэм следы пережитого ужаса и долгих слез. Поэтому сейчас полицейские не смогли бы отказать ей ни в чем.

Монти отвернулся. Ему невыносимо было видеть, как шериф обнимал Саманту. Это слишком напоминало ему о собственном горе. Ярость переполняла его, и тогда он неслышно выругался и усилием воли загнал свои эмоции внутрь, туда, где им полагалось быть. Он начал собственный поиск, предоставив Лоулеру действовать по своему усмотрению.

Войдя в дом, Саманта нарочно оставила дверь приоткрытой. Ей почему-то было легче от звука голосов рядом и от сознания того, что она больше не заперта одна в четырех стенах.

— Проклятие!

Джон Томас пнул камень на обочине проселочной дороги, где Бандит окончательно потерял след. Став на колени, шериф начал осторожно ощупывать пальцами едва заметный след автомобильного протектора. Машина явно стояла здесь не так давно.

Кем бы ни был убийца, его машина была с низкой осадкой и у нее подтекало масло. Судя по размеру масляного пятна на земле, она протекала, словно решето.

Бандит заскулил и пробежался кругом, опустив морду к земле и все время принюхиваясь в поиске потерянного запаха.

— Без толку, парень, — сказал Джонни и свистнул, зовя того домой. — Твоя дичь весьма хитра. Она не стала от тебя прятаться на дереве. Этот тип просто сел в машину и уехал черт его знает куда.

Несколько минут спустя Джон Томас выбежал из леса; спущенный с поводка Бандит трусил впереди, рыская за тенями. Огни дома призывно светились на другой стороне луга. Все выглядело так же, как и в любую другую теплую летнюю ночь.

Сверчки пели свои обычные песни. Древесная лягушка квакала над излучиной реки, ей вторил в полный голос целый хор жаб. Но все же сегодняшняя ночь была иной. Сегодня некто вломился в его жизнь, угрожал его женщине, отчего Джон Томас чуть не сходил с ума.

Тут он остановил себя. «Моя женщина? Почему я начал думать о ней как о моей?»

Но ответить на этот вопрос Джонни мог лишь сердцем. Ответ был там, глубоко внутри, все время их разлуки.

Уже перевалило за десять часов, когда Джон Томас отпустил своих помощников домой. После ужина полицейские обменялись информацией, полученной в ходе их индивидуальных поисков.

Все, что узнала Саманта, — это то, что телефон починят завтра. Помимо этого, они не сказали ей ничего. Как она подозревала, оттого, что им просто нечего было сказать.

Сэм лучше, чем кто-либо другой, знала, каким хитрым может быть ее преследователь. Он обвел вокруг пальца всю лос-анджелесскую полицию и выставил ее перед ними как фанатичку с чересчур развитым воображением либо, если посмотреть с другой стороны, как психопатку, страдающую манией преследования.

Джон Томас проводил глазами отъехавших полицейских и, оставив Бандита на крыльце сторожить дом снаружи, вошел внутрь, захлопнув и заперев дверь.

— Думаешь, это сможет удержать его? — тихо спросила Саманта.

Поникшие плечи и покорность на лице и в голосе обеспокоили его. Ей сейчас нельзя было сдаваться.

— Почему бы тебе не принять ванну, дорогая? А я пока уберусь на кухне.

Она покачала головой.

— Когда он появился... я как раз была в ванной. Я не хочу идти туда снова одна.

Он протянул руку.

— Ну успокойся, Сэм. Тебе больше не придется ничего делать в одиночку. У тебя ведь есть я. Понятно?

Она потянулась к нему, и ее пальцы с нежностью провели по старому, почти невидимому шраму на его запястье.

Джонни улыбнулся.

Их руки сплелись в тесном пожатии.

— Потрешь мне спинку? — спросила она, пытаясь разрядить напряжение.

— Если ты помоешь мне голову, — усмехнувшись, ответил Джонни. — Да, ты еще не слышала историю о нашей драке с Лемом Маршалом на скотном дворе и о том, как он уронил меня лицом в коровью лепешку, прежде чем споткнуться о молочный бидон и грохнуться наземь.

— Ты шутишь? — Саманта хихикнула, представив себе эту впечатляющую сцену.

— Если бы. К сожалению, это правда. Но имей в виду, я рассказал тебе это по секрету. Никто, кроме Лема, не знает, что произошло на самом деле, а он был настолько пьян, что вряд ли помнит детали. По крайней мере я надеюсь, что нет. Я не переживу, если он начнет рассказывать каждому встречному, что моя физиономия была заляпана подсохшим коровьим дерьмом, когда я арестовывал его.

Лицо Саманты расплылось в широкой усмешке.

— Кажется, не только у меня одной был трудный день.

Дружно рассмеявшись, они прошли в ванную. Все еще смеясь, включили воду. Но когда подошло время снимать одежду, ни Джонни, ни Саманта не смогли найти слов, которые помогли бы им сделать это.

— Почему бы тебе не пойти первой? — предложил он. — Ты можешь оставить дверь открытой. Я буду рядом снаружи. Когда закончишь, мы просто поменяемся местами.

Саманта согласно кивнула.

Джон Томас вышел из ванной. Его сердце разрывалось из-за жалости к ней. И еще он устал до тошноты от тупика, в который зашли их отношения.

Черт побери! Она была его лучшим другом, прежде чем стала его возлюбленной. Он хотел, чтобы дружба вернулась и... пришло нечто большее.

Он понимал, что должен найти способ сказать ей, что ему наплевать на то, что она не отвечала на его письма, чтоб им пропасть! Это было много лет назад. Что было в прошлом, принадлежит прошлому. Значение имеет то, что происходит здесь и сейчас, и что до него, то он влюблен в Сэм так же сильно, как пятнадцать лет назад.

Минуты шли. Он слышал плеск воды, лопанье пузырьков пены и затем быстрый всасывающий звук, когда вода потекла в сливное отверстие. Джонни прислонился к стене и прикрыл глаза, пытаясь отогнать от себя мысль о том, что всего в метре или чуть больше от него стоит Саманта, совершенно обнаженная, а он, в каком-то метре от нее, изнывает от самой сильной боли в своей жизни.

— Джонни.

— Что?

— Я нашла твои письма.

Потрясение подтолкнуло его к двери. Мысли не удерживались в голове. Она стояла у ванны, прижав к себе полотенце, с дрожащими губами, в волнении глядя на него.

Он сделал глубокий вдох и засунул руки в карманы, пытаясь удержаться, чтобы не вырвать полотенце у нее из рук.

— И?.. — требовательно спросил он.

— Я прочла их. — Сэм тихо заплакала.

Слова были не нужны. Он приблизился к ней и обнял. Полотенце, незамеченное, скользнуло на пол между ними.

— Мне следовало верить в тебя. Я должна была лучше знать тебя и не сомневаться, — шептала она, обвивая его руками и пряча лицо у него на груди. — Сможешь ли ты простить меня? Клянусь, я ничего не знала.

— Я давно понял, что это так, дорогая, — произнес он мягко.

— Когда? — спросила Саманта, пораженная его признанием.

— В тот вечер, когда ты швырнула в меня кофейную кружку. Я еще не видел, чтобы кто-то мог прийти в такую неподдельную ярость и в то же время сознательно лгать.

Она улыбнулась сквозь слезы:

— Ну и что мы теперь будем делать?

Он нагнулся, поднял полотенце и с легкой усмешкой подал ей.

— Я смою навоз, оставшийся после встречи с Лемом Маршалом, а ты забирайся в кровать. Дальше будет видно.

Для Саманты это прозвучало слишком заманчиво, чтобы отказаться. Но этот день оказался таким тяжелым. Несмотря на нетерпеливое ожидание, она уснула, обняв подушку.

И когда Джон Томас несколько минут спустя вошел в комнату, ему не хватило смелости разбудить ее. Он просто поднял Саманту с подушки, обвил руками и прижал так близко к себе, как только мог. Только чувствуя ее, он мог позволить себе закрыть глаза. Он был слишком близок к тому, чтобы потерять ее сегодня.

В три часа утра Саманта заворочалась в кровати и вдруг села с замершим криком на губах.

Джон Томас тотчас проснулся и принялся уговаривать ее снова и снова своим глубоким, хрипловатым со сна голосом, что она в безопасности. Прикосновения его шероховатых твердых ладоней окончательно успокоили ее.

Она повернулась и подалась к нему.

— Люби меня, Джонни. Пожалуйста.

Ее мольба потрясла его душу. С хриплым приглушенным возгласом он бросил свое тело на ее и, прежде чем она успела опомниться, скользнул меж ее ног. Когда же Джонни опомнился сам, то понял, что забыл предохраниться, и попытался отстраниться от Сэм.

— Нет, — взмолилась она. — Не оставляй меня.

— Я никуда не ухожу. Я просто не... надел... то, что нужно.

Он запустил руку в ящик столика возле кровати и вытащил маленький пакетик из фольги, чтобы подтвердить свои слова. Через мгновение он снова был с ней.

Джон Томас дрожал, держа ее в объятиях. Воспоминания об их первой ночи не оставляли его даже в этот момент. Тогда он был ужасно неуклюж и настолько ошалел, что чуть не потерял голову, даже еще не овладев ею. Правда, Сэм этого как-то не заметила или просто не придала этому значения.

По сей день он помнил, как Саманта дернулась и вздохнула, когда он нарушил ее девственность.

После этого все смешалось в ослепляющем взрыве эмоций; он неистово спешил к кульминации наслаждения, не в состоянии остановиться.

На этот раз он дал себе слово: Саманта получит все, что он сможет ей дать.

Ее дыхание замерло в груди, когда его губы начали поочередно ласкать ее плечи и грудь. Низкое удовлетворенное рычание вырывалось из его горла, покалывая ее кожу.

— Скорее, Джонни.

— Нет, малышка, — зашептал он. — Не сейчас. Сегодня первой получишь удовлетворение ты.

Она поежилась от прикосновения его языка к темным соскам. Он мягко засмеялся, и его смех словно разбежался по ее коже, в то время как его руки искали и находили то, что им нужно. Она запустила руки в волосы Джонни и не отпускала, боясь, что если не будет держаться за него, то не удержится в этой сумасшедшей скачке.

— Такая тоненькая, — прошептал он, обхватив руками ее талию. — О Боже, как мягко здесь, и там все уже готово, — произнес он, нежно проникая пальцами между ее ног, в горячую влажную глубину.

Саманта застонала. Он играл с ней, но ее это не заботило. От каждого прикосновения его рта ей становилось больно. Каждое движение его рук заставляло ее замирать в ожидании. На ее теле не осталось ни одного местечка, не покрытого его поцелуями, но и этого ей казалось мало.

Он шевельнулся. И когда вес его тела придавил ее, она вздохнула. Ощущение было таким, словно она вернулась домой. Такое знакомое и в то же время совсем другое. Мальчик, который любил ее, стал мужчиной. И каким мужчиной!

— Пожалуйста, Джонни. Люби меня, — зашептала она. — Ты всегда все делал как надо. — Ее голос пресекся, когда она прижала его голову к своей груди. — Мне нужно, чтобы ты сделал это для меня опять, Джонни.

— Тогда откройся, — попросил он.

В одно мгновение ее ноги раздвинулись, давая дорогу сильному, нетерпеливому вторжению мужской плоти. Войдя в нее, он остановился.

— В этот раз, Сэм, больно не будет, — прошептал он. — Я никогда в жизни больше не сделаю тебе больно.

Он наклонился вперед. И, сделав это, прикусил нижнюю губу и прикрыл глаза, стараясь не потерять над собой контроль. Но это было бесполезно. После того как он вошел в нее во второй раз, он понял, что каждое мгновение может умереть от счастья. Он попытался оттянуть неизбежное. Ему хотелось, чтобы это наслаждение, эта близость продолжались бесконечно. Но даже надеяться на это было невозможно: слишком долго он ждал этого момента, и ему было слишком хорошо, чтобы остановиться.

Саманта изогнулась и обхватила ногами талию Джонни, прижимая его к себе все ближе, все крепче. От этого все закружилось вокруг них, чувства вытеснили разум. Наслаждение раскололо все мысли и стало единственной целью Саманты, которую уже охватил огонь страсти.

Джон Томас застонал, когда ее ноги сильнее сжались вокруг него. И когда Сэм громко закричала от счастья, а соки ее тела обволокли его, он почувствовал, что переполнен ощущениями и больше не вытерпит. Он понял, что *это* приближается. Потеря контроля. Полное растворение в другом человеческом существе. В тот момент, когда вокруг не осталось ничего, кроме пламени желания, это случилось. В глазах закружились разноцветные пятна, теплая слабость растеклась по всему телу...

— Джонни...

— Не говори, любимая, — прошептал он, осыпая поцелуями ее лицо. — И не шевелись. Я сейчас вернусь.

Саманта вздохнула, когда Джонни скатился с кровати и вышел из комнаты. Но спустя несколько мгновений он уже вернулся, взял ее на руки и вновь стал покрывать поцелуями.

— Просто чтобы не забыть, где у тебя хорошенькие местечки, — нежно приговаривал он.

Она засмеялась и тут же начала плакать. Правда, на этот раз от радости.

— Боюсь, что я не заслуживаю тебя, Джонни, — говорила она сквозь слезы.

— Возможно, что и нет, — прошептал он, улыбнувшись. — Но на какие только жертвы не приходится идти во имя долга.

Джон Томас так и не понял, отчего это произошло — от страха или от радости. Но как только Сэм перестала плакать, она тут же уснула. Только после этого он смог отдаться своим отчаянным страхам, вспомнив, как весь вечер сегодня его терзала мысль о потере Саманты.

Он закрыл глаза и притянул Сэм ближе, так что ее голова легла ему на грудь. Он охранял ее покой.

Всю свою жизнь Джонни Найт бился за право быть человеком, и только Сэм понимала и принимала его таким, какой он есть. Джон Томас вздохнул и провел пальцами по высохшим дорожкам слез на ее щеках.

Он не мог вспомнить, когда плакал последний раз, но точно знал, что было это до того, как он пошел в школу. У него просто не было времени на слезы: он был слишком занят наукой выживания.

Сэм вздохнула, и Джонни слегка шевельнулся под ней, давая ей возможность устроиться поудобнее, после чего отвел от лица непослушную прядь ее волос.

В это мгновение он почувствовал слезы на своих щеках и понял, что плачет не зная отчего. «Слава Богу, сейчас темно и никто не видит моих слез, — подумал он. — С Божьей помощью, будут еще дни и будут еще ночи, чтобы понять, как одна женщина могла сделать то, что не смогли сделать годы борьбы и лишений».

— Это абсолютно необходимо? — спросила Саманта, запихивая последние вещи в чемодан и ставя его к груде узлов у двери.

— Ты не можешь больше оставаться здесь одна. А мне не хочется запирать тебя в тюремную камеру, чтобы обеспечить твою безопасность. Мы будем снимать квартиру в Раске, пока этого сукина сына на поймают, вот так.

— Я не спорила, я просто спросила, — произнесла она.

— А я просто ответил, — отрезал он. — Я слишком сильно тебя люблю, чтобы рисковать и бояться так, как вчера. Черт побери, леди. Я чуть не умер от сердечного приступа, а мне ведь всего тридцать три.

Она улыбнулась своей мысли. Джонни любит ее.

— Кто позаботится о Бандите? — спросила она.

— Брат Майка Лоулера арендует у меня часть земли. Он проезжает мимо каждый день, проверяя свое стадо. Он обещал кормить и поить Бандита, пока мы не вернемся.

Сэм кивнула. Кажется, он подумал обо всем.

— У тебя есть какое-то место на примете? — поинтересовалась она, зная, что в Раске отнюдь не переизбыток сдаваемых квартир.

— В том доме, где живет Монти, есть свободная квартира на втором этаже. Дом расположен в самом центре старой части города. Он, конечно, не шикарный, но со всех сторон живут соседи и мой офис всего в двух кварталах оттуда.

— Если ты готов, то я тоже, — сказала Саманта.

— Тогда поехали, дорогая. У меня на шее маньяк, бегающий на свободе, и еще один в камере, которого надо перевозить в тюрьму, не говоря уже о банде угонщиков скота и о несчастном скотоводе, вдруг лишившемся пятидесяти отборных коров.

— Но по крайней мере ты приступаешь к делам с чистыми волосами, — усмехнувшись, поддела она его.

— Чувствую, мне всю жизнь придется жалеть о том, что я рассказал тебе об этом, — ответил он, закатывая глаза.

— Нет, не придется, — сказала Саманта, внезапно посерьезнев при его шутливом замечании. — Я всегда хранила твои секреты, Джонни. Помнишь?

Он обернулся и внимательно посмотрел на нее. Внезапно, без предупреждения, он бросил баулы и двинулся к ней с намерением, которое она сумела распознать.

— Ты опоздаешь на работу, — произнесла она, отступая назад.

— Ты думаешь, сейчас это меня заботит?

Она несмело протянула руку и, покачав головой, нежно накрыла твердую выпуклость под ремнем его джинсов.

— Дорогая, ты просто читаешь мои мысли.

— Я всегда знала, что твои мозги находятся в штанах, — слегка поддразнила она Джонни, когда тот увлек ее по коридору к спальне.

— Там, где ты думаешь, мозгов нет. Только любовь, Сэм. Глубокая, верная, всеобъемлющая любовь.

Огромные деревья, окружавшие старый серый дом, похожий на голову старушки в шляпе, приветливой тенью укрывали двор, куда въехал Джон Томас.

— Ну, что ты думаешь? — спросил он нервно, боясь, что обветшалый вид строения станет последней каплей в чаше терпения Саманты.

— Мне нравится, — ответила она, улыбаясь и показывая рукой на окна второго этажа. — Там есть кондиционеры.

Он рассмеялся. Можно было догадаться, что для того, чтобы вывести Сэм из равновесия, потребуется нечто большее, чем просто старый дом. Особенно после того, что она пережила. Джонни взглянул в зеркало заднего вида на подъехавшую следом машину и улыбнулся. — Твой транспорт прибыл.

Саманта выглянула из окна. Помощник шерифа Тернер подъезжал в джипе Джона Томаса, который тот оставил вчера у полицейского участка.

Джонни помог Сэм выбраться из машины. Она склонила голову, чтобы лучше рассмотреть помощника шерифа и машину Джонни.

— Что ты имеешь в виду, говоря «мой транспорт»? Что, разве Монти куда-то повезет меня?

— Нет, дорогая. Я передаю джип тебе. Ты же не думаешь, что я оставлю тебя без средства передвижения? Пока этого подонка не поймают, я поезжу на патрульной машине, а джип будет в твоем распоряжении. Я не хочу, чтобы ты еще хоть раз чувствовала себя в плену.

Монти обошел машину сзади, держа в руках ключи, и приблизился как раз в тот момент, когда Саманта выпрыгнула из машины в руки Джона Томаса.

— О Джонни, я уже в плену... у тебя. — Она провела по пряжке его ремня ногтем, наслаждаясь тем, как потрясенно расширились его глаза. — Если бы я могла разливать твое богатство в бутылки и продавать, мы оба стали бы миллионерами.

Сэм громко рассмеялась при виде легкого румянца, выступившего у Джонни на щеках, но не пожалела ни об одном из сказанных слов. Ему полезно иногда понервничать.

Монти остановился на полпути и отвернулся. Он видел, как они смотрели друг на друга, как залилось краской лицо его босса. Он слышал нежный, воркующий смех Саманты, видел, как она шагнула в объятия Джона Томаса Найта, словно к себе домой. Сердце его заныло, напомнив о том, что потерял он сам.

— Эй, Тернер, — окликнул помощника Джон Томас, видя, что тот повернулся уходить. — Сейчас не время проявлять застенчивость. К тому же я знаю Сэм: от этого она разойдется еще больше. Давай-ка помоги нам. Надо разгрузить мою патрульную машину, чтобы можно было на ней ехать на работу.

Монти кивнул и, отдав Саманте ключи, нагрузился сумками и двинулся вверх по лестнице впереди шерифа и его дамы.

— Чей это грузовичок? — спросил Джон Томас, указывая на старый черный пикап, стоявший в дальнем конце двора под высокой сосной.

— Официантки из кафе Мэрили, что на выезде из Коттона. Мэрили приняла ее на работу и одолжила машину, пока та не заработает денег, чтобы уехать домой. Ее бросил какой-то водитель-дальнобойщик. Просто стыдно, как обходятся с некоторыми женщинами. Зовут ее Клаудия или что-то в этом роде. Она вам вовсе не помешает, так как работает в вечернюю смену и отсыпается днем.

Джон Томас засмеялся.

— Кажется, я знаю, о ком ты говоришь, но, может, ты еще знаешь, сколько ей лет, откуда она и все такое прочее? Сдается мне, ты знаешь о ней все.

Монти вспыхнул и ухмыльнулся, но к тому, что уже сказал, ничего добавить не мог.

— Я взял ключи, как вы просили, — сказал Монти, когда они подошли к двери их квартиры. — Сейчас поставлю сумки и открою.

Дверь распахнулась с легким скрипом.

— Немного смазать, и все будет в порядке, — объяснил он и отвернулся, не в силах смотреть на радостное лицо Саманты.

Сэм заинтересовало, почему помощник шерифа разглядывает ее, когда думает, что она не смотрит в его сторону.

Она не могла сказать точно, но чувствовала, что во взгляде Монтгомери Тернера было что-то очень печальное.

— Ух ты! — Она обошла комнаты, рассматривая все вокруг и заглядывая во все углы. — Невероятно!

— Знаю, что это не высший класс, — ответил Джон Томас. — Но ведь это всего лишь временное жилище.

— Нет, — отозвалась она. — Ты не понял. За все это добро в Лос-Анджелесе можно получить целое состояние. Мебель в стиле конца тридцатых — сороковых годов пользуется там сейчас бешеной популярностью.

Монти попытался сдержать улыбку, но смешок Джона Томаса был слишком заразительным.

— Ты это серьезно? — спросил Джонни, удивленно оглядывая дряхлую мебель и другие предметы обстановки.

— Какие шутки! Ты ведь знаешь, каковы богачи. Им хочется иметь то, чего они не могут или не в силах заполучить.

— Если так, то это довольно глупо, — не сдержавшись, выпалил Монти. — Я физически не в состоянии рожать детей и у меня еще не было сердечных приступов, но честно, друзья, я не страдаю бессонницей от отсутствия и того и другого.

Саманта рухнула на диван с высокой спинкой, закрыв лицо руками, и расхохоталась. Каждый раз, когда она поднимала глаза и взглядывала на молодого помощника шерифа, стоявшего с застенчивой усмешкой на губах, ее начинал сотрясать новый приступ хохота.

Джон Томас только покачал головой и вышел за оставшимися вещами. Ему было все равно, из-за чего или из-за кого она так смеялась, но он был ужасно рад видеть Сэм счастливой.

Некоторое время спустя, когда все пожитки были занесены в квартиру, Саманте вручили ключи и деньги для покупок, и она осталась одна.

Но на этот раз, как ни странно, Саманта не чувствовала страха. Может быть, уверенности в себе ей придавало то, что офис шерифа находился всего в двух кварталах от графского дома. А может быть, оттого, что, будучи горожанкой до мозга костей, она испытывала обманчивое успокоение, выглядывая из окна и видя дома и людей.

Независимо от причины Саманта знала, что теперь, что бы ни случилось, она будет ко всему готова.

Глава 10

За прошедшие после переезда несколько дней стало ясно, что ни Саманта, ни Джон Томас не смогли научиться ждать. Иногда ей казалось, что они перехитрили убийцу, перебравшись в Раск, но потом неотвратимо приходило чувство, что она просто поменяла одну тюрьму на другую.

А Джон Томас озабоченно следил за тем, как сдают у Саманты нервы. С каждым днем ее наигранная улыбка становилась все напряженнее, все растеряннее. Когда же Джонни пытался поговорить с ней, она разворачивалась и выходила из комнаты. Единственной частью их отношений, не пострадавшей от изнурительного ожидания, оставались долгие ночи любви.

В тот день, как и во все другие, с тех пор как начался этот кошмар, он сидел за своим столом перед внушительной стопкой документов, требовавших внимания, и пытался сосредоточиться. Его мысли все время возвращались к другим обитателям дома, в котором поселились они с Самантой. Хотя все четыре квартиры были сданы, их владельцы редко оказывались дома все вместе в одно и то же время.

Официантка Клаудия работала с трех дня до одиннадцати вечера и не принималась в расчет в его размышлениях. Она здесь проездом и уедет, как только накопит денег на билет домой.

А вот его помощник оказался самым загадочным персонажем. Джон Томас точно знал, что парень очень редко проводил ночи в своей квартире. После работы его машины никогда не было видно на стоянке, а окна в его квартире всегда были темными.

Услышав голос Монти в глубине комнаты и затем тоненькое хихиканье Кэрол Энн, шериф улыбнулся. Не следовало удивляться, что Монтгомери Тернер не спит в одиночестве. Он молод и, кажется, свободен.

Но Джона Томаса удивляло другое. Если Монти именно таким образом проводит свое свободное время, то почему он не появляется на работе с мешками под глазами, улыбающийся? Почему он выглядит вместо этого грустным и подавленным?

Значит, он спит в кровати какой-нибудь женщины. Подумаешь, большое дело, сказал себе Джон Томас и взялся за другую папку на своем столе. Но любопытство в отношении обитателей старого дома продолжало бередить его душу. Ведь Джонни был прирожденным полицейским детективом.

Что до молодой пары, занимавшей квартиру напротив его помощника, то их жизнь в общем-то была открытой книгой. Их семейная жизнь была такой короткой, что слово «новобрачные», написанное белым обувным кремом на заднем стекле их машины, не успело стереться до конца. А глядя на вздымающийся живот молодой женщины, нетрудно было сделать вывод, что они едва успели к алтарю до рождения их первого ребенка.

Джон Томас отшвырнул ручку, закинул ноги на стол, заложил руки за голову и невидяще уставился в потолок.

«Если бы семья Саманты не уехала из Коттона, она была бы там, когда я приехал в увольнительную. Может быть, тогда ее отец увидел бы, что мне можно доверять. Может быть, тогда он...»

Джонни закрыл глаза и тихо выругался. Даже одна мысль о Саманте и о женитьбе, о детях вызывала боль.

Он никогда не мечтал о своем доме, потому что после Саманты ему так и не удалось найти женщину, с которой хотелось бы провести вместе больше чем одну ночь. До того, как Сэм снова вошла в его жизнь. Теперь же он не представлял себе жизни без нее.

Предположения были не в характере Джона Томаса. Он придерживался фактов, а факты были таковы, что он по уши влюблен в женщину, которую преследует убийца, и не может обеспечить ее безопасность. Вот сидит он, офицер полиции, имеющий в своем распоряжении целый арсенал инструментов для борьбы с преступниками, и не может поймать какого-то психованного сукина сына, забавляющегося запугиванием женщин.

Что до официантки из квартиры напротив, та заботила его меньше всех. Да и уходила она на работу раньше, чем он возвращался домой. Джону Томасу редко удавалось хотя бы мельком увидеть Клаудию. Она казалась приветливой, но постоянно куда-то спешила. И он вынужден был признать: приятно сознавать, ложась в постель, что на всем верхнем этаже, кроме них, никого нет. Думать, что кто-то может услышать, как они занимаются любовью, было не слишком приятно.

Только представив себе эту картину, Джонни со стуком сбросил ноги на пол и выскочил из кабинета быстрее, чем Кэрол Энн поняла, что его уже нет.

Передняя дверь громко хлопнула. Кэрол Энн подняла глаза и успела заметить странное, отстраненное выражение на лице помощника шерифа Тернера.

— Опять убежал, — сказал Монти. — Я не слышал, чтобы ему звонили.

— Единственный звонок, который он теперь слышит, — это зов его желания. — Кэрол Энн рассмеялась собственной шутке. Монти кивнул.

— Я не слышал, чтобы звонили колокола, но готов поспорить, что босс их слышал. Он скорее всего слышит звон к свадьбе, но просто пока этого не понимает.

Кэрол Энн снова засмеялась, но сразу замолчала, увидев печальное выражение на лице Монти.

— Я, наверное, съезжу на ранчо Уоткинса и сделаю пару кругов вокруг. Вдруг наши воришки окажутся достаточно глупыми и повторят попытку. Если попробуют, я их встречу как надо, — сказал он.

Отсалютовав ей пальцем у шляпы, Монти подмигнул, но тень печали все еще омрачала его взгляд. Кэрол Энн записала, куда он поехал, поморщившись, когда задняя дверь с грохотом закрылась за помощником шерифа.

Интересно, с чего бы такой молодой парень, как Монти Тернер, обижается на Джона Томаса, подумала Кэрол Энн. На свете, кажется, не было такой причины, из-за которой его могло бы волновать то, чем занимается его босс.

Саманта услышала шаги на лестнице, прикрыла глаза и сосчитала количество ударов ботинок по ступеням. Он бежал. Она повела плечами в предвкушении того, что ей предстояло

Может, ей стоит раздеться? Но нет, пожалуй, не стоит. Не надо облегчать ему жизнь.

Несмотря на ее решимость игнорировать тот факт, что он пришел на сорок пять минут раньше, Саманта встретила Джонни в дверях. Он бросил лишь один взгляд на понимающую улыбку на ее лице и, схватив Сэм в охапку, оторвал от пола.

— Вижу, ты считаешь себя ясновидящей, — зарычал он, попеременно нежно целуя мочки ее ушей, затем внес Сэм в комнату и захлопнул ногой дверь.

— Но, шериф, что вы имеете в виду? И с какой именно целью вы здесь? Я арестована?

Если так, то, полагаю, вы захотите меня обыскать. Должна ли я принять соответствующую позу, или вы хотите...

Руки Джона Томаса опустились ниже по спине Сэм, прижав ее к его бедрам еще теснее. Он нежно покачивал ее в такт своему растущему желанию и одновременно пытался сделать строгое лицо.

— Ты, моя женщина, можешь принимать любую позу, какую захочешь, но ты должна знать, что я ненавижу болтливых преступниц. Ну почему ни одна из них не может принять свое наказание спокойно?

Сердце Саманты вздрогнуло в груди. Его женщина. Когда-то давно она бы валялась у него в ногах, чтобы услышать эти слова. А теперь она не могла сказать, хочется ли ей именно этого, хотя понимала, что эти слова означают гораздо более полное слияние с человеком, крепко державшим ее в своих руках.

— Хорошо, если так, то что именно я натворила? — спросила она, начиная вытаскивать рубашку из его брюк и расстегивать ремень.

Джонни пожал плечами и попытался улыбнуться, хотя ему хотелось плакать.

— Ты украла мое сердце, любимая. Ты просто пришла и взяла его, не говоря ни слова. Что должен сделать мужчина, когда с ним происходит подобное?

— Я бы сказала, он должен сделать так, чтобы наказание соответствовало тяжести преступления, — ответила Саманта и поразилась тому, как быстро он снял с себя оставшуюся одежду, сапоги, вообще все, оставив вещи лежать кучей у входной двери.

Доказательство его желания было прямо перед ней. Все, что ей оставалось, так это смотреть. И она смотрела. У нее перехватило дыхание, тело сотрясла непроизвольная дрожь предвкушения, смешанного с желанием. И вот его руки уже ласково гладили ее тело.

— Если тебе еще неизвестно, эта процедура называется «обыск с раздеванием», — с хриплым смешком сообщил он, срывая одежду с Саманты.

— Я только прошу вас не делать мне больно, — ответила она все еще во власти игры, которую они вели, и вдруг задохнулась, когда руки Джонни проникли слишком глубоко в нее, трепещущую от ожидания.

— Дорогая, от того, что я собираюсь делать, больно не будет. Честно говоря, гарантирую, что от этого самый закоренелый преступник будет просить прощения и молить о добавке.

— Тогда я вся ваша, шериф!

— Не сомневаюсь, любимая, иначе я не был бы здесь, — прошептал он.

В этот момент игра закончилась. Когда он взял ее на руки и понес к кровати, Сэм прильнула к нему в непроизвольном отчаянии.

Он почувствовал, что в их настроении что-то изменилось, когда Саманта тихонько задрожала. Он наклонился и поочередно провел пальцем по ее темным густым бровям, удивляясь тому, каким чудесным образом ее черты подходили друг к другу, все вместе составляя женщину по имени Саманта. Женщину, которую он знал и любил.

— Что случилось, моя ненаглядная?

— У меня появилось предчувствие. Что, если он победит? О, Джонни, что, если он победит?! — Сэм спрятала лицо в ладонях.

То, что ее одолевали те же мысли, привело Джона Томаса в ярость. Но он злился не на нее, а на себя, не способного сделать ее мир спокойным. Он отвел руки Сэм от ее лица и с обдуманной неторопливостью поцеловал каждую его черточку.

— Нет, Сэм, у него не выйдет! А теперь не думай. Просто ощущай. Помнишь, я как-то спросил тебя, не приходилось ли тебе заниматься любовью с завязанными глазами?

Она проглотила комок в горле и вздрогнула, когда его руки накрыли бугорки ее грудей, а затем спустились ниже, к животу и бедрам.

Она кивнула:

— Помню. Но тебе не потребуется одевать мне повязку, Джонни. Я просто закрою глаза и обещаю, что не буду подглядывать. Истинный крест, чтоб мне...

Он не дал ей завершить клятву, проведя пальцами по лицу и нежно закрыв ей веки.

— Запомни, любовь моя. Не двигаться. Не думать. Только ощущать.

Она последовала его приказу.

Клаудия стояла в коридоре между двумя квартирами, и слезы катились у нее по щекам. По чистой случайности она подслушала их разговор. По правде говоря, она слышала лишь звуки, не слова, но и этого было достаточно, чтобы понять: за этой дверью между мужчиной и женщиной происходит то, что для нее потеряно. Любовь.

Когда-то ее жизнь была такой же простой. Когда-то ее жизнь была такой же счастливой. Тут она вспомнила, как очутилась здесь, вспомнила о своей работе и о том, что надо сделать, чтобы вернуться домой. Сердито смахнув слезы, она, стуча каблучками, сбежала вниз по лестнице так же быстро, как шериф недавно промчался наверх.

Было шесть часов утра, когда Монтгомери Тернер въехал во двор графского дома и припарковался. Фары подъехавшей следом машины на мгновение ослепили его. Вновь обретя зрение, он увидел быстро промелькнувшие мимо длинные ноги и светлые волосы: Клаудия, официантка, возвращалась домой. Ее смена закончилась давным-давно, и он подумал, что девушка, наверное, нашла себе нового мужчину. Монти нахмурился. У всех кто-то был, только не у него.

Он подождал, пока Клаудия не скроется внутри, прежде чем выбраться из машины и зайти в свою квартиру. Комнаты выглядели так же, как всегда, и запахи были все те же, но все равно — сегодня все стало другим. И он стал совсем другим человеком. После того, что произошло сегодня ночью, он никогда не будет прежним.

Упав на ближайший к окну стул, Монти стал следить за приходом рассвета сквозь прозрачные белые занавеси. Солнце поднималось над горизонтом, обещая впереди новый день. И с этой мыслью пришли слезы, выворачивающие наизнанку душу и разрывающие сердце.

С громким стоном отчаяния Монти Тернер закрыл лицо руками и отдался боли, снедавшей его изнутри. Позднее, когда он сможет думать, сможет чувствовать, он поймет, что все происходящее сегодняшней ночью было, безусловно, к лучшему. Но сейчас он был слишком глубоко погружен в тяжкие воспоминания, в мысли о том, какой была его жизнь до того, как начался этот кошмар, до того, как его мир начал рассыпаться на куски

— Подождите, шериф, — крикнул Пит Мюллер и трусцой побежал через улицу.

Собравшийся уже сесть в свою машину, чтобы ехать по вызову, Джон Томас с удивлением воззрился на механика из Коттона, бегущего к нему через улицу, причем на приличной скорости.

— В чем дело, Пит? Я не видел, чтобы ты двигался так быстро, с тех пор как кто-то стащил твой лучший набор гаечных ключей.

Пит отдувался и одновременно ухмылялся, прижимая руки к груди в надежде успокоить бурно колотящееся сердце.

— Надо бросать курить, — еле выговорил он, отвернулся и прокашлялся.

Джон Томас ждал. Зная Пита, он понимал, что в конце концов тот расскажет, зачем окликнул его.

— Помните, вы просили нас быть настороже в отношении незнакомцев, появляющихся в Коттоне? — спросил Пит.

Джон Томас почувствовал, как внезапно запульсировала у него в жилах кровь. Один лишь намек на возможность прорыва в деле привел его в волнение.

Пит ждал, пока шериф кивнет. Когда тот сделал это, механик понял, что может продолжать.

— Значит, так. Не очень давно около мастерской остановился мужик на заграничной штучке. На этом, как его, «ягуаре».

Джон Томас усмехнулся тому, как Пит произнес название марки машины. Прозвучало словно «яггу-вар».

— В общем, она чуть не взорвалась к чертям, и парень был злой как собака, особенно после того, как я вчера сказал ему, что недостающие запчасти приедут сюда лишь через неделю. — Пит опустил голову и сплюнул, после чего продолжил: — Между нами говоря, мне очень повезет, если удастся завести эту хреновину по новой.

Он ездил без масла в двигателе. Ну почему все эти типы, которые могут себе позволить классные тачки, даже не задумываются о том, *как* надо на них ездить?

— Не знаю, — ответил Джон Томас. — Давай вернемся к этому незнакомцу. Как, ты сказал, его имя и где он остановился? Я думаю, мне захочется проверить причину его пребывания в Коттоне.

Пит важно кивнул.

— Я подумал, что вы так и скажете. Зовут его Аарон Рубин, а остановился он в мотеле «Текс Пиг».

— Спасибо за информацию, Пит, — сказал Джон Томас.

— Не стоит благодарности, — отозвался тот, собираясь уходить. Но вдруг хлопнул себя по ляжке и остановился. — Тьфу, вот ведь бревно, чуть не забыл. Этот парень, Рубин...

Джон Томас ждал.

— Он из Калифорнии.

Пит пошел прочь и не мог увидеть, как кровь отхлынула от лица шерифа. Но даже если бы и увидел, то скорее приписал бы это воздействию полуденной жары, чем потрясению.

— Дьявол! — бросил Джон Томас и побежал обратно в офис.

— Кэрол Энн, где Лоулер?

— Уехал по вызову. А Уиллис только что звонил. Он застрял на западной границе графства. У него спустило колесо, а домкрата в багажнике не оказалось. Кто-то в гараже забыл положить его обратно, после того как провел техосмотр. Уиллис зол, как петух с выдранным хвостом.

— Кто свободен? — настаивал шериф, желая, чтобы с ним кто-то был, на случай если ему повезет. Если это в действительности убийца, то, увидев в дверях полицейского в форме, он может броситься бежать. А Джон Томас не хотел рисковать.

— Помощник Тернер заступает на дежурство в...

— Я уже здесь, — произнес Монти из-за спины шерифа.

Джон Томас обернулся и забыл, что хотел сказать. На лице молодого человека ясно читались боль и отчаяние. Пока они смотрели друг на друга, в кабинете повисло долгое молчание. За то время, что прошло после того, как он в последний раз видел Монтгомери Тернера, какая-то глубокая, покорная печаль прочно угнездилась в его глазах. Но предостережение во взгляде помощника шерифа читалось так же ясно, как и боль. Что бы ни случилось, Монтгомери не был готов об этом рассказывать. По крайней мере пока.

— Сможешь поехать со мной и допросить одного человека? Он может оказаться нашим убийцей.

У Монти загорелись глаза. Не так сильно, но достаточно, чтобы показать шерифу: его помощник готов к этой работе.

— Показывайте дорогу, — сказал он. — Для меня сейчас это самое лучшее дело.

— Кэрол Энн, если понадоблюсь, я буду в мотеле «Техас Пиг».

— Слушаюсь, сэр, — отозвалась та, записала время их выезда в дежурном блокноте и начала читать сводку, пришедшую по факсу. В то время как шериф с помощником выезжали из города, она пришпиливала к доске сообщение о сбежавшем в Далласе преступнике, подозреваемом в вооруженном ограблении.

Аарон Рубин не мог поверить своим ушам. Кто-то действительно стучал в дверь его номера. Он нажал кнопку отключения звука на пульте дистанционного управления телевизора, и повторный телепоказ «Простаков в Беверли-Хиллз» дальше пошел без звука.

Открывая дверь, он меньше всего ожидал увидеть двух полицейских, вооруженных табельными пистолетами: в местечке, подобном Коттону, им больше подошли бы лошади и шестизарядные «кольты».

— Чтоб мне провалиться! — воскликнул он. — Я не слышал, как вы прискакали.

И засмеялся собственной шутке.

Застряв в этом глухом углу Техаса, он давно растерял остатки светских манер. Пристойность, судя по всему, Аарон оставил в Лос-Анджелесе вместе с изысканной кухней, дорогой парфюмерией и красивыми блондинками.

Джон Томас сдержался. Его, бывало, оскорбляли люди покрупнее и пострашнее этого заморыша. Он выполняет свой долг, и если этот тип имеет хоть какое-то отношение к тому аду, который обрушился на Саманту, он будет жалеть об этом всю оставшуюся жизнь.

— Вы Аарон Рубин?

Рубин поперхнулся собственным смехом. Грубый, злой голос здоровенного полицейского заставил его занервничать. Рубину совсем не понравилось выражение глаз этого стража порядка. Как он сразу же догадался, полицейскому его вид тоже не пришелся по душе.

— Положим, я — Аарон Рубин. А вы кто? Уайатт Ерп?

Монти сразу заметил оскорбление, и Джон Томас это понял. Но ему и раньше приходилось общаться с субъектами подобного рода, так что он знал: лучший способ бороться с хамством — просто не замечать его.

— Я — Джон Томас Найт, шериф графства Чероки, а это мой помощник Монтгомери Тернер. У нас есть к вам несколько вопросов, на которые хотелось бы получить ответы.

Злость Рубина только выросла от спокойного тона большого человека.

— У вас вопросы, у меня вопросы. Весь мир хочет знать ответы. Чертовски занятно, не правда ли, шериф?

Джон Томас пропустил мимо ушей заумную реплику и продолжал, видя, что Монти достал блокнот и карандаш и приготовился записывать.

— Как долго вы находитесь в Коттоне, мистер Рубин?

— Слишком долго, чтобы остаться в здравом уме. Моя машина взрывается, а единственная иностранная вещь, которую когда-либо в своей жизни видел этот чертов механик, — это его набор инструментов. Их ведь делают в Японии.

В следующий момент Аарон Рубин выскочил наружу к бетонному броненосцу и ткнул в него пальцем.

— А вот это должно означать искусство. Можете себе представить? Проклятый бетонный... черт его знает кто.

— Броненосец. Он называется броненосец, — тихо подсказал Монти.

— Какова причина вашего пребывания здесь, мистер Рубин? — продолжал Джон Томас.

— А какова ваша цель? — парировал тот, внезапно почувствовав, что больше не может выдерживать этих инквизиторских вопросов. По его мнению, они еще и оскорбляли его, вдобавок ко всем бедам.

— Кто-то попытался напасть на женщину за городом несколько дней назад. Кто-то, скорее всего являющийся приезжим. Мы просто проверяем в городе всех, кого не знаем, вот и все.

— Только этого недоставало! — завопил Аарон. — Почему вы считаете, что это обязательно должен быть приезжий? Хотите меня убедить, что все до единого обитатели вашего Богом забытого городишка — святые? Возможно, какой-нибудь пьяный юнец решил что-нибудь своровать и, потерпев неудачу, разозлился.

— Нет, это должен быть приезжий, — твердо и спокойно сказал Джон Томас. — Поскольку эта история началась не в Техасе. Все началось в Калифорнии — в Лос-Анджелесе, если быть точным. — Его голос набирал силу, слова вылетали все быстрее, по мере того как он надвигался на испуганного, сразу вспотевшего Аарона Рубина. — А теперь мне стало известно, что этот сукин сын, который, как вы говорите, «разозлился» на невинную женщину, последовал за ней сюда. Вот почему я задаю вопросы. Вот почему я жду, пока вы не дадите мне ответ, который я хочу услышать. Теперь мы понимаем друг друга?

Все, что Аарон мог, — это кивнуть.

Монти понял, что пришла пора вмешаться. Он разглядел жажду убийства в глазах босса и понял, что если Джон Томас выйдет из себя, то остановить его будет очень трудно.

— Мистер Рубин, не будете ли вы добры дать мне ваше водительское удостоверение.

Джон Томас понял тихое предостережение своего помощника и принял его с благодарностью. На какое-то мгновение он забыл, что находится на работе.

Аарон Рубин поспешно повиновался.

— Вот. — Он протянул Монти свое удостоверение. — Для вашего сведения, я работаю на небольшой кинофирме в Голливуде. Меня направили сюда присмотреть натуру для съемок малобюджетного фильма. Восточный Техас был в моем списке. Когда я вернусь домой, если это произойдет, будьте уверены, я его вычеркну.

Джон Томас вернул Рубину водительскую карточку.

— Поскольку мы теперь понимаем друг друга, если соберетесь выезжать в ближайшее время из города, поставьте сначала в известность нас.

Рубин закатил глаза.

— Если бы я мог, я бы давно уже отсюда уехал! Я застрял в городишке, из которого невозможно добраться до аэропорта. Здесь нет такси, нельзя даже взять машину напрокат. Я затерян в потустороннем мире. Вот где я!

Набравшись храбрости выпалить все это, он шагнул обратно в свой номер и тихо прикрыл за собой дверь.

— Надо же, — впервые за день улыбнулся Монти. — Мне показалось, я расслышал легкое неудовольствие в его голосе, как вы думаете, босс?

Джон Томас усмехнулся.

— Когда вернемся в контору, пусть Кэрол Энн проверит данные этого сукина сына через центральную компьютерную сеть. Также пусть выяснит, не висят ли на нем какие-нибудь правонарушения.

— Хотите, я поведу машину? — предложил Монти.

— Да, думаю, что хочу, — ответил Джон Томас, передавая помощнику ключи.

Пятнадцать минут спустя, когда они уже ехали по главной улице Раска, Джон Томас обернулся и увидел джип, только что разминувшийся с ними.

— Вот поехала Сэм, — проговорил он больше для себя, чем для Монти. И только когда они подъехали к офису и припарковались, до Джона Томаса дошло, что Монти не произнес ни слова, после того как они выехали из Коттона.

— Ты в порядке, Тернер? — спросил он.

Монти пожал плечами.

— Скоро буду. — Он выбрался из машины и бросил ключи шерифу, когда они подошли к дверям полицейского участка.

— Если тебе надо поговорить...

Предложение осталось незаконченным.

— Я отнесу эти данные Кэрол Энн, чтобы она сразу запустила их в работу, — прервал его Монти. — Отчет писать мне?

— Да, лучше тебе. Мне кажется, я слишком лично заинтересован в этом чертовом деле в ущерб объективности.

— Слушаю, шериф, — неторопливо произнес Монти, прошел к своему столу и вставил пачку бумаги в пишущую машинку. — Такое может случиться с каждым.

Вот опять Монтгомери Тернер выдал довольно странное замечание, не удосужившись разъяснить его смысл Джону Томасу.

Он, безусловно, был человеком, полным загадок.

Некоторое время спустя, стоя в дверях своего кабинета и глядя на Монти, печатавшего отчет, Джон Томас вдруг подумал кое о чем. И тут же понял, что эта мысль приходит к нему не впервые.

Аарон Рубин был не единственным приезжим, появившимся в городе недавно. Монтгомери Тернер приехал вскоре после их с Самантой возвращения, и, что больше всего обеспокоило Джона Томаса, он был совсем не тем помощником, которого шериф ожидал увидеть. Хуже всего было то, что Джон Томас даже не поинтересовался причинами замены.

Резко развернувшись, он закрыл за собой дверь. У него появилось острое желание сделать несколько телефонных звонков. Может быть, после того, как он сделает их, у него появится ответ на вопрос: почему Монтгомери Тернер оказался в Коттоне, а не где-нибудь еще?

У Джона Томаса ушел на разговоры целый вечер, в течение которого он дозвонился по дюжине или больше номеров, чтобы выяснить:

Монтгомери Тернер — тот, за кого себя выдает. По данным полицейского управления штата, Тернер окончил полицейскую академию чуть ли не с самыми лучшими оценками. К удивлению Джона Томаса, Тернер сам попросился под его начало. Кажется, у парня был комплекс обожания кумира, каковым для него, видимо, стал шериф графства Чероки.

Джон Томас уронил голову на руки, потом потер глаза усталым, безнадежным жестом. У него было такое ощущение, что убийца все ближе и смеется над ним во весь голос.

Зазвонил телефон.

Он схватил трубку после первого звонка и рявкнул в микрофон, даже не думая маскировать свое раздражение.

— Офис шерифа!

Майк Пуласки поморщился, отодвинув трубку от уха. Затем откинулся назад, пока спинка стула не стукнулась о стену, а две задние ножки не приняли на себя изрядный вес его тела.

— Шериф Найт, это Майк Пуласки.

Джон Томас вздохнул.

— Простите, звонок испугал меня. Я как-то затерялся в своих мыслях.

— Надеюсь, недалеко от Коттона? — спросил Пуласки. — Не поняли? Затерялся в мыслях, затерянный в Коттоне. «Затерянный в Лос-Анджелезе» — помните знаменитый фильм? А черт, не обращайте внимания на мою болтовню, — сказал он грустно. — У меня шутки никогда не получаются.

Джон Томас усмехнулся.

— Я уловил суть, — сказал он. — Для калифорнийского полицейского отнюдь не плохо.

— Прошу простить, что я задержался с ответным звонком, но меня не было в городе. Так что там у вас? — поинтересовался Пуласки.

Джон Томас какое-то время не мог сообразить, о чем говорит детектив, но потом вспомнил. Сразу после того, как они с Сэм переехали в Раск, он звонил Пуласки, чтобы сообщить об этом. Джон Томас почти забыл, что Пуласки так и не перезвонил ему.

— О, я просто хотел, чтобы вы знали: убийца объявился у нас.

Пуласки как пружина выпрямился на стуле.

— Что, черт возьми, вы имеете в виду под «у нас»? У вас за решеткой?

— Да нет, чтоб его... — устало отозвался Джон Томас. — Но он держит нас в постоянном напряжении. А недавно совершил попытку добраться до Саманты. Она оставалась одна в моем доме. К счастью, с ней была собака, которая, как мне кажется, помогла отпугнуть подлеца.

— Проклятие! — выпалил Пуласки. — Я очень сожалею об этом. С ней все в порядке?

— Она держится молодцом. Но, честно говоря, я думаю, что убийца просто забавлялся с ней. Перерезал телефонные провода. Она была одна, лишенная возможности убежать или сообщить о себе, но он лишь попугал ее.

— Она его видела?

— Нет, только слышала его шаги.

— Понимаете теперь, о чем я говорил? — оживился Пуласки. — Опять ничего нельзя доказать. Всегда приходится верить ее словам.

Джон Томас моментально вышел из себя.

— Вы что, до сих пор не поняли, Пуласки? *Ее слова всегда было достаточно для меня.* Кроме того, я видел отпечатки ног, и они оказались слишком большими для того, чтобы быть отпечатками Сэм, и слишком маленькими, чтобы быть моими. Я говорю это на случай, если вам вздумается предположить, что она надела мои ботинки и специально пробежалась вокруг дома.

— Вы неправильно меня поняли, — поспешно отступил Пуласки. — Я знаю, что она говорит правду. В доказательство у меня есть ее взорванная квартира. Я хотел сказать, что этот убийца чертовски умен и ловок. Вот и все.

Джон Томас облегченно выдохнул.

— Понятно. Да и я теперь немного лучше понимаю вашу точку зрения. Я чувствую себя словно та картонная утка в балаганном тире, которая сидит и ждет, пока не подойдет какой-нибудь незнакомец и не снесет ей выстрелом голову.

— Держите меня в курсе дел, — сказал Пуласки. — А если я что-нибудь узнаю, то первым делом позвоню вам.

Джон Томас разъединился, взглянул на настенные часы и увидел, что рабочее время почти закончилось. Он нахлобучил шляпу на голову и усталой походкой пошел к выходу. Пора было ехать домой, к Сэм.

Глава 11

Саманта влетела в офис шерифа и резко остановилась, попытавшись не таращить глаза на представшую перед ней сценку. Два пожилых человека сидели в противоположных углах помещения, угрюмо глядя друг на друга. Их рабочие комбинезоны были все в грязи, на рубашках виднелись брызги крови. У одного заплыл глаз, у другого распухла губа. Еще не зная, что случилось, она поняла, что вопрос, с которым она вошла сюда, задавать не стоит.

Она лишь вышла на почту, чтобы забрать корреспонденцию, но там ей сказали, что письма случайно отправили по прежнему адресу. Саманта не ждала никакой почты, поскольку никто в Лос-Анджелесе не знал, куда она уехала, но девушку соблазнила мысль о возможности съездить за ней. Оставалось убедить Джонни в том, что поездка не представляет опасности. Однако, судя по тому, что она увидела здесь, ей, может, и не удастся поговорить с Джонни.

В комнату вошла Кэрол Энн с пачкой бумаг в руках.

— Уж не на работу ли ты пришла наниматься? — спросила она. — Секретарша, которая болела, позвонила сегодня утром и сообщила, что увольняется. Ее мужа перевели работать в Вако. А в это время из-за какой-то ерунды Уайли Смит и Пит Харди вдруг не поделили забор на границе между их участками, спокойно стоявший там последние тридцать лет.

В протяжной интонации Кэрол Энн явственно слышалось презрение. Оба мужчины пригнули головы, напомнив Саманте ребятишек, ожидающих вызова в директорский кабинет. Она уставилась на них, гадая, кто Уайли, а кто Пит.

— Почему вдруг стало так важно, где стоит забор? — спросила она и тут же пожалела об этом, поскольку оба начали с жаром выкрикивать что-то.

— Я же сказал вам заткнуться! — рявкнул Джон Томас из соседней комнаты.

Саманта усмехнулась, а оба старика мгновенно умолкли.

Кэрол Энн подняла бровь и пожала плечами, молчаливым жестом выражая свое сочувствие

Саманте. На большее она не осмелилась и вышла из комнаты. У шерифа сегодня было на редкость отвратительное настроение.

Но, казалось, плохое настроение Джона Томаса улетучилось, стоило ему увидеть Саманту, ожидавшую вместе с Питом и Уайли.

— Сэм! Я не знал, что ты здесь. В чем дело? — спросил он, блаженствуя при виде улыбки на ее лице.

— Вижу, ты занят. — Она усмехнулась, когда он развел руками в подтверждение ее слов. — Я только что с почты. Дэн сказал, что забыл выложить твою корреспонденцию и случайно отправил ее на доставку. Кому-то из нас надо съездить в дом и забрать ее.

Джон Томас нахмурился, перебирая имеющиеся варианты.

— Может быть, съездим вечером, после работы? По крайней мере удастся проверить, как там Бандит. Он, наверно, истосковался в одиночестве, думает, что я его бросил.

— Я могу съездить сейчас, — предложила Саманта, но по тому, как наморщился лоб Джонни, поняла, что идея не пришлась ему по вкусу.

— Ни в коем случае, — отрезал он.

Оба старика перестали сутулиться в своих углах и внимательно следили за спорящей парой, явно довольные, что не они одни попали в затруднительную ситуацию. Но Саманта не собиралась принимать первое «нет» за окончательный ответ.

— Я могу поехать в одной из патрульных машин. Там есть радио. Я даже не буду выходить. Просто подъеду к почтовому ящику, заберу почту и сразу же вернусь обратно в город. Пожалуйста.

Инстинкт подсказывал Джонни ответить отказом, но он видел, как Сэм тоскливо. Скука отчетливо отражалась на ее лице. Лихорадочные размышления закончились в пользу решения разрешить ей поступить так, как она хочет.

— Я был бы счастлив сопроводить юную леди, — предложил один из стариков.

Джон Томас коротко хмыкнул, стараясь не улыбнуться.

— Ты никуда отсюда не поедешь, Уайли, — сказал он. — Ты расквасил сегодня утром нос своему лучшему другу и пока еще не рассказал мне, почему. Я не выпущу ни того, ни другого из этой комнаты, пока вы не начнете говорить. Если не решить все сейчас, в следующий раз вы начнете палить друг в друга из ружей, а я не думаю, что кто-то из вас мечтает о подобном, не так ли?

Оба потупились, стараясь не глядеть друг на друга, и наконец кивнули, соглашаясь.

В этот момент дверь распахнулась. Маленькая седая женщина вбежала в комнату, по пятам за ней следовала другая старушка, более плотная и высокая.

— Ну вот, — произнес, улыбаясь, Джон Томас. — Похоже, прибыла тяжелая артиллерия.

Саманта изо всех сил пыталась сдержать смех. Судя по тому, как занервничали оба старика, они поняли, что сейчас на них обрушатся небеса.

Джон Томас шагнул вперед и очутился между пожилыми женщинами.

— Миссис Смит, миссис Харди, я рад, что вы пришли сюда помочь нам, — приветствовал он их.

— Уйали Смит! Как ты мог? Что скажет святой отец на воскресной службе, когда узнает, что ты дрался? В твоем-то возрасте!

Уайли, казалось, стало совсем худо, когда его маленькая жена отодвинула шерифа и набросилась на него с горящими от негодования глазами. Он даже не заметил, что тем временем вторая старушка взялась за Пита.

— Так, Пит Харди. В отличную историю ты вляпался. Не знаю, в чем причина, но ты сейчас же все расскажешь, или я не отвечаю за то, что с тобой сделаю, — заявила миссис Харди.

Пит выглядел так, словно ему пообещали преподнести на тарелке его же собственную голову.

Помещение наполнилось громкой разноголосицей. Четыре человека говорили одновременно, так что ничего нельзя было разобрать. Джон Томас в сердцах запустил руки в волосы. Казалось, он готов их всех придушить. Саманта поняла: либо сейчас, либо никогда. Она пустила в ход последний аргумент.

— Джонни! Пожалуйста, отпусти меня. Я ненавижу, когда приходится сидеть и прятаться, словно крыса в норе. Я буду осторожна: только туда и обратно.

Видя мучительное ожидание, написанное на ее лице, Джонни кивнул. Но прежде чем Сэм успела сорваться с места, схватил ее за руку, извлек из кармана и вручил ей ключи от запасной патрульной машины.

— Если потребуется, не стесняйся связаться со мной по радио. И сразу же возвращайся обратно, хорошо?

Саманта торопливо кивнула и выхватила ключи из руки Джонни, боясь, что тот передумает. Уже на бегу она чмокнула его в щеку. Бросив последний взгляд назад, она запечатлела в памяти Джона Томаса, пытающегося остановить гомон престарелого квартета. По крайней мере ему грех жаловаться на рутинную работу.

Прежде чем выехать из Раска, Саманта заглянула в квартиру и захватила завернутые в фольгу кости, которые собирала для Бандита. Она обещала Джонни, что не будет выходить из машины, но, зная Бандита, была уверена: пес бросится приветствовать ее, когда она остановится у почтового ящика. Что ж, она хотя бы почешет его любимое местечко за левым ухом и скажет, как сильно его любит.

— Бедняжка, — произнесла она вслух, сворачивая на дорогу к Коттону и представляя тоскливое выражение на морде пса.

Но тут же ее разобрал смех. Благодаря уныло обвисшим ушам и огромным печальным глазам Бандит всегда выглядел несчастным.

Счастливая, предоставленная самой себе, Саманта увеличила скорость, и километры стали быстро исчезать под колесами ее машины. Она даже удивилась, когда очень скоро впереди показалась подъездная дорожка к дому. Сэм аккуратно вписалась в поворот и остановилась рядом с почтовым ящиком.

Почтовая машина уже приезжала, так как на траве виднелись свежие следы шин. На протекторах почтовика были характерные маленькие выступы, отпечатавшиеся на рыхлом песке возле почтового столба: отчетливые дырочки, словно отверстия в пончиках.

Бандит радостно залаял, едва заслышав знакомое фырканье автомобильного двигателя. Прежде чем открыть дверь, Саманта быстро оглянулась, проверяя, нет ли других свидетелей ее появления здесь, кроме того, что бегает на четырех лапах.

— Эй, парень, — произнесла она низким голосом, наклонившись и приступив к поглаживанию и почесыванию всех любимых собачьих местечек. Когда же она начала разворачивать пакет с костями, Бандит чуть ли не влез к ней на сиденье.

Она рассмеялась, выталкивая его обратно за дверь.

— Я привезла тебе подарок. За хорошее поведение, — сообщила она, давая собаке одну кость, а остальные бросив к тенистому дереву у крыльца. — А теперь беги, мне нужно возвращаться, пока твой хозяин сам не приехал за мной.

Бандит отбежал со своим сокровищем в зубах. Саманта увидела, как он плюхнулся на землю в тени дерева, осмотрел кости, разбросанные вокруг на траве, и для начала впился зубами в большую баранью лопатку.

Саманта обтерла ладони о джинсы, потянулась к ящику, вытащила из него пачку писем и, как обещала, закрыла и заперла дверцу машины.

Напевая себе под нос, она просмотрела нетолстую пачку бумаг и писем, когда вдруг замерла при виде большого коричневого конверта, адресованного ей.

У нее зашевелились волосы на голове.

Сэм, покрутив конверт в руках и так и сяк, заметила, что на нем нет марки и почтового штемпеля: только ее имя, написанное красными печатными буквами. Кто-то специально приехал сюда и бросил его в ящик. Очень похоже на повадку убийцы.

С бьющимся сердцем Саманта тщательно осмотрела дорогу впереди, но на ней было столько отпечатков шин и разных следов, что невозможно было понять, кто их оставил и когда.

Сэм перевернула конверт, увидела, что он не запечатан, и над верхней губой у нее выступили капельки пота.

Трясущимися руками она извлекла содержимое конверта, и тут ее глаза расширились, а кровь отхлынула от лица. Вместо страха ее внезапно охватила безудержная ярость. Как он смеет?! Как смеет этот подонок насмехаться над ней?! Дрожа от ярости, Сэм бросила конверт и его содержимое на сиденье рядом и, визжа покрышками, развернулась на дороге.

Через несколько секунд она уже была на шоссе. И если бы кто-нибудь видел, как она мчится мимо, то наверняка подумал бы, что это шериф преследует преступника. Но никто не знал, что это всего-навсего подруга шерифа в погоне за убийцей, который не дает ей покоя.

Монтгомери Тернер открыл дверь кабинета шерифа ровно настолько, чтобы пролезла его голова, и крикнул:

— Шериф! Идите скорее! Там Саманта!

Через несколько мгновений Джон Томас уже стоял на улице, в панике озираясь по сторонам. Судя по тону помощника, новости должны были оказаться плохими, но он не видел нигде ни Сэм, ни патрульной машины. На мгновение он даже потерял из виду Монти, но вскоре заметил его, бегущего за деревьями по другой стороне улицы к городской площади.

— Что за черт? — пробормотал он, срываясь с места.

Полицейская машина, в которой Саманта ездила за почтой, как-то косо стояла у тротуара. Вокруг нее собралась толпа.

Но где же Сэм?

Ответ стал ясен, когда толпа расступилась при его появлении. Не замечая слез, катившихся по ее щекам, Саманта то плакала от злости, то яростно выкрикивала что-то, размахивая пачкой бумаг. Время от времени она выхватывала какую-нибудь из них и швыряла под ноги, на землю.

Джон Томас бросился к ней, но Сэм увернулась, продолжая топтать бумаги под ногами.

— Ты, скотина! Поганая, гнусная скотина! — выкрикивала она, не обращая внимания на обступившую ее толпу.

— Сэм, дорогая, что случилось? — спросил Джон Томас, но Саманта, резко дернувшись, вновь отпрянула. Ее крики больно отдавались у него в ушах; она словно не замечала его присутствия. — Ты, подонок! Меня тошнит от твоих игр! — Сэм вырвала из пачки еще один лист и взмахнула им в воздухе, прежде чем швырнуть на землю.

Люди в толпе, потрясенные, попятились назад, словно чувствуя за собой невольную вину, словно само их присутствие здесь было причиной ее страданий.

— Смотри! Вот что я думаю о тебе и о твоих идиотских запугиваниях! — кричала она. — Это ты боишься! Слышишь, ты, гадина! Ты прячешься за письмами, которые шлешь по почте. Маскируясь, звонишь по телефону, потому что тебе не хватает мужества сказать мне в лицо, чего ты хочешь от меня! Вот тебе!

Джон Томас перехватил очередной фотоснимок, прежде чем тот упал на землю. И сразу задохнулся, еле удержавшись на ногах от потрясения.

Преследователь нанес новый удар!

— Посмотрите на это! — Саманта подбежала к мужчине, стоявшему с краю в толпе. — Вот как действует этот подлец. Подобный тип боится даже в зеркало на себя посмотреть!

Мужчина сочувственно поморщился.

— Проклятие! — выругался Монти, подавая шерифу собранные с земли фотографии, и потер лицо рукой. — Ей сейчас станет плохо, я думаю. Надо остановить ее.

Джон Томас взглянул на фотографии. Все они, так же как и та, что он схватил первой, источали угрозу. На них была запечатлена Саманта — в основном на улицах Раска, но некоторые снимки были сделаны в Коттоне.

На одном Сэм выходила из овощной лавки с пакетом зелени под мышкой. На другом — разговаривала с друзьями на улице, на следующем — даже держала на руках чьего-то ребенка. И на каждом снимке на уровне сердца был нарисован большой красный круг, в центре которого стояла большая буква «X», напоминавшая нацеленное на нее перекрестье винтовочного прицела.

Джона Томаса передернуло. Как остановить истерику Сэм, когда он сам готов впасть в такое же состояние? Уже двинувшись к ней, Джон Томас инстинктивно замедлил шаги и вдруг понял, что останавливать ее сейчас будет хуже всего.

— Ей уже плохо, Монти. Пусть она выплеснет все это из себя, — отозвался он. — В противном случае переживания сгрызут ее изнутри.

Монти кивнул, повернулся и пошел прочь от площади. Его глаза сузились, когда он опустил взгляд и увидел фотографию, несшую в себе угрозу, которая могла в любой момент стать реальностью.

«Ты умрешь!»

Рот помощника шерифа скривился, когда он прочел эти слова. Потом он пробормотал почти неслышно, наклоняясь, чтобы поднять снимок.

— Полагаю, все мы когда-нибудь умрем.

И тут Саманта внезапно замолчала. Джон Томас повернулся как раз вовремя, чтобы увидеть, как она глубоко вздохнула и швырнула остальные фотоснимки на землю. Словно загипнотизированная, девушка пошла вперед, уставившись прямо перед собой, ни на кого не глядя. Толпа молча расступилась перед ней

— Монти, собери остальные фотографии — это вещественные доказательства — и отнести их в офис. И машину отгони. Я подойду попозже. — Джон Томас двинулся вслед за Самантой.

— Слушаюсь, сэр, — послышался ответ, и Монти присел на корточки, чтобы собрать разбросанные по земле фотографии.

Саманте было больно. Болела каждая клеточка ее тела, как будто ее избили. При каждом вздохе словно тысячи горячих иголок впивались ей в легкие. Каждый шаг давался с трудом, но она все равно шагала, отчаянным усилием воли заставляя свои ноги двигаться вдоль желтой линии на проезжей части улицы. Это был последний всплеск гнева — попытка вызвать убийцу на удар.

Все дома в центральной части Раска были обитаемы, но сейчас казались пустыми, и Саманта ощущала свою уязвимость. Ведь невозможно заглянуть за каждое из сотен окон, за каждую дверь. Он может стоять в этот момент в любом месте с наведенным на нее оружием. Ей следовало бы его бояться. Однако Сэм не испытывала страха: просто она устала, очень устала. Ей хотелось только, чтобы так или иначе все это закончилось.

Ее шатнуло от испуга, когда она услышала позади торопливые шаги, но ярость вернула ее походке твердость. Если это убийца, пусть будет так. Она устала, так устала все время бояться. Не оглядываясь, она продолжала идти. И тут раздался голос:

— Сэм, дорогая, подожди меня

Его мольба прорвалась сквозь ее боль.

Джонни! Конечно, это он!

И когда его пальцы сплелись с ее, новые слезы затуманили ее взгляд. На этот раз, не поддержи он ее, она бы упала.

Джон Томас подхватил ее твердой рукой, и Сэм, пошатнувшись, упала в его объятия. Когда она спрятала свое лицо у него на груди, ему захотелось заплакать вместе с ней

— Ах, Джонни! Что, во имя всего святого, мне теперь делать?

— Сейчас просто пойдем со мной, дорогая. Об остальном мы позаботимся потом.

У него не было ответов на ее вопросы, так же как и четкого плана действий. Но пока они вместе, они смогут одолеть любые трудности, думал он. Обняв за плечи, Джонни повел Саманту к полицейскому участку. О следующем шаге теперь беспокоиться не стоило. Она публично бросила вызов. Теперь слово за убийцей. Саманта Карлайл больше убегать не будет.

Прошло несколько дней. Монтгомери Тернер стоял, прижавшись лбом к горячему стеклу телефонной будки на углу двух улиц, и, прикрыв глаза, слушал человека на другом конце провода. В горле у него застрял комок, слова, словно молоты, стучали в голове. В приступе злости, смешанной с раздражением, он сжал кулак и ударил по стеклу, не замечая удивленного взгляда девушки, проходившей мимо.

— Меня не волнует, сколько раз ты это повторишь, от этого ничего не изменится! — закричал Монти. — Да, я знаю, что приехал сюда с определенной целью. Да, мне нелегко совмещать мою работу и то, другое, но я делаю это, черт побери. Мне не нужны твои советы, понятно?

Он выдохнул, почувствовав слабость в ногах. Он не собирался кричать. Этого человека криком не проймешь. Он такой же твердолобый, как и остальные люди из его когорты.

— Послушай. Осталось недолго, я не дурак, просто влюблен... и не хочу верить в это. Запомни, не звони мне на работу. Это только вызовет подозрения и подорвет мою репутацию. Только этого мне и не хватало. Шериф Найт только-только начал доверять мне. Я слишком долго и трудно добивался, чтобы меня направили сюда, и не хочу, чтобы ты все испортил. Пожалуйста, хоть раз дай мне сделать по-своему!

Саманта отступила назад, судорожно вздохнув. Все, что говорил помощник шерифа, казалось подозрительным, хотя где-то в глубине души она почувствовала, что должно быть какое-то иное объяснение его словам, нежели то, что мелькнуло у нее в мыслях сначала.

Задумавшись, она не заметила, что он положил трубку и вышел из будки. Подняв глаза, Сэм встретила его взгляд, и трудно было сказать, кто из них удивился больше.

По озадаченному выражению на ее лице Монти понял, что Сэм слышала каждое его слово. Не ясно только было, как она собирается распорядиться полученной информацией.

Он попытался придать своему взгляду суровость, но лицо Сэм словно заслонило перед ним другое. С такими же длинными черными волосами. Даже чистая голубизна глаз была одинаковой. Он тряхнул головой и провел рукой по лицу, чтобы отогнать видение.

— Простите, — произнес он. — Я не знал, что вы ждете телефон.

Без дальнейших объяснений он прыгнул в машину и отъехал, предоставив Саманте самой решать, что означало услышанное.

Она попыталась идти дальше, но ее качнуло. Когда Монти вышел из телефонной будки, он посмотрел на нее так, как будто ненавидел. Но это было бессмысленно. Она никогда не встречалась с ним раньше, до того как он начал работать у Джона Томаса. Или встречалась? Как-то неожиданно она перестала доверять собственным воспоминаниям и запаниковала.

Страх нахлынул без предупреждения, и она поняла, что бежит назад домой. Обогнув последний поворот и увидев старый графский дом, она заспешила еще больше. Одним длинным прыжком преодолела ступеньки крыльца и оказалась внутри дома. Прыгая через ступеньку, она добралась уже почти до самой верхней площадки, когда вдруг оступилась и отчаянно замахала руками, пытаясь за что-нибудь уцепиться, чтобы не полететь спиной вниз по ступеням.

Но руки не нашли никакой опоры, и Саманта поняла, что не в состоянии предотвратить падение. Она в самом деле сейчас упадет!

Девушка закричала, руки ее молотили воздух, словно крылья ветряной мельницы, как вдруг... кто-то схватил ее за талию.

— Держись крепче, — сказала Клаудия, вытаскивая Саманту на безопасное место. — Ого, еще бы чуть-чуть! Ты, должно быть, ужасно торопилась, подруга. Что случилось? Ты выглядишь словно привидение.

Саманта содрогнулась, страшно благодарная официантке за своевременное появление. Она бессильно опустилась на верхнюю ступеньку лестницы и закрыла лицо руками, пережидая, когда сердце перестанет бешено колотиться в груди.

— Боже, — наконец выдавила она из себя. — Как ты меня выручила.

Клаудия задумчиво сощурила глаза, прежде чем улыбнуться.

— Какая ерунда, — отмахнулась она. — Я просто оказалась рядом. — И тут же хихикнула. — Ненавижу бежать и догонять, но боюсь, я опаздываю на работу.

С этими словами она обошла Саманту, поспешила вниз по лестнице, смеясь собственной шутке, и оказалась за дверью.

Саманта с трудом встала на ноги, стыдясь своей глупой, неожиданной паники, из-за которой чуть не сломала шею.

— Я просто слишком бурно среагировала, вот и все, — пробормотала она, быстро отперев дверь и захлопнув ее за собой. — Я начинаю выдумывать себе страхи. Если не взять себя в руки, то следующим подозреваемым окажется Джонни.

Она прошла мимо зеркала и показала себе язык, затем направилась в ванную. Почему-то она почувствовала себя испачканной и хотела хорошенько вымыться. Полностью очиститься.

Графский дом был погружен в сумерки, когда Джон Томас поставил машину на стоянку. Нахлобучив шляпу на голову, он направился к дверям, ненавидя себя за то, что сейчас поднимется и огорчит Саманту своими новостями.

Полученные ею фотографии сразу отправили прямо в полицейское управление штата на экспертизу к лучшим дактилоскопистам и экспертам Техаса, но обнаружить ничего не удалось.

Снимали обычной 35-миллиметровой камерой. Пленку сдали на проявку в одном месте, а снимки отпечатали в другом, в Нью-Саммерфилде, городке к северу от Раска.

Поскольку фотолаборатория была завалена работой, оказалось невозможным выяснить, кто что сдавал и получал. Убийца вновь перехитрил их.

Нехотя Джонни поднялся по лестнице, надеясь, что его озарит какая-нибудь идея и он сможет все объяснить Сэм

Но его надежды не оправдались. Рука Господа Бога не коснулась его и не осенила озарением. Оставалось войти в квартиру и рассказать ей всю правду. По крайней мере правду Сэм заслужила.

И тогда он открыл дверь.

Саманта сидела у окна в темной комнате, слепо уставившись через занавески на тени во дворе. Она даже не поздоровалась.

— Насколько хорошо ты знаешь Монтгомери Тернера?

Ее вопрос поразил Джонни до глубины души.

Он захлопнул дверь, бросил шляпу на стол, лихорадочно соображая, что ответить. Как сказать, что он подозревал его и даже проверял? И почему ее это интересует?

Подумав, что самое лучшее сейчас — сделать паузу, он прошел в кухню и налил себе холодной воды из-под крана.

Саманта следила за тем, как Джонни Томас наполнил и медленно осушил стакан. Она чувствовала его удивление. Но ей нужно было знать. Подслушанные слова Монти мучили ее весь вечер. По крайней мере она заслуживала правдивого ответа.

Стакан со стуком ударился о столешницу. Джон Томас вглядывался в пустую мойку, не зная, с чего начать.

— Почему, Сэм? Почему ты спрашиваешь меня об этом?

Она сжала руки в кулаки, вспомнив лицо Монти и ярость, написанную на нем, те слова, что услышала. Она гнала от себя страх.

— Потому что сегодня произошло нечто, что заставило меня задуматься.

Джон Томас нахмурился, ожидая продолжения.

Внезапно Саманта сорвалась с кресла и начала мерить комнату широкими шагами.

— Я не хотела подслушивать, — начала она. — Я просто проходила мимо, когда услышала удар.

— Удар?

— Дай мне рассказать по-своему, — попросила Саманта.

Он кивнул, облокотился спиной на кухонный стол и скрестил руки на груди, не замечая, что стоит в позе судьи.

От этого Сэм занервничала еще сильнее, и в результате рассказ получился каким-то скомканным. Когда она закончила, лицо Джона Томаса стало еще более хмурым.

— Иди сюди, Саманта. Дай-ка я тебя обниму.

Он оказался прав — ей нужно было почувствовать тепло его рук. Сэм с радостью шагнула в его объятия и испытала облегчение, когда руки Джонни сомкнулись вокруг нее, испытала чувство защищенности. Но все же, когда Джонни заговорил, Саманта уловила колебание в его голосе.

— Признаюсь, звучит действительно странно, — произнес Джон Томас, не желяя признаться, насколько ее слова поразили его. — Но, честно говоря, милая, это может означать что угодно.

— А как же его фраза о том, что ты только-только начал ему доверять? Что скажешь на это?

— Это правда. Я начал ему доверять. Любой работник, вплоть до диспетчера, должен заслужить подобное. Признаюсь, я уже какое-то время видел, что с ним что-то не в порядке, но никогда не связывал это с твоим преследователем.

Он почувствовал укол вины. Это была ложь. На самом деле он подозревал Монти. Но, черт побери, он теперь подозревал всех вновь прибывших, включая того незадачливого автолюбителя в мотеле «Тексас Пиг»

— Знаешь, что я тебе скажу, — произнес он. — Завтра утром я первым делом вызову Монти к себе. Он не уйдет до тех пор, пока я не удостоверюсь, что он рассказал мне всю правду.

Саманта вздохнула и слегка стукнула его кулачком по груди, после чего расслабилась в его руках.

— О'кей, Джонни. Я доверяю тебе. — Она подняла глаза, попытавшись улыбнуться сквозь слезы. — Я уже доверила тебе свою жизнь.

— Господи, — произнес он мягко, взяв ее лицо в ладони. Она задержала дыхание и слегка приоткрыла губы, предвкушая то, что, она знала, он может подарить ей.

Она ощутила тепло Джонни Томаса. И от его прикосновений загорелась желанием, которое передалось и ему.

Ночь опустилась неслышно, накрыв землю своими длинными темными крыльями. Все утонуло во тьме, за исключением пятен света от уличных фонарей, скрытых густыми высокими деревьями.

Окна на втором этаже были темными, словно очки на глазах слепого. Никто снаружи не мог увидеть, что творится внутри.

Потерявшие счет времени, сплетясь в объятиях, Джон Томас и его женщина медленно и размеренно занимались любовью. Страх уступил место страсти.

Кроватные пружины ритмично поскрипывали, когда Саманта изгибалась под Джонни, уверенная в том, что если постарается, то этот момент и эти чувства будут длиться вечно. Но вот Саманту обдало волной жара, перед глазами вспыхнул ослепительный свет...

В темноте она на секунду увидела бугрившиеся узлы мускулов на руках Джонни, которые тот напрягал, стараясь не придавить ее. Его торс выгнулся вверх, а бедра, казалось, навечно слились с ее бедрами.

Саманта застонала, почувствовав приближение кульминации, и бросила свое тело навстречу Джонни... Несколько секунд спустя они еще лежали, вздрагивая и не говоря ни слова, в объятиях друг друга. Саманта обхватила руками его шею и закрыла глаза. Но стоило ей сделать это, как перед ней появилось лицо Монти. Оно было сердитым и страдающим.

Незадолго до рассвета вдруг зазвонил телефон. Джон Томас застонал и перевернулся, успев схватить трубку, прежде чем второй звонок разбудил бы Саманту.

— Да. — Его голос со сна был низким и хрипловатым. Но в следующую секунду Джон Томас уже сидел на кровати, весь в напряжении, продолжая слушать. — Что ты сказал? Когда?

Саманту разбудил звук его голоса. Повернувшись, она внимательно вслушивалась в разговор, стараясь догадаться, что произошло. Долго гадать ей не пришлось.

— Сейчас выезжаю, — сказал он. — Вызови Лоулера. Уиллис уже на дежурстве, так? Хорошо. Пусть они встречают меня на месте.

Джон Томас повесил трубку, включил настольную лампу и одним плавным движением выпрыгнул из кровати.

— Черт побери, дорогая, — он ухмылялся во весь рот. — Кажется, эти ребята, что орудовали на ранчо Уоткинса, перехитрили сами себя.

— Как это? — спросила она, с восхищением глядя на него, рыскающего по комнате в поисках одежды и одновременно рассказывающего.

— Они решили, что самое хитрое — это совершить налет на то же самое место во второй раз. Но я оставил одного из своих людей патрулировать местность вокруг рачно Уоткинса после пропажи первых пятидесяти голов скота. Воришки, должно быть, увидели фары патрульной машины, потому что с выгона свернули на другую дорогу и застряли в болоте. Уиллис только что звонил. Он запер их внутри их собственного трейлера вместе с четырнадцатью коровами Уоткинса и теперь ждет нас, чтобы отконвоировать их. — Застегивая ремень, Джонни скорчил такую физиономию, что Сэм не могла удержаться от смеха.

— Ты хочешь сказать, что они внутри трейлера вместе с украденными коровами?

— Угу, — отозвался он, натягивая второй сапог. — Пахнуть они, очевидно, будут ого-го как. Когда я свалился в хлеву Лема Маршала, навоз был сухой. А там он свеженький, горячий. Ты же знаешь, как коровы реагируют на перевозку. Они только и делают, что мечутся, делают лепешки и пускают ветры.

Саманта усмехнулась.

— Ну и кто же из вас будет сопровождать их в тюрьму? — Она представила, в каком состоянии будут полицейские машины, после того как в них провезут измазанных в навозе воришек.

— Только не я, — ответил он. — Знаешь, родная, мы ведь можем отвезти их в тюрьму прямо в трейлере, вместе с коровами. Коровы же считаются вещественным доказательством, правда?

— Ты ни капельки не изменился, Джонни Найт. Остался таким же сорвиголовой.

Ему было радостно слышать смех в ее голосе вместо отчаяния и паники.

— О, я могу быть и очень хорошим, когда надо, Сэм, — мягко произнес он, наклонился и поцеловал ее на прощание. — Помнишь сегодняшнюю ночь?

Еще долго после того, как эхо шагов Джонни затихло на лестнице, Саманта лежала, улыбаясь... и вспоминая.

Глава 12

Пять часов спустя стук в дверь заставил Сэм вздрогнуть. Запихнув остаток бисквита в рот, она бросилась открывать. И чуть не подавилась, пытаясь прожевать кусок, застрявший в горле.

В дверях стоял Монти со шляпой в руке, задумчиво глядя на нее.

— Босс послал меня за новой одеждой.

Саманта отступила, приглашая его войти. Переступив порог, тот одобрительно осмотрел помещение.

— Вы навели здесь настоящий уют, — улыбнулся он. — Да, чувствуется женская рука. Я живу в своей квартире гораздо дольше, чем вы оба, и все равно ощущение такое, словно я еще не распаковывал свои вещи.

Саманта знала, что рано или поздно ей придется снова встретиться с помощником шерифа. Как ни странно, она не ощутила напряженности.

— Почему ему потребовалась смена одежды? — спросила она. Монти ухмыльнулся, отчего стал выглядеть еще моложе, чем был на самом деле.

— Вытаскивать этих четырех воришек из трейлера, полного коров, оказалось весьма грязным делом. Один из них умудрился шлепнуться в самую гущу, и нам пришлось изрядно попотеть, чтобы вытянуть его оттуда и не дать ему задохнуться.

Саманта хихикнула.

— Представляю себе. И конечно, Джон Томас оказался в самой *гуще* событий, не так ли?

Монти согласно кивнул.

— Да, мэм. Зеленое дерьмо... — он вовремя спохватился и покраснел, после чего попытался придать своим словам больше пристойности, чтобы не оскорбить слух дамы. — Я хотел сказать, что свежий навоз попал на его джинсы и рубашку.

— Ему не следовало посылать тебя за чистой одеждой, он мог бы приехать за ней сам, — сказала она.

— О нет, мэм. Ему действительно нужна была смена одежды. Они отправили меня домой помыться. Получилось так, что виноват, чтоб мне провалиться, оказался я, вернее, тот тип, вывалявшийся в навозе. После этого у меня даже волосы оказались испачканы.

Подробности были излишни. Саманта взглянула на Монти, представив себе уморительную картину, и начала смеяться. Она хохотала так, что на глазах выступили слезы. Стоило ей взглянуть на смущенное выражение его лица, как она принималась хохотать снова, хотя думала, что больше уже не может.

Видимо, в этом уголке Техаса стражи порядка и коровий навоз притягивались друг к другу с необъяснимой силой.

— О Боже! — простонала она, держась за бок. — Я пойду соберу его одежду, и спасибо тебе, что пришел после того, как принял ванну, а не раньше.

Монти ухмыльнулся.

— Да, мэм. Вы, конечно, правы.

Она направилась в соседнюю комнату, но в дверях остановилась. Он выглядел таким усталым и потерянным, осознала она.

— Монти...

— Да, мэм. — Виноватое выражение появилось у него на лице. Саманта подумала: помощник шерифа ждет от нее вопросов о том, что она услышала у телефонной будки. Но она удивила не только его, но и себя.

— Я хотела сказать, поскольку Джон Томас не приедет, чтобы перекусить, возьмись за дело и прикончи оставшиеся бисквиты. Есть свежий кофе. Чистые чашки в сушилке. В холодильнике масло и джем. Достань сам. Мне потребуется какое-то время, чтобы собрать его одежду и погладить рубашку.

— Да, мэм, — промямлил Монти. — Спасибо.

— Всегда пожалуйста, Монти, — отозвалась она. — И прекрати называть меня «мэм». Зови Самантой, или Сэм, или «эй ты». Кем угодно, только не «мэм».

— Понял вас, — ответил Монти и двинулся на кухню.

Когда несколько минут спустя она вернулась, Монти успел расправиться с оставшимися бисквитами, помыть грязные тарелки и убрать масло и джем обратно в холодильник.

— Все готово, — произнесла она, протягивая ему джинсы и чистую рубашку для Джона Томаса, и только тут заметила, как аккуратно он прибрал все после себя.

— Из тебя получится неплохая домохозяйка. Если по случаю будешь здесь вечером, заходи поужинать вместе со мной и шерифом. Я все приготовлю, если ты потом помоешь тарелки.

Он усмехнулся.

— Звучит многообещающе, но я пока не знаю, — ответил он. — В здешних местах никогда не знаешь, что может случиться. Спасибо за бисквиты и за одежду.

Она проводила Монти к двери, посмотрела, как он сбегает вниз по лестнице, и вдруг оказалась лицом к лицу с Клаудией, открывшей в этот момент дверь напротив.

— Привет! — поздоровалась Клаудия. — Никак не можешь отойти от впечатлений вчерашнего полета? — спросила та.

Саманте потребовалось какое-то время, чтобы сообразить: Клаудия говорит о ее вчерашнем приключении, которое чуть не завершилось сломанной шеей.

— Благодаря тебе все в порядке, — ответила она.

Клаудия кивнула. Наступило неловкое молчание, но вдруг Сэм усмехнулась, словно в голову ей пришла великолепная мысль.

— Слушай, а что ты делаешь сегодня вечером? — спросила Клаудия.

Саманта пожала плечами.

— Как обычно, ничего особенно, а что?

— У меня сегодня выходной, — сообщила Клаудия. — Я собираюсь в Нью-Саммерфилд купить себе новое платье. Наконец-то я скопила достаточно денег на автобусный билет домой, но не хочу появляться перед родными как собака с поджатым хвостом. Образно говоря, конечно. — Она подняла брови и провела пальцем по накрашенным губам. — Может, поедешь со мной? Я знаю, что ты редко выбираешься в город.

Саманта не ответила. Ее несколько удивило это приглашение, а также то, что Клаудия знает о ней так много. Пока она думала над этим, та ответила на ее невысказанный вопрос.

— Я очень чутко сплю, — сказала Клаудия. — Порой я слышу, как ты ходишь по квартире. Мне это вовсе не мешает. Я просто слышу и все. К тому же обычно я возвращаюсь с работы и сразу падаю в постель.

Саманта вздохнула. Кажется, ее проблемы известны всем и каждому.

— Я не уверена насчет покупок, — сказала Саманта. — Если тебе еще не известно, то должна сказать: появляться на людях в моей компании может быть опасно. Ты, наверное, еще не слышала, что кто-то хочет моей смерти.

— Бог ты мой! — Глаза Клаудии расширились, и ее крупный накрашенный рот превратился в идеальной формы букву «О». — Мне приходилось попадать в гораздо худшие переделки, и смотри — я перед тобой, живая и здоровая. Если хочешь, поехали. У меня к тому же черный пояс по карате.

Саманта засмеялась. Она просто не могла представить себе эти светлые кудряшки, смешливое лицо в сочетании с кимоно каратиста.

— Это правда! — воскликнула Клаудия, упирая руки в бедра. — Ну что, едем или как?

Саманту обуял дух противоречия. Она так устала быть мишенью, убегающей жертвой. И хотя она знала, что Джон Томас ответит ей отказом, мысль о том, что он ничего не сможет поделать перед свершившимся фактом, подбодрила ее.

— Дай мне только переодеться, — попросила она.

Клаудия закрыла свою дверь и прошла за Самантой в ее квартиру.

— Да тебе не стоит и переодеваться, — заметила она, бросив взгляд на теннисные кроссовки, голубые джинсы и бледно-желтую блузку, составлявшие наряд Саманты. — Ты и так выглядишь отлично.

Саманта оглядела себя и пожала плечами:

— Если ты так считаешь — что ж. Я только напишу записку Джонни.

Клаудия кивнула. Пока Саманта сочиняла записку, она положила свою сумочку на стол и начала прохаживаться по квартире, внимательно осматриваясь, но стараясь ни к чему не прикасаться.

— В этом доме все комнаты выглядят одинаково, правда? — бросила она.

Саманта что-то пробурчала себе под нос, соглашаясь. Она все еще раздумывала над тем, как сообщить Джонни о том, что она собирается сделать, да еще так, чтобы это выглядело неплохой идеей.

Клаудия передернула плечами и продолжила свой осмотр. Но когда она подошла к открытой двери спальни, отсутствующее выражение слетело с ее лица.

Если бы Саманта видела лицо официантки в этот момент, она, возможно, раздумала бы ехать с ней в Нью-Саммерфилд. Но она ничего не заметила, а когда закончила послание Джону Томасу, Клаудия успела взять себя в руки и снова улыбалась.

— О'кей, — подытожила Саманта. — Я готова. Мы ведь ненадолго, не правда ли?

— Конечно, нет. Мне еще надо собрать вещи и успеть на автобус. Я ведь уезжаю домой.

Они уже направились к двери, как вдруг Клаудия резко развернулась.

— Моя сумочка! — воскликнула она и бросилась к столу, на котором ее оставила. Она схватилась за ремешок, но сумка распахнулась и ее содержимое вывалилось на пол.

— Дьявол! — выругалась она, посмотрев на Саманту, стоявшую у двери. — Хорошо, что я не роняю так все у Мэрили, а то бы она сразу выставила меня за дверь.

— Помочь? — спросила Саманта.

— Нет, я соберу сама, — ответила та и начала запихивать все подряд в сумочку.

Саманта рассеянно следила за ней с лестничной площадки и не заметила, как Клаудия схватила ее записку Джону Томасу и засунула в сумочку вместе с остальными вещами.

— Ну, пошли, — произнесла Клаудия, захлопывая за собой дверь. — Запри ее. Осторожность не помешает.

Саманта заперла дверь, и мгновением позже они уже были на улице. Девушка с сомнением оглядела старый черный пикап, на котором ездила Клаудия, подозревая, что на такой рухляди опасно просто выехать на улицу, не говоря уж о том, чтобы совершить поездку за покупками в другой город.

— Хочешь, я возьму свою машину?

— Ни за что, — ответила Клаудия. — Это моя поездка. Я трачу свой бензин. Залезай, мы теряем время.

Саманта пожала плечами и подчинилась. Залезая на пыльное сиденье, она вдруг поймала себя на мысли, что ищет приличный предлог, чтобы отказаться. Но, подсознательно опасаясь того, что скажет Джон Томас, она все же никак не могла найти правдоподобной причины для отказа. К тому же ей действительно требовалось купить кое-какие вещи, которые нельзя было достать в Раске.

Подняв облако пыли, машина выехала со двора.

— Да уж, шериф, веселенькая у вас выдалась неделька, — произнес знакомый полицейский, запирая последнего из пойманных с поличным воров в тюремную машину для перевозки в центральную тюрьму графства. — Ваш диспетчер рассказал мне, что вам пришлось усмирять буйнопомешанного один на один, как во времена Дикого Запада, а теперь вот эти... Но, ей-богу, — он отступил назад, запирая дверь фургона, и в отвращении сморщил нос, — вы по крайней мере могли бы окатить их из шланга, прежде чем сажать в камеру.

Джон Томас расплылся в ухмылке.

— Мы так и сделали. Если бы ты их видел, а еще лучше понюхал перед этим!

Полицейский усмехнулся и покачал головой.

— Счастливо оставаться, — махнул он рукой на прощание.

Джон Томас смотрел фургону вслед, пока красные габаритные огни не исчезли из виду, затем пошел к своей машине. Он собирался проверить, как там Сэм.

— Шериф! К телефону! — крикнула Кэрол Энн. Развернувшись на полпути, он вернулся в кабинет и поднял трубку.

— Шериф Найт.

— Привет, ковбой, как дела? — раздался голос Майка Пуласки.

— Пуласки?

— Он самый, — откликнулся тот, не в силах скрыть оживления в голосе. — У меня для тебя есть кое-какие новости. Возможно, это не ахти что, но, несомненно, новый след.

Джон Томас выпрямился. Хорошие новости ему могут пригодиться.

— Давай выкладывай.

— Кажется, последней, кого видели около квартиры мисс Карлайл перед взрывом, была уборщица.

Джон Томас вздохнул. От такой новости толку мало.

Пуласки усмехнулся. Он услышал его вздох.

— Не бросай трубку, дай мне закончить, — попросил он. — Дай рассказать до конца. Дело в том, что в доме, где расположена квартира Саманты, живут люди среднего и невысокого достатка. Мы опросили всех до единого. Никто в тот день и даже в другие дни не нанимал приходящую уборщицу. Единственная, кого мы не сумели опросить, — это Саманта Карлайл. Я рассудил, что женщина, которая боится даже собственной тени, вряд ли станет нанимать незнакомого человека, чтобы тот приходил к ней в дом.

Лицо Джона Томаса потемнело.

— Ты хочешь сказать, что есть вероятность того, что наш убийца может оказаться женщиной?

— А ты как считаешь?

— Черт!

Пуласки ухмыльнулся.

— Вот и я так думаю.

— Спасибо за информацию, — поблагодарил Джон Томас. — Мне надо сделать кое-что важное, не терпящее отлагательства. Если узнаешь что-нибудь еще, дай знать. И еще, Пуласки... спасибо.

Пуласки снова ухмыльнулся.

— Не стоит благодарности. К тому же я перед ней в долгу. Надеюсь, что оказался полезным.

— Я тоже надеюсь, дружище. Я тоже, — задумчиво проговорил Джон Томас и повесил трубку. Но тут же схватил ее опять и набрал номер своей квартиры. Послышались длинные гудки. Никто не отвечал.

— Вот черт! — выругался он и посмотрел на часы. Время приближалось к полудню. Саманта, наверное, выехала из Раска за покупками или пошла куда-нибудь перекусить. Она ненавидела есть в одиночестве и скорее всего решила, что сегодня он будет занят.

На всякий случай надо будет заехать к ней по пути на ферму. Ему почему-то захотелось еще разок просмотреть послания убийцы, которые получала Саманта.

Джону Томасу не потребовалось много времени, чтобы добраться до квартиры. Его джип стоял на своем месте: там же, где был, когда он уходил на работу. Или Сэм ушла в город пешком, или спит у себя наверху. Будить ее — только задерживаться.

Срочность ситуации заставила его изменить свое мнение насчет захода в квартиру. Нельзя больше терять времени.

Но когда Джон Томас доехал до фермы, пустая тишина старого дома подействовала на него удручающе. Достав письма и пленки, он почувствовал себя еще хуже. Он начал перечитывать письма под новым углом зрения и понял, что они с таким же успехом могли быть написаны женщиной. Он удивился, как же это не пришло ему в голову раньше. Ни одно из писем на содержало сексуальных угроз или оскорблений в адрес Саманты Карлайл. Но каждое из них источало яд и ненависть. Именно таким образом действовала бы мстящая женщина, в таком же духе была написана и фраза об очищении души через смерть.

При мысли о том, что Сэм может умереть, Джонни подбросило на месте. Он потянулся к телефону. Но, как и прежде, в квартире никто не отвечал, хотя было уже поздно. Все еще вслушиваясь в гудки в трубке, он вдруг, к собственному стыду, вспомнил, что среди тех, кого они проверили в Коттоне и Раске, не было ни одной женщины. Честно говоря, он даже не знал, сколько женщин приехало в город за последнее время.

Не в силах больше выносить унылую пульсацию гудков, он в сердцах бросил трубку на рычаг.

— Проклятие, где же ты, Сэм, черт побери? — Он выбежал из дома, оставив письма лежать на столе. Эта новая информация несла большую опасность для Саманты. Она должна об этом узнать, и узнать немедленно.

Когда Джонни подъехал к графскому дому, его джип по-прежнему стоял на месте. Но, войдя в квартиру, Джонни не обнаружил там Саманты. Мало того, что шериф нервничал, нервозность еще подгоняла его всю дорогу до графского дома: в Джоне Томасе начал закипать гнев.

— Что за дьявольщина! Где же она может быть? — пробормотал он, затем бросился вниз по лестнице так быстро, как только мог.

Добежав до машины, он одновременно завел двигатель и схватился за рацию. Когда же ему сообщили, что Саманта не звонила в участок и не сообщала, где находится, тревога шерифа усилилась. Он еще не успел прийти ни к какому определенному решению, когда увидел подъезжающего Монти.

— Ко мне, в машину! — крикнул Джон Томас. — Нам надо найти Саманту... и откровенно поговорить.

Монти старался не хмуриться, когда забирался в машину шерифа.

Он ждал этого с того момента, когда Саманта случайно подслушала его разговор. Глубоко вздохнув, молодой человек замер в ожидании.

— Ты видел ее сегодня после обеда?

Монти озадаченно посмотрел на босса. Он ожидал совсем другого вопроса.

— Н-нет, сэр, — ответил он. — После того как забрал вашу одежду — нет. Я весь день провел в своем кабинете, оформляя бумаги по утреннему аресту.

Джону Томасу стало нехорошо.

— Дьявол, я должен найти ее. Звонил Пуласки. Он сказал, что существует значительная вероятность того, что убийца — женщина.

— Что вы говорите?! Но это значит, что все, кого мы...

— Правильно! Мы с тобой лаяли не на то дерево. А теперь, помощник, помогай мне искать Саманту и по ходу дела начинай рассказывать. Я вижу, что у тебя есть проблемы. И хотя я понимаю, что мужчина должен тушить пожар в душе самостоятельно, иногда это не лучший выход. Огонь может вырваться наружу и сжечь всех и вся вокруг.

Монти откинулся на сиденье, снял шляпу и рассеянно провел пальцем по ее полям. Наступило время объясниться.

— Я приехал сюда под надуманным предлогом. — При виде озадаченного выражения на лице шерифа он вздохнул. Монти знал, что будет трудно. — Простите, — прошептал он. — Мой дедушка договорился о моем переводе сюда, потому что мне надо было работать поближе к Луизиане.

Для Джона Томаса все это оказалось полной неожиданностью.

— О чем ты говоришь? При чем здесь Луизиана, и кто, черт побери, твой дедушка?

— Уиллер Джо Тернер, — ответил Монти, ожидая неизбежного взрыва. Он не ошибся.

— Скрипучий Тернер?! Этот старый техасский рейнджер — твой дед?

Монти кивнул.

— Я не хотел, чтобы на ваше мнение обо мне давил тот факт, что я связан родственными узами с таким, как бы сказать, ну...

— Легендарным человеком, — закончил за него Джон Томас. — Его имя, черт возьми, стало нарицательным. Но к нашему делу это не относится. Я никогда не сужу о человеке по тому, какова его семья. Я бы, например, очень не хотел, чтобы обо мне кто-нибудь судил подобным образом. Мой отец умер в тюрьме.

Монти постарался не показать своего потрясения. Судя по гримасе на лице шерифа, это ему удалось весьма плохо.

Джон Томас пожал плечами.

— Почти все в округе знают об этом, так что гордиться мне нечем. Он был жалкий сукин сын, и я всю свою жизнь искупаю его грехи. Ну а теперь говори, что тебя гложет. Я не верю, чтобы тебя до такой степени волновало, что я узнаю о твоем родстве со Скрипучим Тернером.

Монти сглотнул комок, застрявший в горле, и закрыл глаза. Даже теперь ему все еще было больно говорить об этом вслух. Из бумажника он достал фотографию, нежно провел по ней пальцами, словно стирая пыль, и передал шерифу.

Машина вильнула в сторону, поскольку Джон Томас на секунду потерял над ней контроль. Взглянув на фотографию, он тихо присвистнул, не в силах скрыть удивления.

— Надо же! Как похожа на Сэм. Такие же длинные темные волосы. — Он бросил быстрый взгляд на дорогу впереди и вновь посмотрел на карточку, на этот раз более внимательно. — И глаза тоже голубые. — Он вернул фото Монти. — Как ее зовут?

— Мелисса, но все звали ее Лиза. Она моя невеста.

— Поздравляю, приятель! Но почему ты о ней раньше никогда не упоминал?

Монти положил фотографию обратно в бумажник, задержавшись в последний раз взглядом на голубоглазой девушке, закрыл его и убрал в карман.

— Полтора года назад ее сбила машина. С тех пор она находится в реанимационном центре в Луизиане в состоянии комы и без надежд на выздоровление.

— Бог ты мой, — тихо произнес Джон Томас, свернул на обочину и остановил машину. Он не мог себе представить такого. Ужасно видеть, как гаснет жизнь в любимом человеке.

И тут он догадался.

— Вот где ты проводишь свое свободное время.

— Да, сэр. А в тот день, когда я был таким... причина, по которой я был...

Он провел рукой по лицу и почувствовал слезы на щеках. Почему-то это его больше не смущало. Как ни странно, но, рассказав все, он почувствовал, что боль чуть утихла.

— Когда я приехал в больницу в тот день, ее родители сказали мне, что приняли решение снять ее с поддерживающих жизнь аппаратов. — Прошла еще одна долгая безмолвная минута, прежде чем он смог завершить свой рассказ. Произнеся последнюю фразу, Монти обмяк на сиденье, словно из него выпустили воздух. — Они думают, что ей осталось недолго жить.

Джон Томас постарался не слышать тяжелого плача, не видеть слез, текущих по лицу молодого человека. Все, что он мог для него сделать, — это дать побыть немного в одиночестве, хотя и понимал, что этого недостаточно. Он ободряюще хлопнул своего помощника по плечу, чувствуя, что никакие слова не принесут парню утешения. Но теперь он был абсолютно убежден, что его недоверие к Монтгомери Тернеру было безосновательным.

— Что ты собираешься делать? — спросил он наконец.

— Полагаю, ждать, пока она не умрет, — вымученно ответил Монти, отвернулся и смотрел в окно до тех пор, пока не совладал с собой.

Джон Томас не сказал на это ничего. У него не было слов, которые могли бы снять тяжесть с души Монти. Он завел машину.

— Поехали искать Сэм, — сказал он.

Они ездили по улицам Раска больше часа, заглядывая в каждый магазинчик, задавая одни и те же вопросы. Их беспокойство росло. Никто ничего не знал, и когда они вернулись к квартире, даже Монти начал волноваться.

— Она не оставила вам записки? — спросил он.

— Я не заметил, — произнес Джон Томас. Внезапно его лицо прояснилось. — Но я не очень внимательно искал. Может быть, она и написала. Давай зайдем, посмотрим.

— Согласен, — сказал Монти, и они выбрались из машины. — Кажется, Клаудия теперь работает не в ночную, а в дневную смену.

Джон Томас взглянул на пустующее место в конце парковки, удивленный, что сам не заметил этого.

Старый черный пикап, на котором ездила официантка, отсутствовал.

На его былое присутствие здесь указывало лишь масляное пятно на земле.

Какое-то время он смотрел на него, пытаясь понять, отчего вдруг вид этого пятна кажется ему столь важным. Но отсутствие Саманты в тот момент заботило его больше, и, отмахнувшись от неясных воспоминаний, шериф прошел к дому.

Их надежды не оправдались. Тщательный осмотр квартиры не дал результатов. Никакого следа записки.

— Здесь ничего, кроме тюбика помады, — сказал Монти, поднимая его из-под дивана в гостиной. Джон Томас уставился на маленький предмет, который положил ему в руку Монти. Блестящий цилиндрик был ярко-красного цвета с серебряными полосками и не походил на те, которыми пользовалась Саманта. Он снял крышку и вывернул столбик помады, стараясь сообразить, почему помада цвета пожарной машины валялась на полу его квартиры, хотя утром ее здесь еще не было. К тому же Саманта обычно была очень аккуратна.

— Это ее? — спросил Монти.

Шериф отрицательно покачал головой.

— Она не пользуется таким цветом. Он слишком... — Джон Томас запнулся, подбирая слова.

Монти взглянул повнимательнее.

— Знаете, похоже на то, чем мажется Клаудия. У нее рот всегда выглядит так, будто кто-то только что врезал в него кулаком. Ну, весь красный, вспухший и перекошенный.

Только теперь подсознательное ощущение подтолкнуло Джонни, и в памяти всплыла погоня за убийцей в лесу. И все его разочарование, когда он не нашел ничего, кроме широкого масляного пятна на дороге, где до этого стояла машина.

— О дьявол! — Он бросился через коридор и замолотил кулаками в дерь Клаудии.

— Босс, вы сошли с ума! Что вы делаете? — Не успел Джон Томас ему ответить, как дверь под его ударами распахнулась.

— Судя по всему, она уехала, — сказал Монти.

— Я так не думаю, — ответил Джон Томас. — Но, видит Бог, хотелось бы мне надеяться, что ты прав.

Не вдаваясь в дальнейшие объяснения, он побежал вниз по лестнице. Монти следовал за ним по пятам. У края тротуара он внезапно остановился и начал напряженно вглядываться в то место, где обычно оставляла свою машину Клаудия. Темное масляное пятно четко выделялось на земле.

— Колымага здорово протекает, правда? — сказал Монти, и вдруг странное выражение появилось у него на лице. — Послушайте, босс, в тот день, когда вы шли по следу взломщика, который пытался проникнуть в ваш дом, вы сказали, что его грузовик протекает, как...

Он не закончил. Одного взгляда на лицо Джона Томаса было достаточно.

— Ох черт! — воскликнул Монти. — Уж не думаете ли вы?..

— Садись в машину. Мы едем в кафе Мэрили. Я что-то вдруг проголодался, но утолит мой голод отнюдь не пища. Я хочу поговорить с Клаудией. Ей придется рассказать мне подробно, где она жила и чем занималась в последние месяцы своей жизни.

Несколько минут спустя они уже въезжали на стоянку перед кафе Мэрили. У Монти вырвался шумный вздох облегчения. Старый черный пикап стоял за кафе, на своем обычном месте.

— Эй, босс, вот он. Может быть, мы поторопились. У многих старых машин и грузовиков течет масло. Может быть, я был прав с самого начала. Она могла просто поменять смену.

— Возможно, — отозвался Джон Томас. — Но я хочу услышать это от нее самой.

Кафе было переполнено. Мэрили проплыла мимо с нахмуренным лицом, неся в руках стопку грязных тарелок. Остальные официантки прыснули в стороны, чтобы не попадаться ей на пути.

— Мэрили, когда у тебя будет минутка, я хотел бы с тобой поговорить, — сказал Джон Томас.

Она с лязгом составила тарелки на стол в кухне и двинулась к ним с мокрой тряпкой в руке.

— Если хочешь поговорить, то иди за мной и говори, пока я буду мыть посуду. У меня сегодня не хватает людей. Две мои девочки, что работают днем, позвонили и сказали, что больны. Я хотела попросить Клаудию помочь, но оказалось, что она уехала.

Страх сжал желудок Джона Томаса.

— Что значит уехала?

— А то и значит, что смылась, сбежала, дала деру! Вот что это значит! Чтобы еще когда-нибудь я стала помогать этим дамочкам, попавшим в затруднительное положение! Я дала ей работу, когда мне не нужна была помощь. Я одолжила ей грузовик, так как ей не на чем было ездить. А когда она уезжает, говорит ли она мне хотя бы «спасибо, Мэрили»? Нет! — Женщина сердито смела крошки со стола на пол, отвернулась и вздохнула, отбросив прядь волос, упавшую ей на глаза. — Наверное, мне еще повезло, что она не прихватила с собой мой грузовичок, хотя, честно говоря, мне кажется, она боялась, что просто не сможет далеко на нем уехать.

— Куда она собралась отправиться? — спросил Монти.

— Я с ней не разговаривала, — ответила Мэрили. — Все утро я пыталась до нее дозвониться, чтобы попросить помочь, а потом увидела, что грузовичок уже на месте, и все поняла. Междугородный автобус приходил и уже успел отправиться. Думаю, она села в него, когда он остановился забрать новых пассажиров. Хотя бы «до свидания» сказала.

— Мэрили, ты не будешь возражать, если мы взглянем на грузовичок?

Она пожала плечами. В кафе вошли несколько новых посетителей.

— Смотрите, если хотите, — разрешила она. — Можете заодно и помыть его. Не знаю, куда она ездила, но пикап весь в грязи.

Джон Томас все еще не исключал возможности, что он зря бьет тревогу. У него не было реальных доказательств того, что Саманта действительно пропала. Она могла быть где угодно, быть чем-то занятой. Или быть убитой. От этой мысли у него чуть не подкосились ноги. Только надежда на то, что он ошибается, позволила ему двинуться с места.

— Ого! Мэрили была права, — сказал Монти, обходя вокруг грузовичка. — Он не только грязный, но и со свежими царапинами на крыльях. И посмотрите сюда. Там, где она ехала, по крайней мере в одном месте, была глубокая колея, потому что на коленчатый вал намотался целый пук травы.

Джон Томас опустился на колени. Монти был прав. Он запустил руку под машину и начал тянуть, пока вся трава не размоталась. Он разложил ее перед собой. Трава была высокой. Значит, там, куда она ездила, ее не косили и не подстригали. Это могла быть какая-нибудь заброшенная ферма или пастбище. Земля, облепившая корни, все еще свежая и тяжелая, подсказала Джону Томасу, что растения были вырваны из почвы совсем недавно.

Когда он начал перебирать зеленые стебли, что-то острое оцарапало ему руку. Негромко выругавшись, он отдернул руку, за которой потянулась, отделяясь от остальной охапки, длинная ветка смородины с сохранившимися на ней несколькими твердыми зелеными ягодами.

— Смотри-ка, — произнес Монти, глядя, как шериф отдирает колючки с рукава. — Смородина. Недавно я ел черносмородиновый мусс у Мэрили. Она сказала, что ягоды были еще прошлогоднего урожая. Но все равно было вкусно.

— Дикая смородина растет здесь повсюду, — сказал Джон Томас и, аккуратно отделив прутик, положил его рядом с собой. Потом шериф разложил остальную траву на кучки, надеясь отыскать зацепку, которая подсказала бы, где побывал этот грузовичок.

Его желание знать базировалось на предположении, что Саманта побывала в этом грузовичке. Прежде чем продвигаться дальше, ему нужно было получить подтверждение этому факту. Только после этого он будет уверен, что Клаудия имеет хоть какое-то отношение к исчезновению Саманты.

— Я съезжу к себе, — бросил Джон Томас, заталкивая траву и листья на заднее сиденье своей машины.

Возможно, все это окажется бесполезным, но сейчас эта трава была одним из весьма немногих ключей и разгадке тайны.

— Жди здесь. Я скоро вернусь.

Монти так и не успел спросить, зачем. Он вошел в кафе и заказал десерт. Прежде чем он успел расправиться с пирогом и чаем со льдом, шериф уже приехал обратно. Помощник Тернер увидел, как его босс выволакивает из машины гончую, и сразу обо всем догадался.

— Я подумал, что Бандит может учуять ее запах, — пояснил Джон Томас, вытаскивая пару туфель, которые Саманта оставила у него в доме. — Конечно, шансы невелики, но я хочу попробовать. Если потом я буду выглядеть идиотом, сам первый посмеюсь над собой.

— Возможно, вы не так уж и не правы, босс, — сказал Монти. — Я только что попросил Лоулера съездить на вашу квартиру и проверить еще раз, не вернулась ли Саманта. Та маленькая новобрачная, что живет в квартире напротив моей, сказала, что слышала, как две женщины спускались по лестнице сразу после того, как я забрал вашу одежду. Говорит, они разговаривали и смеялись, выходя из дома. Она не выглядывала, чтобы узнать, кто это. Просто слышала, как отъехала машина.

— Боже мой! — произнес Джон Томас. — Ну почему она поехала с ней? Что могло заставить ее выйти с почти незнакомой женщиной и даже не оставить мне записки?

Монти пожал плечами.

— Может, старина Бандит скажет нам то, чего мы пока не знаем.

Шериф кивнул и отстегнул поводок с ошейника пса.

Затем поднес туфли Саманты к носу Бандита, чтобы тот мог уловить запах, и приказал.

— Ищи, малыш! Ищи! Найди Сэм, Бандит! Найди Сэм!

Пес завизжал, повертел своей крупной головой, нюхая воздух, после чего его нос инстинктивно уткнулся в землю. Мужчины следили за тем, как Бандит сделал два круга по двору, все сужая и сужая траекторию, пока не подбежал к открытой двери старого черного грузовичка. Вспрыгнув на сиденье, он начал лаять.

— Господи! — охнул Джон Томас и бросил туфли обратно в машину.

— Значит ли это, что я догадался правильно? — спросил Монти.

— Сэм была в этой машине. В способностях своей собаки я не сомневаюсь. Вопрос в том, где Клаудия оставила Саманту, прежде чем покинуть город? И где, черт возьми, Клаудия сейчас?

Решение пришло к нему быстро.

— Монти, иди в кафе и раздобудь у Мэрили всю информацию, которую она имеет о Клаудии. Черт, я даже не знаю ее фамилии.

Трясущейся рукой он вытер лицо, вспомнив о прошлой ночи и о том, как Саманта свернулась калачиком, прижавшись к нему. Боже праведный, он не может потерять ее! Нет, только не тогда, когда он вновь обрел любовь всей своей жизни.

Монти пошел в кафе, а Джон Томас посадил Бандита на заднее сиденье машины рядом с туфлями Саманты. Однако помощник выскочил из дверей слышком быстро, чтобы принести хорошие новости.

— Она сказала, что ее фамилия Смит. Клаудия Смит. А Мэрили ничего больше и не требовалось, потому что она не собиралась делать социальные отчисления и все такое прочее. Клаудия была всего лишь временной заменой. В общем-то ей просто помогли. Так что у нас на нее практически ничего нет. Можно сказать, совсем ничего.

— Отчего-то я не удивлен, — бросил Джон Томас. — Давай возвращаться в участок. Надо составить словесный портрет Клаудии Смит.

— А как насчет Саманты? — спросил Монти.

Джон Томас ответил, не в силах поднять глаза на своего помощника:

— Мы должны найти ее, вот и все. Я обещал ей, чтоб меня... Я обещал, что позабочусь о ней. Я даже клялся и...

Монти отвел глаза, когда голос шерифа дрогнул. Он чувствовал, как тому больно. И еще он знал, что говорить сейчас невозможно. Слова придут позже, когда на место печали придет гнев. Так мужчины борются с отчаянием.

Джон Томас загнал вглубь страх, который, он боялся, вот-вот переполнит его. Ему некогда было паниковать. Он должен найти Саманту Карлайл, он должен найти ее прямо сейчас.

Почему-то, сам не зная как, Джонни чувствовал, что она еще жива. Если бы было по-другому, он бы понял это. В этом он был уверен.

Глава 13

Мили между Раском и Нью-Саммерфилдом пролетели быстро, так как Клаудия выжимала из старого черного пикапа все, что можно. Чем дальше они уезжали, тем лучше чувствовала себя Саманта. Ей казалось, что, оставив за спиной маленький городишко, она оставила там и свои беды. Она не могла припомнить, когда последний раз чувствовала себя так легко и свободно.

К тому же, несмотря на ее неверие в силы старого пикапа, отсутствие у того глушителя и кондиционера, грузовичок тянул довольно сносно. Шумный выхлоп заглушался ветром, врывавшимся в боковые окна. С порывами ветра в глаза попадала пыль, и косу Саманты непрестанно трепало, но это была не очень большая цена за обретенную свободу.

Когда пикап въехал в городскую черту Коттона, Клаудия была вынуждена снизить скорость. Саманта наклонилась и показала рукой в окно с водительской стороны.

— Смотри, Клаудия. Видишь третий дом слева впереди?

Клаудия взглянула в том направлении, куда показала Саманта, а девушка тем временем пояснила:

— Я в нем выросла. — Она улыбнулась воспоминаниям. — Я обычно сбегала через заднюю дверь, когда хотела встретиться с Джонни. Он был моим лучшим другом.

Усмешка Клаудии стала еще шире, глаза блестели от сдерживаемого возбуждения.

— Сейчас он больше чем друг, не так ли?

Саманта зарделась, но отрицать очевидное было глупо. Заметив на улице знакомое лицо, она взмахнула рукой, но в этот момент пикап резко дернулся в сторону, и она очутилась на полу.

— Прости, — произнесла Клаудия, сильнее нажимая на педаль газа. — Я чуть не задавила собаку. — Она бросила холодный взгляд через плечо в окно, прежде чем вновь сосредоточить внимание на дороге. Уголком глаза женщина наблюдала за тем, как ее пассажирка пытается вскарабкаться обратно на сиденье. — С тобой все в порядке?

Саманта натянуто улыбнулась, чувствуя, что сердце постепенно начинает биться в обычном ритме. Шок от удара о переднюю панель и падения на пол оказался слишком сильным, чтобы пройти быстро. На секунду ей показалось, что они сейчас разобьются.

— Думаю, да, — ответила Саманта и отряхнула джинсы на коленях. — Но здесь весьма пригодились бы ремни безопасности.

Клаудия рассмеялась и похлопала ладонью по рулю.

— Эта малышка была изготовлена задолго до того, как начали устанавливать все эти штучки для безопасности. Наверное, примерно тогда, когда ты пришла в этот мир и начала цепляться за свою драгоценную жизнь.

Саманта вздохнула и попыталась улыбнуться.

— Я и впрямь старалась уцепиться.

— За свою драгоценную жизнь?

Саманта вздрогнула. Вопрос выплыл словно ниоткуда, но, взглянув на женщину за рулем, она сказала самой себе, что просто вообразила, будто за словами той скрывается угроза.

Так они и продолжали ехать.

Клаудия безостановочно болтала, что вполне устраивало Саманту. Она уже поняла, что для поддержания разговора нужно всего лишь кивать время от времени да улыбаться.

Все ее внимание было приковано к пышной придорожной зелени, деревьям, густыми рядами выстроившимся вдоль дороги. Но ее задумчивость сразу улетучилась, когда она поняла, что Клаудия притормаживает.

— Что случилось? — спросила Саманта.

Клаудия усмехнулась.

— Мне нужно отойти за кустик, — сказала она и заерзала на сиденье, изображая нетерпение. Ее розовые шорты и рубашка были мятыми и пыльными и прилипали к потному телу, но Клаудия, казалось, не обращала на это внимания.

— Конечно, надо было остановиться на заправке в Коттоне, но мне казалось, что я смогу дотерпеть до Нью-Саммерфилда.

— Ты хочешь сказать, что...

— Мне надо отлить, — грубо сказала Клаудия. — Но я не собираюсь останавливаться на обочине и выставлять свою задницу на всеобщее обозрение. — Она засмеялась, изогнув брови. — Я очень щепетильна насчет того, кому показывать свои прелести, если ты понимаешь, о чем я.

Ее смех оказался таким заразительным, что, какое бы замечание ни готово было сорваться у Саманты с языка, оно улетело в окно вместе с ветром и хихиканьем Клаудии.

— Вон, посмотри! Там дорога. — Клаудия показала на узкий съезд прямо перед ними. — Я проеду чуть подальше, в глубь пастбища, чтобы нас не было видно с шоссе. Потом сделаю свое дело, и мы в один момент окажемся снова на пути к магазину.

Саманта пожала плечами.

— О'кей. Но только следи за тем, куда едешь. А то застрянем здесь, а за помощью добираться далеко.

— А то я не знаю, — бросила Клаудия и повернула машину, не снижая скорости, едва заметным движением кисти.

Колеса глухо ударились о старую заросшую колею. Машину подбросило на ухабе. В этот момент Клаудия нажала на газ. Колеса завертелись по густой зеленой траве обочины и внезапно, вновь гулко ухнув, снова попали в колею.

Саманта одной рукой схватилась за сиденье, а другой уперлась в крышу пикапа, чтобы не удариться головой.

— Держись! — прокричала Клаудия и хохотнула, когда из-под колес выпрыгнул заяц, пытаясь убраться с дороги, и помчался прочь, суматошно прядая своими длинными ослиными ушами, словно пушистыми антеннами. Затем Клаудия рассмеялась, глядя уже на Саманту: уж очень та была испугана тем, что заяц чуть не попал им под колеса.

Шоссе быстро скрылось из виду, так как дорога обогнула небольшой, похожий на кнопку холм, и запетляла дальше, к тому, что когда-то было человеческим жильем. От дома почти ничего не осталось, кроме прогалины между деревьями, остатков забора да полуразрушенных ворот, чьи створки висели, кажется, только по привычке. Все вокруг по колено заросло травой. Рядом с полуразрушенным дымоходом стояло когда-то величественное дерево, теперь почерневшее, без листьев; его костлявые ветви давно оставили попытки предоставлять кров и тень.

Саманта вцепилась в раму открытого окна, чтобы удержаться на сиденье, когда пикап срезал разросшийся смородиновый куст. Она услышала, как твердые незрелые ягоды замолотили по днищу старого грузовика, который замедлил ход и остановился под голыми ветвями мертвого дерева.

— Это место подойдет, — сказала Клаудия.

Саманта закатила глаза, благодаря Бога за то, что они все еще целы. Она начала убирать волосы с лица, ожидая, что Клаудия сейчас выпрыгнет из машины.

Но этого не последовало. То, что произошло в следующий момент, оказалось таким же неожиданным, как и вся поездка по проселочной дороге.

Волосы Клаудии оказались у нее в руках.

Светлый курчавый парик, сама сущность Клаудии-официантки, теперь лежал на сиденье между ними. Без него яркий красный рот вдруг стал совершенно уместным на открывшемся лице. Темно-каштановые волосы, прямыми прядями спадавшие до плеч, обрамляли пару блестящих зеленых глаз, потемневших от ненависти. И тут Саманта разглядела револьвер.

— Я знаю тебя, — задохнулась она и чисто рефлекторно попыталась открыть дверь. Но бежать все равно было некуда.

Раздался выстрел, оглушительный от своей близости и внезапности.

— Конечно, знаешь. Еще бы, не узнать жену человека, которого ты убила!

Саманта была в шоке. Ее в конце концов нашли. Ненависть на лице этой женщины была неподдельной. Несмотря на все, что они с Джонни предпринимали, ее преследователь пришел, как обещал.

С дико бьющимся сердцем она попыталась отвести глаза от оружия, направленного ей в лицо.

— Выбирайся! — закричала женщина.

Стоило Саманте заколебаться, как новый выстрел прогремел прямо у нее над ухом. На этот раз пуля прошла гораздо ближе, чем первая, и у Сэм не осталось сомнений в том, какая судьба ее ждет, если она не подчинится.

Она открыла дверь и, споткнувшись, выбралась из кабины. И хотя она отчаянно пыталась совладать с собой, унять дрожь в ногах и попробовать выработать план действий, у нее ничего не получилось. Женщина и ее револьвер были совсем рядом и очень реальны.

— Иди вперед! — раздался приказ.

Саманта повиновалась, в то же время пытаясь уяснить себе смысл диких обвинений.

— Почему, Дезире? Почему я? Я ничего не сделала тебе или Донни. Я больше всех в агентстве переживала, когда услышала о его смерти. Я знаю, что потеря любимого человека — это трагедия. Но еще хуже, если теряешь его из-за наркотиков. Тебе надо...

— Заткнись! — завопила Дезире. — Ты даже не понимаешь, о чем говоришь. Донни Адонис был звездой. Он обладал всем тем, чего нет у тебя, и ты завидовала! Именно. Завидовала! Ты отобрала у него роль и отдала тому типу с телевидения, у которого уже лысину было видно.

Женщина рассмеялась хриплым, истеричным смехом.

— Роль Кейси Уайлдера была будто создана для Донни. Эта роль в новом фильме компании «Касл-Рок» вытащила бы его из того болота, в которое он попал. Но нет! Тебе захотелось поиграть в Господа Бога! Ты лишила Донни достоинства и веры в себя, когда отдала роль другому. И разочарование убило его!

Дрожа от удовлетворения, что наконец-то раскрыла свое инкогнито, Дезире повела револьвером перед лицом Саманты и глумливо ухмыльнулась.

— С кем ты трахалась, чтобы погубить жизнь Донни?

Грубое обвинение заставило Саманту вздрогнуть. Эта женщина была вне себя, просто невменяема. Она ждала, что револьвер, который Дезире держала в руке, в любую секунду может выстрелить. Но женщина, вместо того чтобы стрелять, вдруг начала плакать. Саманта взмолилась в надежде на спасение. «Если Дезире способна плакать, то, может быть, ее удастся убедить в моей непричастности к смерти Донни», — подумала она. Но надежда умерла так же быстро, как и появилась, когда Дезире вдавила дуло револьвера в щеку Саманты и начала выплевывать слова, захлебываясь от ненависти и брызгая слюной:

— Наверное, тебе это очень понравилось, сучка, и потому ты так сильно унизила Донни, что он покончил с собой. Слышишь ты меня? Он убил себя! А значит, будет гореть в аду, и я никогда не увижу своего возлюбленного снова.

Она шагнула еще ближе к Саманте, ярость в ее голосе уступила место сухому расчету, быстрый переход от одного к другому пугал сам по себе.

— Поэтому, видишь ли, ты умрешь. Я запланировала это заранее. Изменить голос по телефону было несложно. У меня полно друзей в разных местах, у которых есть необходимая аппаратура. Но подставить тебя оказалось самой хорошей идеей, тебе не кажется?

Она улыбнулась еще шире и начала объяснять:

— У меня есть друг — у меня вообще полно друзей. Один из них провел меня в кабинет, в котором ты работала. Я сказала, что пропало кольцо Донни и, кажется, он мог обронить его во время своего последнего прихода туда. Они разрешили мне искать, и искать, и искать. А когда я видела, что в кабинете никого нет, я печатала те письма, которые посылала потом тебе. Получилось просто идеально, правда? Таким образом полиция не стала помогать тебе искать меня, потому что они считали, что меня не существует.

Засмеявшись, женщина хлопнула себя револьвером по бедру. Саманта инстинктивно вздрогнула при звуке удара металла о живую плоть.

Так же внезапно спокойствие покинуло Дезире, вернувшуюся из прошлого в настоящее.

— Ты отняла жизнь у Донни, поэтому я отберу твою у тебя. Чтобы попасть в ад, точно так же как и он, ты тоже должна умереть.

Саманта споткнулась. Боже праведный! Эта женщина не в себе!

— Дезире, дай мне объяснить.

Глаза Саманты расширились от страха, она отчаянно пыталась сдержать дрожь в голосе. Она не должна показывать Дезире, как испугана, иначе та немедленно сорвется и произойдет непоправимое.

Женщина перед ней полностью преобразилась. Вместо легкомысленной, хихикающей официантки перед ней стояла напряженная, озлобленная фурия на грани сумасшествия. Ее глаза горели, дыхание было тяжелым и прерывистым, красный рот сжался в узкую кривую полоску. Она махнула револьвером в направлении Саманты и приказала.

— Заткнись и иди вперед!

Саманта сделала несколько шагов и снова обернулась, чувствуя, что Дезире знает, куда видет ее, и что, когда они туда доберутся, разговаривать будет поздно. Там она умрет.

— Ты должна выслушать меня, Дезире. Донни был наркоманом. Он пропустил два прослушивания, а когда наконец явился, то был в таком состоянии, что не мог даже прочесть текст. У меня не было выбора. Моя работа в том и состоит, чтобы подбирать надежных актеров для ролей. Донни был хорошим актером, но не умел держать себя в узде. Он всегда был слишком безалаберным.

Саманта набрала в легкие воздуха и тихо выдохнула. Она должна убедить эту женщину в своей невиновности, иначе будет поздно.

— Донни не совершал самоубийства, это был несчастный случай. Он принял слишком большую дозу. Вскрытие подтвердило это. Ведь это было во всех газетах. Ты должна помнить.

Дезире пошатнулась. Ее глаза закатились, и на секунду Саманте показалось, что та сейчас упадет в обморок. Она приподнялась на цыпочках, выжидая, когда появится шанс убежать, но этого шанса ей не дали.

Дезире глубоко вздохнула, расправила плечи и выкрикнула Саманте в лицо:

— Ты лгунья! Грязная лгунья! Заткнись! Заткнись навсегда!

Но Саманта продолжала, словно ее и не прерывали:

— Такое ведь случалось и раньше, правда, Дезире? Но в тот, последний раз он зашел слишком далеко и врачи просто не смогли спасти его. Это не его вина. И не твоя. И, клянусь Господом, не моя тоже. Донни был болен и просто не смог выздороветь.

— Нет! Он мертв, и все это из-за тебя! — снова выкрикнула Дезире.

Саманта даже не увидела, как это произошло.

Дезире нанесла удар. Ее нога взметнулась вверх и вперед, ударив Саманту точно в солнечное сплетение. В глазах взорвался ослепительный свет, воздух вышибло из легких. От удара девушка отшатнулась назад. Послышался громкий треск, и она почувствовала, что земля проваливается у нее под ногами, а затем поняла, что куда-то падает. Не в силах вздохнуть после удара, она даже не смогла закричать.

Прогнившие доски, скрывавшие старый колодец на заброшенной ферме, подались под ее весом. Падая, Саманта еще успела посмотреть наверх и подумать, что Клаудия-Дезире говорила истинную правду. Кажется, у нее действительно был черный пояс по карате. Удар это подтверждал.

Дезире закружилась в танце восторга, дрожа от напряжения и радостного возбуждения. Она сделала это! Саманты Карлайл нет! Внезапно ей захотелось увидеть собственными глазами, убедиться наверняка, что Саманта не сможет вернуться оттуда, куда она ее отправила.

Дезире перегнулась через край колодца и вгляделась в глубину темной узкой шахты, затем начала смеяться. Гладкое хорошенькое личико внизу теперь было все в грязи и крови. Тело, которое так любил шериф Найт, лежало скрюченное, неестественно вывернутое, полускрытое мелкой водой.

Так же внезапно, как возникло, возбуждение Дезире пропало. Она медленно выпрямилась и начала озираться вокруг, чтобы убедиться в последний раз: их никто не заметил. Опасный огонек зажегся в глазах, обшаривавших окрестности. Нет, это уединенное место было выбрано идеально.

Револьвер тяжело повис в безвольной руке женщины. Она опустила на оружие удивленные глаза, словно впервые почувствовала его тяжесть, и дважды сморгнула, выходя из оцепенения.

— Если бы он видел тебя сейчас, то вряд ли потащил бы сразу в кровать, — произнесла Дезире отрывистым лающим голосом и повела револьвером вниз, чтобы подчеркнуть свои слова.

Затем вдруг расставила ноги и нацелила оружие в жерло колодца. Ее палец дернулся на спусковом крючке, и все же она не выстрелила. Ей пришла в голову мысль: если Саманта умрет слишком быстро, ее мучения будут недостаточны. Донни страдал. Пусть пострадает и она.

— Нет, — словно продолжая разговор с самой собой, сказала Дезире. — Ты так просто не отделаешься, мисс Саманта Карлайл. Ты будешь умирать долго. И, лежа там внизу, в отчаянии, корчась от боли, зовя своего любимого и тщетно умоляя о пощаде, вспоминай, что ты сделала с моим Донни. Вот тогда ты по-настоящему пожалеешь о содеянном.

Женщина прикрыла отверстие парой досок, отвернулась и двинулась к грузовику.

Распахнув дверь, она наклонилась и, открыв свою сумочку, вытащила из нее записку, которую написала шерифу Саманта. Скомкав ее, Дезире бросила бумажку на землю и вдавила в грязь носком туфли. Удовлетворенная тем, что не берет с собой ничего принадлежавшего ее врагу, она вытащила из-за сиденья сумку и торопливо спрятала револьвер под одеждой. Сощурив глаза от слепящего солнца, она подняла светлый парик.

— Еще один, последний раз, — напомнила она себе, поправляя парик перед зеркальцем заднего вида, чтобы ни одна прядь ее рыжих волос не была видна из-под него.

Не оглянувшись на сцену преступления, Дезире Адонис завела грузовичок и поехала к шоссе. Полчаса спустя она уже стояла на автобусной остановке рядом с кафе Мэрили, ожидая междугородного автобуса до Далласа. В Далласе она села на самолет и вылетела в Лос-Анджелес.

Светлый курчавый парик и револьвер были оставлены ею в женской комнате далласского аэропорта за несколько минут до посадки. Никто, кроме Саманты Карлайл, не мог теперь связать Дезире Адонис из Калифорнии с Клаудией Смит из Техаса. Но мертвые говорить не умеют.

Сознание вернулось вместе с болью и растерянностью. Почему, подумала Саманта, она лежит вся мокрая и замерзшая, а ее кровать столь тверда и бугриста? Потянувшись, чтобы набросить одеяло на тело, она громко застонала, когда ее рука ткнулась в стену колодца. Холод пробрал ее до костей.

— Джонни... мне холодно, — пробормотала она. Но никто не пришел и не укрыл ее. Никто не унял боль. Она не могла понять, почему ноги никак не распрямляются и почему она не может просто скатиться с кровати, как сделала это сегодня утром.

Лишь после третьего болезненного вздоха она вспомнила Дезире Адонис и инстинктивно дернулась, пытаясь избежать удара, которого не увидела. Но было слишком поздно. Удар пришелся в цель, и она лежит в колодце.

— О Господи, — прошептала она. Реальность вернулась, и Сэм сразу почувствовала свое изломанное, дрожащее тело, когда попыталась приподняться. Стоило ей шевельнуться, как позвоночник пронзила резкая боль, отозвавшаяся даже в затылке. Непроизвольный вскрик заметался по колодцу, отражаясь странным эхом на своем пути вверх, на свободу.

С полными слез глазами, Саманта в ужасе зажала рот рукой. Что, если Дезире все еще рыщет где-нибудь поблизости? Крик мог выдать этой сумасшедшей, что Саманта все еще жива.

Она не могла знать, что Дезире Адонис давным-давно уехала. Она лишь чувствовала, что ей больно и она совсем одна — в таком одиночестве, в каком не была ни разу за свою жизнь.

— О Боже! — шептала она, в то время как слезы промывали дорожки сквозь грязь и кровь на ее лице. — Не дай мне умереть. Только не сейчас. Только не тогда, когда я снова нашла Джонни.

Она посмотрела вниз, на воду, в которой сидела, и вдруг испугалась, что она может оказаться здесь не одна. Беспокойство о том, что ее не найдут или что она умрет от голода, может оказаться излишним, если она свалилась в колодец со змеями. Смертельный яд водяной гадюки просто завершит то, что начала Дезире.

Долгие, полные боли минуты она сидела, прислушиваясь к звукам в воде и наверху. Убедившись наконец, что она одна в своей полузатопленной могиле, Сэм вздохнула с облегчением. Хотя бы за такую малость стоило быть благодарной Господу.

Она помолилась, глубоко вздохнула и вновь попыталась встать на ноги, на этот раз гораздо медленнее и осторожнее. Слезы и пот смешались на ее лице, в то время как она пыталась пересилить боль, разраставшуюся в ноге.

— О Боже! — застонала она, почувствовав, что стены колодца закружились вокруг нее. Девушка опустила голову между руками, вцепившимися в стену, и прильнула к холодным камням, не замечая, что тоненькие усики корешков, выбивающихся между ними, щекочут ее кожу, словно бегающие по ней пауки.

— Думай о Джонни. Думай о Джонни. — Впившись пальцами в плотную кладку стены колодца, Сэм медленно и глубоко вздохнула, пытаясь придумать, как выбраться отсюда.

Где-то в глубине ее мозга забрезжила картина с каскадером, выбирающимся из расщелины в горах. Она закрыла глаза и попыталась сконцентрироваться на том, как именно он поднимал свое тело вверх.

— Дымоход, — пробормотала она. — Он называл расщелину дымоходом.

И тут же вспомнила, как скалолаз использовал свои руки, ноги и спину в качестве рычагов-распорок, упирающихся в узкие стены. Она даже вспомнила, как он пыхтел, с натугой передвигая свое тело вверх, всего по нескольку сантиметров за одно движение.

— Это должно сработать, — простонала она, припоминая, как далеко они с Дезире отъехали от шоссе и каким пустынным было это заброшенное место. — Я не хочу умереть в этом колодце.

Саманта подумала о записке, которую оставила Джонни, и у нее блеснул луч надежды, но тут же погас, когда она вспомнила, как Клаудия собирала мелочь, вывалившуюся из сумочки. Она внезапно с ужасом почувствовала, что каким-то образом Клаудии удалось уничтожить записку, а она этого на заметила. Вместе с запиской Клаудия уничтожила и ее жизнь.

— Боже, помоги мне, потому что Джонни не в силах этого сделать, — прошептала она и прижалась спиной к стене колодца. Спина была ободрана, но оказалась способной выдержать ее вес, когда Сэм начала свое карабканье вверх, к солнцу, манившему с высоты.

Пот выступил у нее на лбу, холодные капли побежали по ложбинке вдоль позвоночника. Едва начав свое восхождение, Саманта поняла, что пот был вызван не жарой, а болью.

При каждом движении ноги в колено словно впивались раскаленные иголки. Она посмотрела вниз, ожидая увидеть деревянные щепки, торчащие из ее джинсов. Джинсы были целы, но ногу словно охватило огнем.

Она вновь посмотрела вверх. Теперь выходное отверстие начало двигаться, а затем, будто в кошмаре, начали вращаться стены. Сэм протянула руки в тщетном усилии остановить это движение и упала обратно в воду.

Она зашлась в агонизирующем крике, цепляясь за остатки сознания, когда сгусток боли пронесся от ноги к позвоночнику. Боль разрасталась, а не утихала. Все вокруг закружилось быстрей и быстрей, и небытие обволокло Саманту.

Возможно, прошли минуты, часы, даже дни, когда она очнулась снова. Она не могла этого понять. Дневной свет еще проникал в колодец, но тени на стене стали короче, и она поняла, что этот или другой день, в зависимости от того, сколько она пролежала в беспамятстве, близится к закату. Приближалась ночь. А с нею страх. Беспричинный, невозможный страх.

— Помогите! Помогите! — закричала она, повторяя и повторяя свой призыв, пока у нее не пересохло в горле. — Кто-нибудь, вытащите меня отсюда! Я здесь!

Она взглянула вверх на исчезающие лучи света, не дыша от страха, что Дезире может вернуться. Когда она взяла себя в руки и смогла рассуждать более-менее логически, то пришла к выводу, что Дезире Адонис скорее всего давно покинула место своего преступления. Поняв это, она почувствовала, что ее охватывает ужас. Саманта поперхнулась всхлипом. Никто не сможет поведать миру, что произошло с ней.

Время шло.

Долгие часы Саманта кричала и звала на помощь, стоя на цыпочках в странном убеждении, что, хоть немного приблизившись к отверстию наверху, сможет быть лучше услышана. Но в глубине души она осознавала, что будет просто чудом, если ее кто-нибудь услышит.

Ноющее колено внезапно подломилось, и Сэм с громким отвратительным плеском шлепнулась в холодную мутную воду. С едва теплящейся надеждой в сердце и молитвой о спасении она опустила голову на колени и отдалась отчаянным рыданиям.

И пришла ночь.

Офис шерифа графства Чероки был охвачен лихорадочной активностью. Полицейские из двух соседних графств, так же как и пара техасских рейнджеров, направленных Уиллером Джо Тернером, изучали карты и намечали районы поисков. Муниципальные полицейские, так же как и все взрослые мужчины Коттона и Раска, толпились в маленьких помещениях и на прилегающих улицах.

Поскольку исчезновение Саманты Карлайл было официально признано похищением, к ним направлялась группа агентов ФБР, хотя Джон Томас знал, что требования о выкупе не поступит. Вспоминая о письмах с угрозами, что получала Саманта в Лос-Анджелесе, он делал безусловный вывод: чего бы ни хотел преследователь от Саманты, но уж точно не денег.

Местные жители рвались в бой: какой-то паршивец из Калифорнии похитил женщину прямо у них из-под носа, и это им не нравилось. Были организованы поисковые группы. Землевладельцы предлагали провести поисковиков по своим землям в надежде обнаружить пропавшую женщину.

На всех дорогах в трех графствах, примыкающих к графству Чероки, были выставлены блокпосты. Все силы были брошены на задержание Клаудии Смит, которая, они надеялись, приведет их к Саманте.

Но деловой гул в главном зале не успокаивал Джона Томаса. Он нарушил обещание, данное единственной любимой им женщине, не сумел охранить ее покой.

Сузив глаза, он склонился над столом, бессмысленно глядя на карту. «Бог да поможет Клаудии Смит, если я доберусь до нее».

Кэрол Энн крикнула из соседней комнаты:

— Шериф, Пит Мюллер на первой линии!

Джон Томас поднял трубку и мысленно отгородился от шума за стенами его кабинета.

— Шериф Найт.

— Эй, Джон Томас. Помнишь того парня из Калифорнии, что застрял здесь? Ну того, у которого «ягуар»? Я подумал, что тебе будет интересно узнать. Он умчался сегодня из города около полудня.

— Черт его побери. Я же предупредил, чтобы он сообщил мне, если соберется уезжать, — проворчал Джон Томас. — Он был готов смыться, едва попав сюда.

— Ты не понял. Машина была готова два дня назад и ждала его начиная с позавчера.

— А он уехал только сегодня? — удивился Джон Томас.

Это было странно. Человек, которого они с Монти допрашивали, горел нетерпением выбраться отсюда как можно скорее. Тогда почему, когда его машину уже починили, он вдруг решил остаться? Неужели у Клаудии Смит был сообщник? Неужто они неправильно оценили ситуацию?

— Спасибо за информацию, Пит. Возможно, в ней что-то есть.

— Не за что, дружище. — Пит повесил трубку.

Джон Томас гаркнул сквозь гул:

— Эй, Монти!

Монти подпрыгнул за своим столом и, лавируя между полицейскими и добровольцами, направился к столу шерифа.

— Что случилось, босс? — поинтересовался он.

— Дай Кэрол Энн данные на этого Аарона Рубина. Помоги ей составить его словесный портрет и описание «ягуара». Он покинул город. Я хочу быть уверен, что он уехал один.

— Слушаюсь, сэр, — отчеканил Монти и двинулся к столу диспетчера.

Меньше чем через час полицейский участок опустел, остались только Кэрол Энн и Делмар. Оба диспетчера вызвались дежурить круглосуточно, пока не найдется Саманта.

С треском и щелканьем ожили рации, по мере того как одна за другой поисковые группы докладывали о прибытии к местам начала поисков. И после этого, если не считать коротких промежуточных сообщений, в радиоэфире установилась тишина. Поиски начались.

В глухих местах добровольцы использовали джипы или пробирались сквозь чащу на лошадях. Где было можно, шли пешком, осматривая каждую щель и каждую ямку, каждую лужу, каждую расщелину в поисках следов недавнего пребывания там людей. Каждый раз, когда ищущие натыкались на место, где земля или трава казалась потревоженной человеком, они как один замирали, надеясь, что не им придется обнаружить бездыханное тело подруги шерифа.

Дневной свет почти совсем исчез, но они этого не замечали, пока не поняли, что приходится сильнее вглядываться в тени, которых не было раньше, и при движении цепью труднее становится различить идущего рядом.

Еще через час стало ясно, что необходимо прервать поиски. Группы спасателей были бессильны продолжать работу в темноте. Им пришлось прекратить поиск и, разбив лагерь, ждать до рассвета.

Джон Томас стоял у костра и смотрел, как оранжево-желтые языки пламени лижут дрова. У него щемило сердце. Он мог думать только о том, что отдал бы год своей жизни за возможность начать этот день сначала.

Она была в безопасности, пока ему не позвонили насчет тех угонщиков скота. После этого все смешалось, мысли путались, набегая друг на друга, пока он не почувствовал, что сейчас сойдет с ума. Он понимал, что этим Саманту не вернешь. Нужно сосредоточиться.

Но память упрямо возвращала его к тому, что он ей обещал. Провалиться его душе в преисподнюю! Он клялся умереть ради нее. Но не смог ничего сделать. Жизнь без Саманты потеряла смысл.

Некоторые из местных жителей ушли домой, пообещав вернуться утром, другие решили остаться на месте, где прервали поиски, желая побыстрее приступить к делу, когда снова взойдет солнце.

Отвергнув поочередно предложение перекусить, выпить кофе, поболтать, Джон Томас расстелил походный матрас в отдалении от всех остальных. Сидя на нем, он попытался восстановить в памяти все, что случилось с того момента, как он понял, что Саманта исчезла, до нынешней минуты. Но сколько бы он ни прокручивал эти мысли в голове, единственным указателем на то, где находится Сэм, оставался пучок травы, который он вытащил из-под старого черного пикапа Мэрили.

Как ни силился, шериф не мог найти ни одной характерной особенности в этом пучке, даже в той же ветке смородины, исколовшей его руки.

Беспокойно ворочаясь на матрасе, он думал: где, в каком состоянии пытается сейчас уснуть Саманта?

«Господи, не дай мне найти ее слишком поздно!»

В желудке у него заурчало. Но даже мысль о еде вызывала тошноту. Ему не нужна еда. Все, что ему нужно, — это Сэм.

Когда Джонни закрыл глаза, перед ним вновь всплыл пук травы и листьев, который он вытащил из-под того старого черного пикапа.

Ответ должен быть где-то в этой засохшей траве. Он был там, его просто не могло там не быть.

Инстинкт подтолкнул шерифа обратно к машине. Ему вдруг захотелось еще раз взглянуть на это вещественное доказательство. Лампочка багажника светила тускло, но давала достаточно света, чтобы он мог убедиться: трава и стебли лежат там, куда он их бросил.

— Что это ты рассматриваешь? — спросил один из пожилых жителей Коттона, проходя мимо, затем заглянул в багажник и попытался вызвать улыбку на лице шерифа, пошутив:

— Нашел плантацию марихуаны? — И тихонько засмеялся собственной шутке.

Джон Томас вздохнул и отступил от машины.

— Нет, просто пучок травы и всяких других растений, который я вытащил из-под старого грузовичка Мэрили.

Он бросил зелень в багажник и начал было закрывать крышку.

— Вижу, что вместе с травой ты заполучил и веточку ежевики, — сказал старик.

Джон Томас замер. Ежевики? Он думал, что это черная смородина. В этом была небольшая, но разница. Может, это и есть подсказка, ускользавшая от него раньше?

— Как правило, ежевика не растет в диком виде, как черная смородина, это так? — спросил он.

— Да. — Старик почесал голову и облокотился на машину, готовясь вспоминать прошлое. — Когда я был пацаном, у моей матери был огромный огород, где она выращивала овощи и ягоды на продажу. Там были два самых длинных ряда ежевики, которые ты когда-нибудь видел. Мы с младшим братом рвали эти ягоды круглый год. На пальцах, конечно, оставались следы, но мамины муссы были очень полезны для желудка.

Он потрепал шерифа по спине и побрел прочь, увидев, что того мало интересуют его рассказы.

Пульс Джона Томаса стучал громко и часто, мысли вихрем мчались в голове. Что конкретно это могло значить для его расследования? Фермы, выращивавшие ежевику на продажу, были разбросаны по всему Восточному Техасу. Но он не думал, что Клаудия отвезла Саманту на одну из них. Там всегда многолюдно. Единственное, что приходило на ум, — это заброшенная ферма и разросшиеся заросли ежевики, когда-то бывшие огородом.

Вслед за этой мыслью пришла другая. В большинстве заброшенных поселений можно было найти кусты и заросли, когда-то бывшие ухоженными садовыми растениями. Но на скольких фермах росла ежевика?

— Эй, Бад!

Старик остановился и обернулся.

— Ты, случайно, не знаешь, где в округе растет одичавшая ежевика?

Старик подумал и покачал головой.

— Я-то нет, а вот твой помощник Майк Лоулер может знать. Он же заядлый охотник. Он истоптал почти каждый квадратный сантиметр Восточного Техаса.

Джон Томас с грохотом захлопнул багажник. Лоулер был в другой поисковой партии, но ему вдруг нестерпимо захотелось увидеться со своим помощником.

— Скажи людям, что я скоро вернусь, — сказал Джон Томас подошедшему Монти.

Монти лишь раз взглянул на пустое выражение на бледном лице своего босса, затем взобрался на сиденье рядом с ним и начал застегивать ремень безопасности.

— Что это ты делаешь? — спросил Джон Томас.

— Еду с вами.

Шериф не стал возражать.

Спустя примерно полчаса он уже вел серьезный разговор с Майком Лоулером, склонясь над картой района, на которой Майк показывал места своих охотничьих экспедиций, совершенных за последние двадцать лет.

Несколько часов спустя Джон Томас притормозил у своего дома. Из-под крыльца выскочил Бандит, виляя хвостом и потявкивая от радости.

— Что нам здесь надо? — поинтересовался Монти.

— Немного поспим, а когда рассветет, захватим с собой собаку. У меня появилась одна идея. Она может сработать, а может и нет. Но в моем положении нельзя упускать ничего, даже подсознательных догадок.

Монти кивнул.

— Я лягу на кушетке.

— Если хочешь, можешь лечь на любую кровать, — грубовато предложил Джон Томас. — Я не могу спать ни на одной из них без... — Он с трудом сглотнул, не в силах закончить фразу.

— Мы найдем ее, шериф, — сказал Монти. — Вам нельзя терять надежду.

«Ты не понимаешь, мальчик, — подумал Джон Томас. — Надежда — это все, что у меня осталось».

Незаметно, пока Сэм не смотрела наверх, пришла ночь, принеся в глубокую шахту колодца пугающую кромешную тьму. Несмотря на мрак, прорезаемый лишь мерцающим светом звезд над головой, она чувствовала, что больна. Только лихорадка порождает галлюцинации блестящего света, которые начали мерещиться ей.

Она потерла колено и поморщилась, когда оно подалось под ее рукой, горячее на ощупь даже сквозь джинсы. Саманта едва сознавала реальность, впадая в забытье с пугающей периодичностью. Но каждый раз, приходя в себя, девушка понимала, что ее состояние ухудшается. Дважды ей казалось, что она слышит голос Джона Томаса. Каждый раз она кричала до хрипоты, но он не отвечал.

Понимание того, что ей видятся вещи и люди, которых нет на самом деле, испугало ее больше, чем сама нора, в которой она сидела. С каждой минутой Сэм ощущала себя все более больной, трясущейся и слабой.

Поднялся ветер, зашумевший в длинной траве наверху, отчего Сэм начало казаться, что что-то или кто-то находится рядом. Но каждый раз, когда она звала, ответом ей была тишина.

Горло Саманты саднило от постоянных криков, губы высохли и опухли, растрескавшись то ли от удара о землю, то ли от жажды.

Отчаявшись, она шлепнула ладонями по жиже, в которой сидела, и простонала:

— Что за идиотизм! Я умираю от жажды, находясь по колено в воде, от одного запаха которой меня тошнит!

Густая омерзительная субстанция, бывшая когда-то водой, видно, копилась здесь годами. Но Саманта давно уже перестала бояться, что кто-то или что-то составляет ей компанию. Даже змея не протянула бы долго в этом склепе. От этой мысли девушка вновь громко, страшно зарыдала; звуки, вырывавшиеся из горла, вскоре перешли в душераздирающий крик.

Даже змея не выживет.

Маленькое узкое облачко скользнуло по серпу месяца, ненадолго скрыв слабый лунный свет. Саманта вздрогнула, закрыла глаза и уронила лицо в ладони.

Через мгновение ее несчастья остались позади, так как она снова провалилась в мир галлюцинаций. Это спасло ее рассудок.

Ей виделось лицо матери, слышался голос мальчишки из детства, зовущий ее поторопиться, затем она почувствовала его руки, обнимающие ее, гладящие лицо... тело... как тогда, когда они занимались любовью.

Она шевельнулась в воде, пытаясь поудобнее устроить ноющую ногу и избавиться от пульсирующей боли за закрытыми веками, но это не помогло. Боль, вцепившаяся в тело, все росла, увлекая ее в благословенное лихорадочное забытье. Ночь прошла, и наступило утро, но Саманта этого не заметила. Она была без сознания.

Дезире Адонис вставила ключ в замок и повернула, улыбнувшись про себя громкому щелчку. Дверь открылась. Она сморщила нос. В квартире стоял затхлый запах, но она быстро избавится от него. Она снова дома — навсегда! Дезире повернула налево, захлопнув за собой дверь.

Бросив сумку на диван в груду беспорядочно валяющихся подушек, словно она только что вернулась из гимнастического зала, Дезире прошла на внутреннюю веранду, выходившую к бассейну. Дежурная лампа отражалась в воде, блестящие зайчики дрожали и ломались на слегка колышущейся поверхности. Женщина облокотилась о перила и, глядя в затемненный угол бассейна, представила Саманту Карлайл в глубине колодца. Посмотрев вверх на звезды, она глубоко вздохнула и пошла обратно в дом, едва заметно улыбаясь.

Эта квартира была зарегистрирована на девичье имя Дезире. Иначе ее, как и остальное имущество, отобрали бы суды после смерти Донни. Но это не имело значения. До сегодняшнего дня деньги заботили ее меньше всего.

Дезире прошла в спальню. Не включая свет, она сбросила одежду и мысленно отметила, что нужно будет выбросить ее вместе с остальным мусором, накопившимся в квартире. Ей не нужны напоминания о совершенных деяниях. Достаточно внутреннего удовлетворения. Наслаждаясь прохладой воздуха, овевавшего ее обнаженное тело, Дезире не торопясь прошла в ванную, зашла в душ и повернула краны.

Вода брызнула сначала рывками, перемежаясь с воздушными пробками, образовавшимися в долго не работавших трубах, а затем полилась свежими и чистыми струями на ее лицо, волосы, кожу. Она сделала то, что хотела. Женщина, погубившая ее жизнь, была мертва. Или скоро будет. В этом Дезире была уверена. Теперь наступило время позаботиться о собственной жизни.

Эта мысль испугала ее. Что у нее осталось? Вся ее жизнь была заполнена Донни. После его смерти смыслом жизни стала месть. Сейчас, когда месть совершена, она поняла, что не знает, как жить дальше. Дезире вдруг почувствовала себя потерянной и опустошенной.

Страх погасил лихорадку возбуждения, которой она была охвачена на пути из Техаса в Калифорнию; ощущение успеха, переполнявшее ее, начало уступать место другим, глубинным чувствам. Она оперлась руками о стену, подставив лицо струям льющейся воды.

Внезапно она начала смеяться. Громкие, отрывистые взрывы истеричного хохота перемежались полузадушенными всхлипами. Дезире упала на колени и закрыла лицо ладонями, затем резко оторвала их от лица, когда воспоминания о том, что она сделала, переполнили ее.

Не выключив воду, она выскочила из душа и бросилась на кровать, не обращая внимания на то, что оставляет мокрые пятна на атласном покрывале.

— Смерть пришла к ней. Смерть пришла к ней, — пробормотала она и, перевернувшись на спину, слепо уставилась в потолок над кроватью, изрезанный тенями.

***

Поздним утром следующего дня Дезире сидела у трельяжа, нанося косметику на лицо перед выходом в город. Она сощурила глаза, наложив слой темно-розовой помады на верхнюю губу, затем, облизнув мизинец, провела им по краю полоски, подправляя очертания рта. Несколько минут спустя, завершив макияж, она уже надевала скромное, но модное летнее платье черного цвета. Как бы там ни было, а она все еще была в трауре.

Глава 14

Солнце едва успело подняться из-за горизонта, когда во двор перед домом Джона Томаса въехала машина. Залаял Бандит, но второе предупреждение было излишним, так как Джонни уже услышал шум двигателя.

Он провел ночь без сна, вновь перечитывая письма, полученные Самантой от сталкера. Он искал намек, след, который они, возможно, упустили раньше. Обнаружить ничего не удалось, и мысль о том, что, когда он найдет Саманту, может оказаться слишком поздно, осталась с ним.

— Кто-то приехал, — сказал Монти, выходя из ванной с полотенцем в руках.

— Я слышал, — ответил Джон Томас. — Свежий кофе на кухне. Если хочешь, выпей. Я уезжаю через пять минут.

Монти поспешил выполнять приказ, в то время как шериф вышел встретить гостей.

— Шериф Найт?

Маленький щеголеватый мужчина в строгом синем костюме с профессиональной улыбкой на лице протянул руку.

— Я инспектор Уильямс из ФБР. Извините, что мы не смогли прибыть раньше. Насколько я понимаю, вещественные доказательства, те письма, что посылал похититель, находятся в вашем распоряжении и поиски уже развернуты. Может, посвятите меня в детали? После того как я ознакомлюсь с фактами, возможно, потребуется некоторая реорганизация действий.

Ни холодное, высокомерное выражение на лице собеседника, ни тот факт, что он предлагал изменить планы в разгар операции, не вывели Джона Томаса из равновесия. У него не было времени на честолюбивое выяснение отношений по поводу того, кто кем командует. Все его мысли были сосредоточены на прошедшей ночи, на том, что Саманта была где-то там, в темноте... в одиночестве... Может быть, страдая от боли.

— Я не думаю, что это похищение, — коротко бросил Джон Томас. — Кто-то преследовал Саманту Карлайл в Калифорнии, как охотник выслеживает дичь. Мы полагаем, что это женщина, известная нам под именем Клаудия Смит, которая последовала за нами, когда я перевез Саманту сюда. И стоило мне повернуться спиной, как она утащила ее у меня из-под носа, — закончил Джон Томас голосом, полным ярости. — Требования о выкупе не поступало, и не думаю, что поступит.

Прежде чем инспектор сумел ответить на его сообщение, Джон Томас закричал:

— Монти! Принеси мне письма Сэм! Быстро!

Мгновением позже Монти выскочил из двери, прижимая письма к груди, ошарашенно вглядываясь расширившимися глазами в то, что происходило во дворе.

Джон Томас почти бросил письма в лицо агенту ФБР, свистнул Бандита и пошел прочь.

За годы службы в Бюро инспектор Уильямс встречался с недоверием, неприятием, даже отвращением со стороны полицейских на местах. Те часто считали, что он мешает им проводить расследование. А сейчас он впервые столкнулся с тем, что его требования были приняты без единого слова протеста. Но, хотя он держал в руках, казалось, единственные вещественные доказательства, у него было твердое ощущение, что от него просто отмахнулись. Еще никогда его не игнорировали так запросто. Ему это не понравилось.

— Стойте! — приказал он, видя, что Джон Томас отстегивает поводок от ошейника Бандита и сажает того на заднее сиденье патрульной машины. — Куда это вы собрались? Мы еще не провели совещание. Я хочу обсудить...

— У меня есть помощник, Майк Лоулер. Найдите его. Он с вами поговорит.

— Куда вы едете? — спросил Уильямс.

— Искать Саманту Карлайл, — ответил Джон Томас. По его мнению, говорить больше было не о чем.

Монти запрыгнул в машину, успев захлопнуть дверь за секунду до того, как та рванулась с места. Джон Томас выехал задним ходом со двора, оставив инспектора стоять с озадаченным лицом в его костюме-тройке. Все, что тот мог сделать, — это держать брошенные ему письма и громко клясть независимость техасцев.

Они проехали пару миль, и тут ожила автомобильная рация. Через ранний утренний воздух донесся голос Кэрол Энн. Монти, отметив рассеянное выражение на лице босса, ответил сам. Однако сообщение диспетчера они оба прослушали с одинаковым вниманием.

— Утром поступил звонок шерифу Найту. Ему следует увидеться с женщиной, живущей по адресу: Сансет, 1222, Коттон. Она сказала, что, возможно, обладает информацией, интересующей вас. Да, словесный портрет водителя «ягуара», который мы разослали вчера вечером, оказался пустышкой. Его остановили на границе штата, с нашей стороны от Далласа. Пассажирка, с которой он ехал, оказалась не Клаудией Смит, а всего лишь горничной, убиравшей комнаты в мотеле «Техас Пиг».

Монти ухмыльнулся и прошептал в сторону шерифа так, чтобы его слова не попали в эфир:

— Теперь мы знаем, почему Рубин провел лишний день в Коттоне. Видимо, ему начали нравиться местные виды. — А в микрофон сказал: — Вас понял. Мы направляемся в Коттон. Конец связи.

Джон Томас включил мигалку и сирену и развернул машину на шоссе. Возвращение в Коттон вместо присоединения к поисковой группе, которую он покинул вчера вечером, было меньшим из двух зол.

Они с Лоулером обсуждали расположение ежевичных зарослей и охотничьих угодий, пока у него не начала разламываться голова. Единственный вывод, к которому они пришли, состоял в том, что надо брать Бандита и начинать обследовать ферму за фермой в тех заброшенных местах, где, как помнил Майк Лоулер, он видел ежевику. К несчастью, шансы на успех были невелики. Майк Лоулер сказал, что таких мест в округе довольно много.

Завывающая сирена заставила идущий впереди автомобиль прижаться к обочине, уступая дорогу. Теперь ему нужно было только чудо. Может быть, та дама в Коттоне сообщит хорошие новости. Любая информация лучше, чем ничего.

— С кем мы собираемся встретиться, босс? — спросил Монти.

— Если я правильно запомнил адрес, это жена баптистского священника. Надеюсь, она скажет больше, чем то, что они молились вчера вечером о пропавшей женщине.

Монти кивнул и на всякий случай еще раз проверил, хорошо ли пристегнут ремень безопасности. Пейзаж за окном слился в сплошную зеленую ленту.

— Если бы я не пошла на молельное собрание вчера вечером, я бы не узнала того, что заставило меня позвонить вам, — произнесла Аманда Пруитт, жестом приглашая шерифа и его помощника опуститься в кресла в своей гостиной.

— Да, мэм, — отозвался Джон Томас, зная, что заставить Аманду Пруитт говорить о деле будет весьма непросто. — Насчет вашего звонка. Можете вы сообщить нам что-нибудь об исчезновении Саманты Карлайл? — Он затаил дыхание, надеясь, несмотря ни на что, услышать что-нибудь дельное. Аманда его не разочаровала.

— Не хотите ли попробовать кофейный торт? Я только что вынула его из духовки. Преподобный отец просто без ума от моего кофейного торта.

Джон Томас качнул головой, заметив тоскливую мину на лице Монти, когда женщина внесла в комнату торт и поставила его сбоку на тумбочку на недоступном расстоянии от них.

— Вернемся к вашим новостям. — Джон Томас был настойчив.

Аманда Пруитт кивнула, возвращаясь в свое кресло.

— Как я говорила, пока я не пошла в церковь, я и знать не знала ничего о старом черном грузовике-пикапе.

«Пожалуйста, пусть это хоть что-то значит!» — взмолился Джон Томас и зажал кулаки между коленями, чтобы на поддаться соблазну попросту вытрясти из нее информацию.

— Герман Симмонс... Вы знаете Германа, его старший сын одного с вами возраста, так ведь, шериф?

Джон Томас кивнул и стиснул зубы, думая, что она никогда не доберется до сути.

— Как бы там ни было, Герман сказал мне, что полиция считает: тот, кто увез ее, мог ездить на старом черном пикапе, это так?

— Да, мэм, — ответил Джон Томас. — Мы так думаем. Пожалуйста, миссис Пруитт, почему бы вам не сказать мне: вы видели Саманту?

— Ну, когда я стояла в саду, поливая бегонии, я увидела старый черный грузовичок, проезжавший мимо. Это было примерно в десять — пол-одиннадцатого утра.

Сердце Джона Томаса подпрыгнуло. Время совпадало.

— И еще, — продолжала она, — я увидела блондинку за рулем. Я запомнила ее, потому что она издавала страшный шум. — Аманда Пруитт хихикнула. — Я имею в виду машину, не женщину. У нее не было глушителя, понимаете? А ведь законом запрещено ездить без глушителя, не так ли, шериф?

— Да, мэм, это так, — произнес он. — Так вы сказали — женщина за рулем была блондинкой? Она была одна?

— Нет, не одна. Но пассажира я рассмотреть почти не успела. Он буквально промелькнул у меня перед глазами, и все. Я знаю только, что у него были темные волосы. Это я могу сказать точно.

У Джона Томаса упало сердце. Он! Ему бы хотелось услышать совершенно другое.

— Вы уверены, что это был мужчина? — спросил он.

Она прищурила глаза и задумалась.

— Ну, у них были опущены стекла. Водительница была вся в кудряшках. Их трепало на ветру. У второго волосы были стянуты назад. Не видно было, чтобы их трепало ветром.

Монти внезапно подпрыгнул в своем кресле.

— Шериф, помните, вчера утром вы послали меня за сменой одежды? Саманта тогда заплела волосы в косу. Длинную косу, до пояса. Издали любому может показаться, что волосы у нее короткие, совсем короткие, если не заметить косу.

С вновь пробудившейся надеждой Джон Томас продолжил расспросы.

— Миссис Пруитт, можете ли вы вспомнить еще хоть что-нибудь, что поможет нам? Хоть что-то. Пожалуйста, постарайтесь сосредоточиться. Это очень важно.

Она пожала плечами:

— Даже не знаю. Я бы не запомнила даже этого, если бы не видела эту машину дважды. Когда видишь одно и то же по нескольку раз, оно врезается в память, не так ли?

Ее утверждение чуть не выбросило Джона Томаса из кресла.

— Что вы имеете в виду, говоря «видела дважды»?!

— Нет, правда! — воскликнула Аманда Пруитт и испуганным жестом прижала руку к груди. — Грузовик проехал через Коттон, а менее чем полчаса спустя вернулся обратно. Одно я знаю точно: если пассажир не лежал на полу или что-то в этом роде, то, кроме водителя, там уже никого не было.

— Вы уверены? — Не в силах сдержать волнение, Джон Томас вскочил на ноги.

— Да, сэр. В таких случаях я не ошибаюсь. К тому же я все еще стояла в саду, поливая мои бегонии. Им требуется очень много воды в это время года, и я...

— Миссис Пруитт, мы крайне признательны за ваше сообщение, — прервал ее Джон Томас и бросился наружу. Монти бежал за ним по пятам.

— Пожалуйста, пожалуйста, — проговорила она, глядя, как они бегут по дорожке к полицейской машине. Она покачала головой и закрыла дверь, удовлетворенная тем, что исполнила свой гражданский долг.

— Что вы думаете? — спросил Монти, когда они выехали на северную дорогу из Коттона.

— Я думаю, нам просто повезло, — сказал Джон Томас. — Засекай время. Развалюха Мэрили больше восьмидесяти километров в час не выжимает. Если не увидим чего-нибудь раньше, скажи, когда пройдет десять минут.

— Вы правы! — воскликнул Монти. — Куда бы она ни отправилась с Самантой, ей нужно было остановиться, вытащить ее из машины, спрятать тело... — Его лицо побелело как полотно, когда до него дошло, что он только что сказал. — О Господи, босс, я не имел в виду...

— Не надо, — бросил Джон Томас. — Я сам передумал достаточно обо всем этом. — Его черты окаменели, глаза стали совсем темными, губы кривились, словно ощущая горечь слов, только что сорвавшихся с них. — Но этот вариант я сейчас не рассматриваю, пока нет. Почему-то мне кажется, что Сэм еще жива. Я не знаю, почему я так думаю. Может быть, это отторжение непоправимого, может быть, интуиция. Но я чувствую, что я знал бы, если бы ее не было в живых. Я не могу объяснить...

— И не надо, — тихо произнес Монти. — Я, возможно, лучше, чем кто-нибудь другой, понимаю вас.

— Итак, Клаудии нужно было определенное время, чтобы добраться туда, куда она отвезла

Сэм, и вернуться обратно тем же путем. Саманта сидела в грузовике, когда они проезжали Коттон, что говорит о том, что она еще не подозревала, с кем едет. Зная Сэм, уверен, что она не сдалась без боя.

— Я засек время, — сказал Монти. — Езжайте.

На заднем сиденье заскулил Бандит, будто чувствуя тревогу хозяина.

Ведя машину, Джон Томас внимательно осматривал обочины в поиске какого-нибудь знака, указывавшего на то, что они здесь были. Но чем дальше они продвигались, тем большей становилась растерянность. Время истекало, и если...

Он ударил по тормозам, так что заднюю часть машины занесло на дороге, включил обратную передачу и начал съезжать на обочину.

— Что стряслось, босс? — спросил Монти. — У нас еще есть две минуты до расчетного времени.

— Смотри!

Джон Томас показал рукой, и Монти увидел старую узкую дорогу, уходящую от шоссе в луга и исчезающую за холмом. На заросшей обочине виднелись свежие следы колес, примявших траву.

— Чтоб мне провалиться! — воскликнул Монти, когда они свернули на дорогу. — Сдается мне, кого-то здорово занесло на траве. Он хорошенько ее пропахал, прежде чем снова попасть в колею.

Джон Томас прикусил губу и бросил солнечные очки на переднюю панель. Он хотел, чтобы ничто не мешало его зрению, даже малейшая тень между ним и утренним солнцем. Если осталась хоть малейшая возможность отыскать Сэм, он должен ею воспользоваться.

Бандит повизгивал на заднем сиденье, чувствуя напряжение обоих мужчин, и вдруг гавкнул, когда Джон Томас перевалил через холм и спугнул койота, бросившегося прочь по лугу.

— Нет, никаких койотов сегодня, парень, — предупредил Джон Томас. — Мы должны найти Сэм. Запомни, малыш. Мы должны найти Сэм.

Бандит подал голос и лег на сиденье. Он понял слово «нет» и слово «найти». Он будет ждать, пока не последуют новые приказы.

Она опять появилась, смотрит вниз и смеется, как дух смерти. Саманта всхлипнула и, обхватив руками колени, спрятала лицо от женщины наверху. Она так и знала, что Дезире вернется.

Она слышала, как Дезире хохочет и кричит, и вдруг затаила дыхание, не в силах понять, откуда доносится крик, так как звуки бились о стены вокруг нее.

Может быть, это не она кричит. Может, это я!

Она решила проверить и посмотрела вверх. Лицо появлялось и пропадало в фокусе ее зрения. Это была она! Как она и боялась. Эти рыжие волосы, которые превращаются в белесые и обратно.

Иногда при смехе ее рот открывался так широко, что Саманте казалось: вот сейчас он проглотит ее целиком.

Она зажала уши руками и зажмурилась, отчаянно стараясь отогнать видение. Она не могла знать, что виденное ею на самом деле не было реальностью.

— Я не скажу, — бормотала она, не замечая своего безумия, заступившего на то место, где закончилась правда. Она дернула себя за волосы, облепившие лицо и шею. — Клянусь, Джонни... истинный крест, чтоб мне умереть. Я никогда не скажу.

Затерявшись среди призраков, заполнивших ее мозг, она не услышала ни шума подъехавшей машины, ни взволнованного лая собаки. В ее ушах звучали лишь ветер, завывающий в колодце, да яростные вопли Дезире Адонис.

***

— Шериф, смотрите!

Взволнованный крик Монтгомери привлек внимание Джона Томаса к правой стороне дороги, где высокие кустистые заросли ежевики почти скрыли обочину.

— Ежевичная гряда, — пробормотал он, в то же время отмечая примятые тормозным следом длинные ветви и вырванные с корнем свежие побеги. — Нам не может так везти.

— Черт! Еще как может! — завопил Монти. — Должно же когда-то начаться везение. Давайте выпустим собаку и посмотрим, что произойдет. Хотите, вызову другие поисковые группы?

— Давай попробуем сами, — сказал Джон Томас. — Может статься, что здесь ничего нет, кроме травы, что щиплют дикие гуси. Я не хочу впустую срывать с места сотни людей.

Монти кивнул.

— Как скажете, босс. Тогда давайте начнем!

Они остановились довольно далеко от центра прогалины, опасаясь, что уничтожат драгоценные следы, которые могла оставить Клаудия Смит.

Бандит выпрыгнул из машины и громко залаял. Шериф поднес туфли Саманты к его носу.

— Ищи Сэм, парень! Ищи Сэм.

Пес уткнулся носом в землю и, словно мохнатый пылесос, втягивая ноздрями воздух, помчался по кругу. Несколько раз они теряли собаку из виду в высокой траве, но знали, что Бандит там. Он двигался по поляне, постепенно сужая спираль своего бега. Вскоре он залаял и начал рыть лапами землю.

Джон Томас бросился бежать, моля Бога, чтобы это не оказались останки Саманты, присыпанные землей. И вздохнул с облегчением, когда увидел, что Бандит выволакивает из травы лист бумаги.

— Что ты нашел, парень? — спросил он. Бумага была скомкана, и он взял ее за уголки, чтобы не уничтожить отпечатки пальцев, которые могли на ней оказаться. Затем осторожно расправил складки и сумел прочесть, что там написано.

— О Боже! — простонал он тихо и махнул Монти, чтобы тот подбежал. — Смотри! Записка от Сэм. Она написала, что собирается в Нью-Саммерфилд за покупками вместе с Клаудией. — От эмоций, захлестнувших его, у шерифа перехватило дыхание. Слегка трясущейся рукой он протянул записку Монти. — Спрячь в пакет как вещественное доказательство. Сэм, наверно, так и не узнала, что я не получил ее.

Монти опустил бумагу в пластиковый пакет. Каждое свидетельство, добытое ими, добавляло еще один узел на веревке, которая затянется на шее Клаудии.

— Если с Самантой что-то произошло, этого достаточно, чтобы доказать причастность Клаудии к этому делу, — напомнил ему Монти.

Джон Томас отвернулся, не в состоянии вынести неприкрытого сочувствия, написанного на лице помощника.

— Ищи, Бандит. Найди Сэм.

Пес все еще бегал вокруг, поводя носом по земле. Услышав настойчивые нотки в голосе хозяина, он побежал быстрее, словно понимая срочность задания.

Кроме травы и деревьев, в человеческой обители, у которой они стояли, не осталось ничего живого. Очевидно, хозяева покинули это место давным-давно, после многих неурожайных лет.

Джон Томас напряженно смотрел внутрь, поверх того, что осталось от изгороди. Но и там ничего не было видно, кроме деревьев, травы по колено да голубого неба над головой.

От громкого лая Бандита оба мужчины вздрогнули. Каждый из них прекратил свои поиски, чтобы посмотреть в сторону собаки, громко лаявшей в траву около засохшего дерева.

— Чтоб тебя, псина! — выругался Джон Томас. — Если то, на что ты лаешь, на четырех лапах и с шерстью, на твоем месте я бы поспешил спрятаться.

Они сошлись там, где Бандит сделал стойку. Чем ближе подходил Джон Томас, тем больше его охватывала уверенность, что Бандит что-то нашел. Его сердце заколотилось, и он бросился бежать, боясь приблизиться и увидеть в траве безжизненное, изломанное, окровавленное тело Саманты, и в то же время боясь упустить шанс спасти ее.

— Здесь ничего нет, — крикнул Монти, подбежавший первым. — Я не вижу ничего, что...

— Назад! — закричал Джон Томас, падая на колени рядом с собакой. — Это старый колодец. Ты чуть не наступил на одну из досок, прикрывающих отверстие. Видишь?

— Вот черт, — пробормотал Монти и отступил назад, понимая, как близок он был к тому, чтобы ступить на доску и провалиться вниз.

И тут обоих осенила одна и та же внезапная догадка. В одну минуту они оказались на коленях, снимая треснувшие доски, отодвигая в сторону траву, скрывавшую край колодца.

Джон Томас глубоко вздохнул и наклонился через край. Он должен сделать это. Если кто и должен быть найти Сэм, то только он.

— О Иисусе! — произнес он и чуть не умер на месте. Даже отсюда была видна ее макушка и бледно-желтая блузка. — Саманта! Сэм, милая, ты слышишь меня?

Но она не шевельнулась, и призрачная надежда, что он найдет ее живой, начала уменьшаться с каждым ударом его сердца.

— Беги пригони машину! — крикнул он, указывая на автомобиль, стоявший за пределами старого подворья. — Вытащи веревку из багажника, скорее!

Спустя меньше чем минуту Монти уже был на месте, остановив машину всего в паре метров от ямы, а Джон Томас, лежа на спине под ее бампером, лихорадочно привязывал веревку к кронштейну.

— Я спускаюсь, — сказал он, обвязывая другой конец веревки вокруг пояса. — Отъедешь, пока не натянется веревка. Когда я начну спускаться, постепенно подъезжай. Очень медленно. Когда услышишь мой крик, остановись. Я скажу тебе, когда надо будет тянуть нас обратно наверх.

— Слушаюсь, сэр, — отчеканил Монти.

Он мог лишь восхищаться спокойствием, с которым работал шериф. Ведь помощник Тернер знал, как ему плохо и насколько он испуган. Именно в этот момент Монтгомери Тернер понял, что отличает хорошего полицейского: прежде всего служение долгу, а уже потом личные чувства.

— Помощник, когда сядешь в машину, дай всем знать, что мы нашли ее, и вызови «Скорую», срочно.

— Есть, сэр, — сказал Монти и повел машину от колодца, пока Джон Томас не махнул ему рукой.

Он увидел, как шериф подергал веревку, обвязанную вокруг пояса, и подошел к колодцу. Когда Джон Томас исчез в отверстии, Монти затаил дыхание. Затем, вспомнив, что ему приказали вызвать помощь, схватил рацию, одновременно отжав сцепление и тронув машину с места.

— Сэм, родная, ты меня слышишь? — Голос Джона Томаса был хриплым и дрожал; в узком замкнутом пространстве рождалось странное раздробленное эхо, многократно отраженное от стенок колодца. Но Саманта не пошевельнулась и не ответила.

Она слышала его голос. Но она слышала его и раньше, и это всякий раз оказывался не Джонни. В течение всей ночи его голос звал ее снова и снова, но наверху не было ничего, кроме ночного неба и тысяч блестящих глаз. Видя пустоту, Саманта начинала безутешно рыдать. Ей казалось, что все глаза Техаса смотрели на нее и все равно никто не мог ее увидеть. Будет слишком поздно. Никто не сможет спасти ее.

Позднее она поняла, что с неба на нее смотрят не глаза, а звезды, но даже звезды, казалось, светили едва-едва, слишком далекие, чтобы молить их о помощи, недостижимые даже в мечтах. К тому же Сэм понимала, что уже слишком поздно надеяться на воплощение надежд и мечтаний. Она смирилась с мыслью о смерти. Только сердце пока не сдавалось. Оно не хотело расставаться с Джонни Найтом.

А Джонни Найт не собирался терять ее. Когда его ступня вдруг ткнулась в ее плечо, он оттолкнулся от стены, боясь приземлиться не на землю, а на Саманту.

— Давай, Монти, чуть помедленнее, еще чуть-чуть... Стой! — закричал он.

И вот Джонни уже стоял по щиколотку в воде между ее раскинутыми ногами.

Протянув трясущиеся руки, Джон Томас коснулся ее щеки, почти уже ожидая ощутить холод смерти под пальцами. Но хотя кожа оказалась холодной, она мягко, живо подалась под его прикосновениями.

На глаза его навернулись слезы. Он присел в узком жерле колодца, лихорадочно ощупывая тело Сэм в поисках ран и повреждений. Взглянув наверх, чтобы определить высоту шахты, он понял, что повреждения обязательно должны быть при падении с такой высоты.

Саманта застонала. Прикосновения к телу показались ей знакомыми. Голос, бившийся в барабанные перепонки, заставил ее закричать от боли. Она не могла больше выносить свиданий с обманчивым призраком Джонни. Она закрыла глаза в уверенности, что, как и раньше, образ Джона Томаса исчезнет и она вновь останется здесь одна, со своей болью и... смертью.

— Не шевелись, любимая, — произнес он мягко, поднимая ее на ноги. — Я все сделаю сам. Ты только дыши, живи ради меня, Сэм. Не покидай меня сейчас!

Он услышал судорожный вздох, когда ее колено подломилось, и быстро подхватил девушку на руки, приняв на себя всю тяжесть ее тела. Джон Томас начал готовить ее к подъему наверх.

Монти стоял на четвереньках, вглядываясь в темноту колодца и пытаясь рассмотреть через плечи шерифа Саманту.

— Шериф! — крикнул он вниз.

— Она жива, Монти. Слава Господу, она жива. Тяни нас наверх, парень, только осторожно. Я не знаю, насколько тяжелые у нее повреждения.

У Монти вырвался ликующий вопль. Услышав голос хозяина, доносящийся из-под земли, залаял

Бандит. Мгновением позже Монти уже включил передачу и начал медленно и ровно вытягивать веревку.

Джон Томас крепко прижал голову Сэм подбородком. Одной рукой он поддерживал шею Саманты, чтобы обеспечить ее неподвижность, а второй обхватил ее так крепко, как только мог. Подъем начался. Когда веревка натянулась и оба оторвались от земли, он обвил нижнюю часть ее тела ногами, используя себя как буфер между Сэм и стенами колодца.

Вскоре земля отдала свою добычу. Сначала появилась голова Джона Томаса, затем плечи, но он ни за что не выпустил бы Сэм из рук, если бы в этот момент не появилась машина «Скорой помощи», подпрыгивающая на кочках неровного, бугристого проселка, сопровождаемая несколькими полицейскими машинами.

— Слава Богу, — выдохнул Джон Томас, почувствовав под собой твердую землю. Он выполз спиной из ямы, держа Саманту сверху и стараясь не изменить положения ее тела.

— Сэм, любимая, ты слышишь меня?

Саманта не ответила, и тут он ощутил, насколько холодно ее тело. Ему захотелось отдать ей все свое тепло, всю силу. Дрожащей рукой он провел по кровоподтекам на ее лице и руках. В этот момент он снова понял, как хрупка жизнь, как дорога ему Саманта.

Первый раз в жизни Джону Томасу так хотелось поцеловать женщину, и первый раз в жизни он так боялся сделать это. На ее теле не осталось, казалось, ни одного живого места, куда он мог бы поцеловать ее, не причинив боли.

— Я люблю тебя, Саманта Джин. Не оставляй меня теперь, — прошептал он, утешая себя тем, что жизнь еще теплится в его возлюбленной.

Саманта ощущала тепло, чувствовала сильное биение сердца, отдававшееся у нее в ушах, слышала знакомый тембр голоса Джонни и думала, что если она умерла и вознеслась в рай, то все в порядке, потому что Джонни тоже оказался там, поджидая ее. А если нет, если Джонни и вправду пришел за ней, то он выполнил свое обещание. Он спас ей жизнь. Надо только немного подождать, чтобы убедиться в этом наверняка. Сейчас в ее мозгу зияла огромная черная дыра, ждущая, когда Сэм в нее провалится.

И она провалилась как раз тогда, когда первый из врачей подошел к ним.

— Она жива? — спросил врач.

Джону Томасу пришлось глубоко вздохнуть, прежде чем он смог обрести уверенность и ответить.

— Да, слава Богу.

Когда медики попытались переложить Саманту на носилки, он пристально посмотрел в глаза первому врачу.

— Я не знаю, как она еще дышит, но вы должны сделать так, чтобы она продолжала дышать.

— Мы сделаем все, что в наших силах, и даже больше, Джон Томас. А теперь отпусти ее.

Джон Томас нехотя разомкнул объятия.

Он вскочил на ноги, когда санитары застегнули ремни носилок, и побежал рядом с ними к поджидающей машине «Скорой помощи». Стоило им поставить носилки на полозья и закатить внутрь, как Джон Томас опередил всех и первым забрался в салон.

Монтгомери Тернер остался без дальнейших распоряжений, но он знал, что делать. Помощник шерифа громко свистнул, и Бандит подскочил к нему. Секунду спустя Монти с собакой последовал за остальными.

Завывающие сирены и сверкающие огни маяков промчались по лугу, распугивая его обитателей. Броненосец нырнул в свою нору; ястреб взмыл с верхней ветви дерева и улетел искать более спокойное место для охоты; заяц метнулся из-под колес передней машины, дрожа от страха; замерла черепаха, а затем втянула голову и лапы в панцирь, надеясь, что все обойдется.

Спустя несколько минут заброшенная ферма погрузилась в первобытную тишину, которую недавно нарушили люди и смерть, идущие обычно рука об руку. От драмы, разыгравшейся здесь в последние сутки, не осталось почти ничего, разве что два агента ФБР еще ходили по полю, отыскивая следы и вещественные доказательства. Постепенно трава, примятая ногами и колесами, распрямилась, длинные тонкие стебли вновь потянулись к солнцу, стоявшему в зените.

Вечером того же дня, когда Джон Томас сидел у кровати Саманты, надеясь увидеть признаки возвращающейся жизни, дверь палаты отворилась и вошел Монтгомери Тернер.

Джон Томас взглянул на его белое как бумага лицо и покрасневшие глаза и вспомнил об умирающей Лизе.

— Шериф. — Монти сглатывал и сглатывал комок в горле, пытаясь выдавить из себя просьбу и не расплакаться. — Мне нужно уехать на пару дней.

Горе, стоявшее в его глазах, подсказало Джону Томасу, что для девушки, снятой с аппаратов поддержания жизни, ожидание закончилось.

— Проклятие, Монти! Мне очень жаль. — Он взглянул на Саманту, неподвижно лежавшую под покрывалом, но все-таки живую, и испытал внезапное чувство вины за свое счастье.

— Не думайте так, — тихо сказал Монти, поняв, по какому руслу потекли мысли шерифа. — Это должно было случиться. — Тут его рот скривился, в глазах появились слезы. — Как бы то ни было, кажется, все правильно.

— Что ты имеешь в виду? — удивился Джон Томас.

— В один и тот же день умерла моя Лиза, а ваша любимая осталась жить. Думаю, правильно, что выживает сильнейший. — И Монти вышел из комнаты не обернувшись.

Джон Томас вернулся на свой стул и поднес безжизненную ладонь Саманты к своей щеке, слегка согнув ее пальцы, как сделала бы она сама.

— Ты ведь сильная, правда, Сэм? Какую бы пытку она тебе ни устроила, все равно ты не сдалась. Я так горжусь тобой, любимая. Слышишь, девочка? Я так чертовски горжусь тобой, что готов заплакать.

И он заплакал.

Глава 15

До чего тупы эти белые стены, никакого воображения, ругал Джон Томас медиков, пытаясь думать о чем-нибудь отвлеченном, чтобы занять свои мысли. Все, что угодно, только не эта плоская, безжизненная поверхность, слишком похожая на нынешнее состояние его души.

Джон Томас Найт мерил шагами коридор Восточно-Техасского медицинского центра, с тревогой ожидая заключения врача. Первые новости были неутешительными. Джонни отчаянно молил, чтобы наступило хоть какое-то улучшение, в противном случае он не сможет жить.

У нее сломаны ребра. От этой мысли у него заныло в желудке. Сотрясение мозга было тяжелым, но не угрожающим жизни. Заломило в висках, едва он задумался об этом. Она чудом избежала воспаления легких, но, по компетентному мнению врача, лучше бы она сломала ногу, чем, как это случилось, порвала мышцы и связки колена. Ноющая боль отдавалась в крепко стиснутых зубах Джона Томаса при каждом шаге, когда он представлял, какое отчаяние и боль пришлось испытать Сэм там, на дне колодца, в одиночестве и тоскливом ожидании смерти.

— Эта женщина будет гореть в аду, — пробормотал он, думая о Клаудии Смит.

Мимо пробежала сестра, бросив на шерифа удивленный взгляд. Он покраснел, смущенный тем, что его подслушали, но все равно был не в состоянии избавиться от ярости и растерянности, которые, как он знал, останутся с ним, пока Саманта не очнется и хотя бы не увидит его. Тогда, может быть, он сможет жить дальше.

— Шериф.

Джон Томас развернулся и чуть не сбил с ног доктора, только что вышедшего из палаты Саманты.

— Что, док? Ей хуже? Вы получили результаты рентгеновского исследования? Когда вы сможете сказать что-то определенное?

Доктор Бейкер терпеливо ждал, пока его «второй пациент» не успокоится. Если бы этот парень был так же терпелив и послушен занятому, усталому доктору, как та маленькая леди в палате, он бы добился гораздо большего. Саманта Карлайл не возражала против его предписаний. Конечно, она пока еще не пришла в себя. Отлично зная женщин, доктор не сомневался, что протесты появятся, но только потом, когда он наложит на нее ограничения, обязательные для больной.

— Вы готовы меня выслушать? — спросил доктор Бейкер.

— Простите, — смутился Джон Томас и, сразу обессилев, прислонился к стене, не замечая любопытных взглядов обитателей палаты напротив. — Я слушаю.

— Для начала неплохо, — сказал доктор.

Он принимал Джонни Найта, когда тот появился на свет. И радовался тому, что из маленького сорванца вырос добропорядочный, уважаемый член общества. Однако время бессильно изменить некоторые особенности личности, и среди них, безусловно, нетерпеливость Джона Томаса... Но все-таки пора было облегчить его муки.

— Она пойдет на поправку, — сообщил доктор Бейкер. — Все признаки указывают на то, что возможно полное выздоровление.

— Слава Богу! — воскликнул Джон Томас и обнял старого доктора с неожиданной пылкостью.

— Поберегите это для дамы в палате, — посоветовал доктор Бейкер, радуясь улыбке, которую вызвал на лице шерифа. — Хочу предупредить, что ее еще ждут нелегкие дни. Даже после лазерной хирургии на колене ей придется пройти через долгий процесс реабилитации. А когда она очнется, у нее начнутся страшные головные боли. Но в целом для человека, упавшего в колодец, она еще легко отделалась.

— Она не упала, — напомнил доктору Джон Томас; голос его стал резким, глаза потемнели от гнева. — Помните отпечаток кроссовки посредине ее блузки?

Доктор кивнул. Он уже знал, что его пациентку ударили в живот, и, по всей вероятности, она падала в колодец спиной. Он поежился. Чудо, что Саманта Карлайл осталась жива.

— Вы можете войти, — разрешил доктор Бейкер. — Но обещайте не осложнять нам жизнь. Дайте ей вернуться к вам самостоятельно.

Он еще не дошел до конца фразы, как услышал, что дверь захлопнулась, и понял, что стоит в коридоре, разговаривая с самим собой. Он усмехнулся, устало потер рукой лицо и тут заметил сестру, поджидавшую его у двери палаты следующего пациента.

***

Шторы были опущены. В палате царили темнота и прохлада. Джон Томас опустился на стул у кровати Саманты, возобновив свое дежурство с усердием часового на посту, и взял девушку за руку, радуясь тому, что вот теперь может касаться ее, когда захочет.

Сутки назад он не поставил бы и гнутого медяка на то, что сможет когда-нибудь сделать это снова.

Джон Томас уставился на ту точку чуть выше ее подбородка, где нижняя губа сходилась с верхней, и вспомнил, каким нежным и сладким было прикосновение к этому местечку, как страстно откликалась Сэм на его поцелуи в моменты близости. Сейчас губы были опухшими и исцарапанными, на нижней едва затянулся глубокий порез, под подбородком виднелась большая ссадина.

Саманта вздохнула. Он выпрямился на стуле, ожидая, что она вот-вот откроет глаза. Тогда он будет знать, что она вернулась к нему. Но за вздохом ничего не последовало. И Джонни медленно откинулся на спинку и продолжил свою вахту. Он подождет. Теперь, когда у него есть Сэм, он может ждать хоть вечность.

И время шло.

***

Она почувствовала, что он рядом, задолго до того, как открыла глаза. Но во всем теле ощущалась тяжесть, словно кровь замедлила свой бег, и мысль о том, что надо бы пошевелиться, пришла и ускользнула так быстро, что Саманта ее почти не запомнила.

Пришла боль. Но другая, не такая, как раньше. Не было больше пронзающего до костей холода и вони тухлой воды. Это должно было что-то значить.

Наконец-то между нею и дневным светом не осталось никаких преград. Ей захотелось в этом убедиться. Она открыла глаза. И сразу же увидела его, сидящего на стуле у ее кровати, уставясь в окно. Ее пальцы шевельнулись и ухватили его за руку. Он дернулся и опустил взгляд вниз. Все вокруг вдруг стало размытым, нечетким, кроме ее слабой, спокойной улыбки.

Она глубоко вздохнула.

— Ты пришел.

Он не смог побороть желание наклониться и тихонько, словно маленькую, поцеловать в щеку.

— Я обещал тебе, любимая, помнишь? — сказал Джонни и сел обратно на стул.

Из уголка ее глаза выкатилась слеза. Саманта медленно вдохнула и провела другой рукой по своей груди.

— Как все болит. — Она вопросительно посмотрела на него.

— Сломано два ребра, а колено тебе уже собрали, — сообщил он и потрепал ее по руке, боясь заговаривать еще о чем-то.

Она опустила веки, давая знать, что поняла, и вдруг снова открыла глаза.

— Джонни.

— Что, любимая? — спросил он, всем сердцем мечтая схватить ее на руки и прижать к груди.

— Дезире Адонис. Передай Пуласки. Он будет знать, что делать.

Джон Томас так и подпрыгнул. Он так сосредоточился на состоянии Сэм, что совершенно забыл: вместе с возвращением к ней сознания придут и ответы на некоторые вопросы.

— Хорошо, Сэм. Обещаю тебе.

— Позвони ему немедленно, — попросила она и вздохнула, как будто на это ушли все ее силы. — Иди. Я хочу спать. Вернешься, когда сможешь сказать, что сделал это. — Она опять впала в полузабытье.

С окаменевшим лицом Джон Томас Найт вышел из палаты и пошел по коридору к выходу из госпиталя. Она попросила его о том, что он может выполнить. Он посмотрел на часы и высчитал, что в Калифорнии сейчас пять часов утра. Почему-то ему подумалось, что Пуласки не будет на него сердиться.

Пуласки перевернулся в кровати, проклиная громкий, настойчивый звонок телефона, вырвавший его из объятий сна. Но стоило детективу снять трубку, как хмурая гримаса тотчас исчезла с его лица. Он сел на краю кровати, потирая со сна глаза, и вслушивался в то, что расказывал ему Найт.

— Черт, да, я знаю, кто она такая, — ответил Майк, обшаривая взглядом комнату в поисках брюк. — Спасибо за информацию, Джон Томас. Я дам тебе знать, когда сделаю это.

Он имел в виду немедленный арест Дезире Адонис, проживающей в Лос-Анджелесе, штат Калифорния.

— Кто бы мог подумать! — пробурчал он, отнимая от уха замолчавшую трубку. Тряхнув головой, чтобы прогнать остатки сна, он пошел на кухню приготовить себе кофе. Его ждет долгий день, но если все закончится хорошо, сегодня ночью он впервые с того дня, когда Джон Томас Найт ворвался в его кабинет, заснет спокойно, без угрызений совести.

***

Солнце заливало грунтовые корты, по которым скользили подтянутые бронзовокожие пары в безупречно белых, модных теннисных одеяниях. Мохнатые белые и ярко-желтые мячи летали туда и обратно над сетками, словно рой гигантских пчел. Сочные удары ракеток по мячам, раздававшиеся время от времени вскрики игроков, вкладывавших все силы в подачи, придавали логическую завершенность этой идиллической картине.

Майк Пуласки в сопровождении секретаря клуба и четверых детективов в штатском шел по территории теннисных кортов к самой дальней площадке.

Даже отсюда она выделялась из всех играющих. Рыжие волосы пылали огнем, оттененные белоснежной теннисной одеждой на фоне яркой зелени кустарников вдоль забора и кирпичного покрытия корта. С идеальным загаром, без капельки жира, она потянулась на цыпочках и, выбросив вверх руку с ракеткой, отбила подачу, когда, казалось, нужный момент уже был упущен. С видимым удовольствием Дезире отправила мяч обратно через сетку.

— Ха! — выдохнула она, покачиваясь на носках, в то время как ее противник помчался к мячу, пытаясь достать его. Мяч попал в корт у самой черты. — Гейм! — выкрикнула она и засмеялась, вскинув вверх руки, охваченная радостным чувством победы.

Все еще улыбаясь, она заметила мужчин, приближающихся к корту. Волна паники и ярости, окатившая все ее существо, была сразу загнана глубоко внутрь. Это невозможно, твердила себе она. Они не могут ничего знать.

Задушив все эмоции, которые вызвало их появление, Дезире приготовилась подавать, всем своим видом показывая, что она спокойна и сосредоточенна. Ведь Дезире, что ни говори, настоящая спортсменка, готовая уступить первый удар сопернику, но всегда играющая до победы.

— Дезире Адонис?

От голоса Майка Пуласки дрожь пробежала по ее нервам. Она заметила грязное пятно у него на ботинке. И поморщилась. Донни никогда бы не вышел на люди в таком виде.

— Да, — ответила она и, улыбнувшись, протянула руку для рукопожатия, которому не суждено было состояться.

Она задохнулась от неожиданности, когда внезапно на ее запястьях защелкнулись наручники.

— Дезире Адонис, вы арестованы за попытку убийства Саманты Карлайл. Вы имеете право хранить молчание. Если вы...

Все, что он говорил дальше, перестало существовать, кроме одного слова «попытку». Должно быть, она неправильно его поняла. Здесь какая-то ошибка.

Но выражение на помятом лице мужчины говорило само за себя. Дезире попыталась улыбнуться, подняла руки и потрясла браслетами наручников, словно все это было шуткой.

— Меня арестовывают, — произнесла она, обращаясь к своему партнеру, который, замерев, смотрел из-за сетки на все происходящее. — Можете вы этому поверить? Они говорят, что я кого-то убила. Кого, вы говорите, я убила? — спросила она, стрельнув глазами в Пуласки, и сверкнула улыбкой, в прошлом не раз приносившей ей успех. — И когда я это сделала? В перерывах между оформлением банкротства и визитами в парикмахерскую?

Пуласки подавил желание впечатать кулак в этот рот. Что-то в ее глазах подсказывало ему, что он не ошибся и арестовал ту самую женщину. Ее смех был чуть-чуть выше и истеричнее, чем следовало. Блеск этих зеленых глаз был слишком ярок, а нервный тик в уголке рта выдавал, что она лжет.

— Повторяю, — произнес он медленно, хотя другой детектив на его месте взял бы ее за руку и повел прочь. — Вы арестованы за попытку убийства Саманты Карлайл.

Над их головами пролетел авиалайнер, заглушив конец фразы. Но для Дезире это было уже не важно. Она услышала достаточно, чтобы потерять самообладание. Все, через что она прошла после смерти Донни, все ее планы, все уловки — все оказалось напрасным.

Глаза женщины закатились. Пуласки вскрикнул и схватил ее за руку, думая, что она попытается убежать. Но оказался не прав.

Вопль, вырвавшийся из груди Дезире, заставил волосы на его затылке зашевелиться и встать дыбом. Она начала хохотать, потом зарыдала. Рыдания чередовались с судорожным кашлем, сквозь который она пыталась что-то сказать. Но люди вокруг слышали лишь какие-то бессвязные звуки. Когда Дезире Адонис наконец усадили в патрульную машину, в уголках ее рта уже появилась пена.

Последним впечатлением Пуласки был ярко-красный, безобразно разинутый рот, изрыгающий сквозь полузадушенный смех злобные ругательства. Они текли в салон машины, как грязь из прорвавшейся канализационной трубы.

Его передернуло. Саманте Карлайл пришлось немало вынести от этой женщины. Его вновь захлестнуло чувство вины из-за того, что он невольно сыграл на руку замыслам этой Адонис. Если бы он только поверил рассказу Саманты Карлайл, этого могло и не случиться. Но Адонис оказалась слишком хитра для них. И если бы не Джон Томас Найт, она, черт ее побери, вполне могла победить.

— Я никогда не говорил, что у меня нет недостатков, — буркнул он себе под нос, садясь за руль своей машины.

— Что ты сказал, Пуласки? — спросил детектива напарник.

Тот покачал головой.

— Ничего. — Майк включил передачу, и машина тронулась с места, влившись в мощный поток на шоссе.

Все-таки приятно исправлять собственные ошибки.

— Вот он, опять пришел, — сказала одна из сестер, подтолкнув свою напарницу локтем, когда шериф вышел из лифта и двинулся по коридору к палате Саманты Карлайл. Последние две недели он появлялся здесь как часы.

— Ой-ей-ей! — воскликнула вторая сестра. — Попался. Веллер сцапала его. — Они исчезли прежде, чем старшая сестра смогла их заметить.

— Джон Томас!

В густом голосе Дороти Веллер доминировали начальственные нотки. Она долгим, пристальным взглядом посмотрела на маленький коричневый пакет, который прижимал к груди шериф, и попыталась нахмуриться. Трудно быть строгим с тем, кто не обращает внимания на самые выразительные взгляды.

— Привет, Дороти. Как дела? — спросил Джон Томас и подмигнул.

— Что у тебя в пакете? — спросила она, отлично зная, что он таскает еду в палату, а это строжайше запрещено правилами госпиталя. Дороти Веллер была неумолимо строга в отношении соблюдения правил.

Упрямо сдвинув брови, Джон Томас только крепче прижал к себе пакет.

— Ей не нравится суп, — сказал он.

Сестра Веллер возмущенно подняла брови, но произнесла уже тише:

— Никто не любит суп, Джон Томас. Но правила есть правила. Ей положено есть только то, что предписано врачом.

Он не ответил, она не сдвинулась с места. Так они смотрели друг на друга довольно долго, пока Джон Томас не почувствовал, что пакет в его руках стал влажным оттого, что стаканчики внутри запотели.

— Видимо, мне будет трудно с тобой, — сказала она и скрестила руки на обширной груди.

Он вздохнул.

— Да, мэм. Боюсь, что да.

— Тебя надо было еще в детстве положить на колено кверху попой и отшлепать как следует. Может быть, тогда ты не был бы теперь таким хулиганом.

— Это предложение? — спросил он и засиял улыбкой, от которой лицо старшей сестры запылало пунцовым румянцем. Джон Томас испугался, что, возможно, перегнул палку. — Ну, я пойду, — сказал он, осторожно начиная обходить Дороти.

— Я не видела ни тебя, ни твоего пакета, ясно? — шепотом произнесла та и не оглядываясь поспешила прочь по коридору.

— Эй, Дороти!

Хотя инстинкт подсказывал ей, что реагировать не стоит, она почему-то остановилась и обернулась.

Джон Томас ухмыльнулся, представляя, как она сейчас взовьется.

— Тебе никогда не говорили, что ты становишься очень хорошенькой, когда сердишься?

По коридору прокатились смешки и хихиканье, а Дороти Веллер отчаянно покраснела. Но затем, к удивлению всех присутствующих, ответила.

— Вообще-то говорили, — сказала она и улыбаясь пошла к выходу, слегка покачивая бедрами.

Джон Томас широко улыбнулся и протяжно присвистнул ей вслед. После чего скользнул в палату Саманты.

Саманта смеялась.

— Я все слышала, — сказала она, протягивая руку к пакету. — Ты бесстыдник.

Он наклонился и прижался губами к ее улыбке, ощутив мягкость и упругость ее губ. Контрабандный товар перешел из рук в руки.

— Ну и что ты мне принес? — спросила она, поправляя на груди новый розовый пеньюар, который Джонни подарил ей вчера. Это было самое приличное из всего, что он смог найти в отделе шелкового белья в бутике «Моникс». Он провел там много времени, выбирая фасон, но все же справился с этой трудной задачей. Продавщицы наперебой давали ему советы по поводу того, что можно носить в госпитале. Но ему не хотелось покупать чопорную, унылую вещь; Джонни хотел, чтобы пеньюар был ярко-розовым. И он получил что хотел. Выглядела Саманта в нем прекрасно.

— Ничего особенного, шоколадный коктейль, — сказал он и присел рядом с ней на кровать. Сняв крышку со стаканчика, он протянул Саманте соломинку и пластиковую ложечку.

Коктейль был восхитительно холодным, и она начала усердно тянуть его через соломинку, поглощая медленными, равномерными глотками, пока последняя капля со всхлипом не покинула стаканчик.

— Спасибо, Джонни, — поблагодарила она. — Я мечтала об этом весь день.

Сэм бросила опустевший стаканчик и соломинку в мусорный бачок и переместила закованную в тяжелый гипс ногу ближе к краю кровати, собираясь сесть.

— Тебе уже можно это делать? — спросил он, с опаской наблюдая за ее маневрами, направленными на то, чтобы приблизиться к нему.

Со своего места он мог видеть очертания ее грудей, проступавшие сквозь тонкий шелк. Ему вдруг подумалось, что, наверное, надо было повнимательнее прислушаться к советам продавщиц в магазине.

— Делать что? — спросила она и потянулась к нему за более крепким и долгим поцелуем, чем тот, что достался ей раньше.

Он не смог воспротивиться, да и не стал бы, даже если бы захотел. Невозможно было устоять перед этим сочетанием соблазнительной фигурки и шоколадного аромата.

— Чем это ты занимаешься, дорогая? — спросил он, мягко перехватывая ее руки, уже готовые скользнуть ему под ремень. Зная Саманту, он понял, что она может серьезно подорвать его и без того подмоченную репутацию.

— Не понимаю, о чем ты? — притворно удивилась она и придвинулась чуть ближе.

— Посмотри на меня, Сэм.

Она с готовностью повиновалась. Ее глаза обежали его лицо: знакомые любимые черты, обаятельную улыбку. Она смотрела бы на него вечность.

— Я люблю тебя. — Он взял ее лицо в ладони и начал осыпать его поцелуями, пока она не задохнулась. — Я никогда, никогда не пресыщусь тобой, просто не смогу. Но если ты не перестанешь меня дразнить, возбуждая желание, которое нельзя удовлетворить, то либо я прекращу приходить к тебе, либо им придется снова делать тебе операцию, а я буду посылать тебе цветы из тюремной камеры. Понятно, о чем я?

— Ты пытаешься сказать, что я причиняю тебе неудобства? — усмехнувшись, спросила она.

— Не пытаюсь, а уже сказал тебе. Или ты будешь слушаться, или я подпираю стулом ручку двери и молюсь о том, чтобы никто не постучал в эту дверь, пока я не сгоню это самодовольное выражение с твоего лица.

Она изогнула брови, раздумывая над вариантами, предложенными им.

— Думаю, если мы быстро...

Он сорвался с кровати.

Несколько секунд спустя санитар, проходивший мимо по коридору, услышал легкий шлепок, затем тихое хихиканье и вздох. Пожав плечами, он продолжил свой путь. Ему предстояло мыть пандус, так что не было времени исправлять то, что все равно нельзя исправить.

Прошел почти час, и наступило время процедур, измерения температуры и давления. Дверь в палату Саманты распахнулась, и она повернулась в кровати, встречая улыбкой вошедшую сестру.

Джон Томас сидел на своем обычном месте на стуле у кровати, положив ноги на ее нижнюю поперечину и листая древний обтрепанный журнал «Нэшнл джиогрэфик», взятый из холла.

— Тебе пора уходить, — сказала сестра Веллер, вглядываясь в странное выражение на лице шерифа.

В этом парне было что-то такое, что не вызывало у нее доверия. Когда-нибудь она постарается понять, что же в нем заставляет ее так нервничать.

— Да, мэм, — отозвался он и, наклонившись к Саманте, поцеловал ее медленным, долгим поцелуем.

Дороти Веллер поспешила поставить поднос на прикроватную тумбочку, от души желая, чтобы этот мужчина сию же минуту оказался в соседнем графстве.

— Ну хватит, хватит, — проворчала она и тут заметила пустой стаканчик и скомканный пакет в мусорном бачке.

— Что, понравилось угощение? — спросила она Саманту.

Саманта усмехнулась и посмотрела прямо в глаза Джону Томасу.

— О да, мэм, — чуть задыхаясь, ответила она, отчего у сестры Веллер стало неспокойно на душе. — Такого я не пробовала вот уже несколько недель.

Джон Томас громко расхохотался, схватил шляпу со стула и нахлобучил на голову под лихим углом.

— Увидимся завтра? — спросила Саманта, когда он уже почти переступил порог.

Он обернулся и подмигнул.

— Ты готова к этому? — послышалось от двери.

— Нет, я думаю, трудность только в том, готов ли к этому ты.

Его густой, полный жизни смех разнесся по коридору. Сестра Веллер нахмурилась. Она не могла понять, что кроется за всем этим.

— Открой рот, — приказала она и осторожно просунула термометр между губами Саманты.

— Где я уже слышала эти слова? — пробормотала Саманта и зашлась в беззвучном хохоте.

Время посещений закончилось уже давно. День прошел трудно, было много сложных и болезненных процедур. Саманта была измучена, но все равно не могла заснуть.

Направив дистанционный пульт на телевизор, она выключила звук и рассеянно смотрела какой-то старый фильм с Лоурелом и Харди: комики дергались и кувыркались на экране.

Дверь в палату, негромко скрипнув, слегка приоткрылась. Ровно настолько, чтобы дать возможность стоящему по ту сторону убедиться: спит обитательница палаты или нет.

— Кто там? — негромко спросила Саманта.

Дверь распахнулась.

— Я боялся вас разбудить, — сказал посетитель, скользнул внутрь и быстро прикрыл за собой дверь.

Саманта была удивлена столь поздним визитом Монтгомери Тернера.

— Ты и не разбудил, — она показала рукой на телевизор. — Мне скучно, и я не могу заснуть.

Он кивнул и подошел чуть ближе к ее кровати.

— Иди сюда, — сказала она и протянула руки. — Джонни рассказал мне, что с тобой произошло, так что дай мне тебя обнять.

Монти поежился, зная, что ее прикосновение будет ему приятно, но в то же время причинит боль. Однако несмотря на это повиновался.

Его обняли быстро, но крепко, подарив даже сестринский поцелуй в щеку. Монти отступил назад и попытался улыбнуться. Его прежний самоуверенный вид куда-то пропал. Но Саманта знала, что со временем все или почти все вернется на свои места. Время лечит самые тяжелые раны.

— Ну, как дела в вашем заведении? — поинтересовалась она. — Надеюсь, Пит и Уайли уладили свои разногласия.

Он ухмыльнулся, вспомнив двух пожилых фермеров, сцепившихся в подзаборной канаве, словно два молодых жеребца.

— С ними все в порядке, — сказал он. — Разве шериф не рассказал вам, из-за чего все произошло?

Она покачала головой.

— Бык Пита забрел на выгон Уайли и, простите за выражение, покрыл двух телок, которых Уайли собирался продавать. Слово за слово, и прежде чем успели опомниться, они уже дубасили друг друга за все прошлые обиды, вплоть до школьных дней, когда в пятом классе Уайли украл у Пита конфету и так и не извинился за это.

— Вот беда, — засмеялась она, но, спохватившись, понизила голос, чтобы, не дай Бог, ее позднего визитера не обнаружили.

— Как же Джонни решил проблему? — спросила она, вспомнив двух старушек жен, появившихся на сцене, когда она уходила.

— А он и не решал, жены разобрались сами. Они набросились на этих престарелых драчунов, как фурии. Мы и глазом моргнуть не успели, как они распихали их по машинам и увезли по домам. Более унылых физиономий, чем у этих ребят, в тот момент я никогда в жизни не видел.

Она откинула голову на подушку и вздохнула; улыбка все еще играла на ее губах.

— Ты то, что мне было нужно сегодня вечером, Монти. Спасибо, что зашел проведать.

Он кивнул и собрался уходить, но остановился.

— Да, чуть не забыл, зачем пришел, — произнес Монти и вручил ей пакет, который все это время держал в руке.

— Вовсе не обязательно что-нибудь приносить, — сказала она. — Достаточно того, что ты пришел. — Она открыла пакет и заглянула внутрь.

Мягкий коричневый игрушечный щенок был пушистым, с большими грустными глазами и длинными повисшими ушами. Если бы не большой красный бант на шее, он был бы точной копией пса шерифа.

— Он чудный, — восхитилась Сэм. — И выглядит точь-в-точь как Бандит.

Она вертела игрушку в руках, умиляясь милым обвисшим ушам и огромным, скорбным глазам.

— Этот пес здорово, если не сказать больше, помог нам в ваших поисках. Я подумал, вам понравится. На всякий случай пусть сторожит вас, пока нас нет рядом.

— Он просто замечательный, — снова заявила она.

Монти улыбнулся.

— Ну а ты — с тобой все будет в порядке? — Она сменила тему разговора так быстро, что он не успел скрыть свои эмоции.

— С таким боссом, как Джон Томас Найт, и таким дедом, как Уиллер Джо Тернер, разве может быть иначе?

Его рот исказился в гримасе боли, на глаза навернулись слезы, но он сумел удержать их. А в самом его ответе оказалось достаточно мужества и юмора, чтобы подсказать Сэм, что так и будет.

Дверь отворилась. Сестра Веллер сердито посмотрела на полицейского, его шляпу, револьвер в кобуре, покрепче взялась за свой поднос с медикаментами и принялись распекать беднягу.

— Я так и знала, еще один полицейский, — пророкотала она и надвинулась на Монти. — Полагаю, у вас была достаточно уважительная причина, чтобы вломиться сюда в неположенное время.

Монти моментально сделал строгое лицо.

— Да, мэм. Официальное расследование. Выясняем некоторые недостающие детали.

Подмигнув Саманте и отсалютовав сестре, он поспешно вышел из палаты.

— Ну а вы что скажете? — Сестра Веллер поставила поднос на тумбочку у кровати.

Саманта перевернулась на живот, оголила и без того исколотую ягодицу для предстоящей экзекуции и вздохнула.

— Стреляйте точно в цель.

И сестра Веллер не промахнулась.

Глава 16

Джон Томас стоял на крыльце и махал рукой отъезжавшей жене священника. Он слегка улыбался, глядя, как оседает пыль на траве по обеим сторонам дороги. С тех пор как Саманта вернулась домой из госпиталя, поток посетителей, желавших выразить ей свое расположение, не иссякал.

Хотя жить в квартире в Раске было бы удобнее во всех отношениях: и ближе к доктору, да и Джону Томасу было бы проще навещать ее в течение дня, — Сэм отказалась возвращаться туда. Она долго и настойчиво убеждала Джона Томаса в том, что хочет вернуться только *домой*. А он ни в чем не мог ей отказать.

Нельзя было передать словами, какое удовольствие он испытал, когда она назвала его дом своим. Сэм лишь закинула руки ему на шею и едва слышно, словно выдохнув, прошептала «пожалуйста», и они уже были в пути. Он поежился, вспомнив, каким сладким дуновением обдало его шею это слово, но тут же нахмурился, услышав, что в глубине дома громыхнула крышка кастрюли.

Сэм, должно быть, опять пробралась на кухню, хотя врачи предписали ей как можно меньше нагружать больную ногу. Сломанные ребра срослись, операция на колене прошла успешно, но все равно Саманта казалась такой хрупкой и слабой, что при одном взгляде на нее у него комок подкатывал к горлу.

Джон Томас был так дьявольски близок к тому, чтобы потерять Саманту. Он до сих пор просыпался в холодном поту, думая, что этот кошмар еще не кончился. Однако день за днем ее постоянное присутствие медленно, но верно лечило истерзанную страхом душу Джонни Найта.

В доме Саманта хлопотала на кухне, размешивала и доливала, отмеривала и рубила, довольная тем, что жизнь вновь вошла в более-менее ровную колею.

Первое, что ей запомнилось, когда она очнулась в госпитальной палате, был Джонни, сидевший на стуле у кровати и глядевший на нее с надеждой. Когда же она наконец проснулась, радость на его лице было трудно не заметить. Она вспомнила, как он вздрогнул и попытался заговорить. А когда она моргнула, слезы, которые он пытался сдерживать, хлынули у него из глаз и потекли по лицу. За все те годы, что она знала Джонни, ей впервые довелось увидеть его плачущим.

Последовавшие дни выздоровления как-то смазались в памяти. Были среди них и дни, когда она боялась, что его уволят за пренебрежение своими обязанностями, и дни, когда ей приходилось собирать свои силы в кулак и перекладывать все заботы на него. Эти дни больше всего запали ей в память.

После того как они вернулись домой, Саманта, бывало, просыпалась среди ночи и чувствовала, что даже во сне он крепко прижимает ее к себе, боясь потерять. А днем она постоянно ощущала на себе его взгляд, следивший за тем, как она ковыляет из комнаты в комнату. Ее даже стала беспокоить его неспособность забыть происшедшее. Что до ее страхов, то большая их часть ушла безвозвратно. Для душевного равновесия ей достаточно было узнать, что Дезире Адонис надежно упрятана под замок.

И теперь, когда Саманта почти полностью оправилась, постоянная настороженность его взглядов и прикосновений подсказала ей, что она стала самой важной частью его жизни.

Ей было приятно это сознавать, но... чего-то не хватало. Она хотела, чтобы Джонни сам произнес необходимые слова. Ей нужно было убедиться, что ее решение остаться не окажется односторонним. Вот почему она подталкивала его к этому, провоцируя и поддразнивая, в надежде, что когда-нибудь он взорвется.

Сегодняшний телефонный разговор, происшедший в его отсутствие, стал для нее ответом. Той искрой, которая ей требовалась.

Она громыхнула крышкой еще пару раз и стала ждать. Долго ждать не пришлось.

Он вихрем ворвался в кухню, хлопнув сетчатой дверью.

— Тебе не разрешено этого делать! — рявкнул он, вырвав у нее из рук ложку и бросив ее в кастрюлю. Затем поднял на руки.

Сердце Саманты забилось, когда Джонни вынес ее на крыльцо и усадил к себе на колени на диване-качалке. Он не сказал ни слова, но то, как он держал ее, говорило само за себя.

Она взглянула вверх, в эти темные техасские глаза, прильнула к Джонни и, взяв его лицо в ладони, начала осыпать легкими, извиняющимися поцелуями подбородок, щеки, губы, пока он не застонал от сладкой боли желания, поднявшегося в нем. Желания быть внутри ее, а не держать на коленях.

Она запустила пальцы в его волосы, наслаждаясь густыми упругими кудрями, струившимися по ее ладони, их блеском в лучах заходящего у него за спиной солнца, волевым лицом и упрямым подбородком, словно говорившим: «А идите вы к черту!»

— Может, хватит издеваться надо мной? — проворчал он и поцеловал Сэм за ухом, туда, где было самое чувствительное ее местечко.

— Только если перестанешь изображать курицу-наседку, — парировала Саманта.

Он покачал головой и вздохнул.

— Но, Сэм, если бы ты знала, что для меня значило чуть не потерять тебя, ты бы поняла.

— Я чуть не потеряла тебя тоже, Джонни, — произнесла она негромко. — Но я здесь. И что ты теперь намерен делать в этой связи? Мне ведь, кстати говоря, больше не нужен телохранитель.

Джонни замер. Диванчик перестал раскачиваться, и вместе с ним остановилось его сердце.

— На что ты намекаешь? — спросил он, окаченный новой волной ужаса.

Она пожала плечами.

— Мой шеф звонил сегодня. Я, кажется, стала знаменитостью после ареста Дезире. Они были бы просто счастливы заполучить меня обратно, с повышением и большим окладом, конечно.

«О черт! Куда мне тягаться с Голливудом!»

Болезненное выражение на его лице подстегнуло ее. «Он должен сделать, сказать что-нибудь сейчас, немедленно». Но тут же появилась мысль: «Неужели он позволит мне уехать, не сопротивляясь?»

— Что ты им ответила? — спросил он и уставился поверх ее головы на пастбище вдали, не видя его.

— Чтоб тебя, Джон Томас! — разозлилась она и, сжав кулаки, ударила его по руке. — Мне что, самой за тебя все надо сделать?

Он выглядел ошарашенным. Впервые за все время она назвала его полным именем. Он начал было говорить, но вдруг понял, что не может найти слов. Он умел выслеживать преступников, разыскивать украденные автомобили и угнанный скот, но уловить ход ее мыслей ему оказалось не под силу.

— Что сделать? — спросил он. — Ты просто приходишь и говоришь мне, что уезжаешь. Второй раз в моей жизни, должен добавить. Что ты, черт побери, хочешь от меня — чтобы я размахивал флагом от счастья?

Он уже кричал. Саманта ойкнула и чуть не упала, когда Джонни, вскочив, оставил ее на качалке одну. Он сбежал с крыльца и пошел через двор к забору, пытаясь удалиться от той, которая причиняла ему такую боль.

Сэм ровнее села на диванчике и облегченно вздохнула. Слава Богу!

На секунду она испугалась, что Джон Томас готов избавиться от нее.

Она последовала за ним через двор. Подойдя к забору, скользнула между ним и Джонни, обняла того за пояс и стала пристально смотреть ему в глаза, заставив наконец опустить взгляд.

— Когда ты уезжаешь? — Он сглотнул, донельзя несчастный.

— М-м-м, не раньше следующей недели, потому что я обещала Аманде Пруитт, жене священника, что буду кассиром на благотворительном церковном базаре.

Он попытался было оттолкнуть ее, не в силах выносить подобного бесстрастного разрушения своего мира. Но она удержала его с твердой настойчивостью и продолжила свое воркование.

— И я уже пригласила Монти на обед в первое воскресенье октября. Это его день рождения.

Джон Томас начал подозревать, что его обвели вокруг пальца, но страх, который Саманта поселила в его душе, был слишком силен, чтобы его могли снять даже обещания, только что данные ею.

— Да, к тому же я не смогу уехать, пока наши дети не вырастут и не покинут дом. А я твердо убеждена, что матери надо находиться рядом с детьми как можно больше, особенно в переходном возрасте.

— Дети?

Она засмеялась. Выражение его лица было просто потрясающим.

— Не хочешь ли ты сказать, что, зная тебя все эти годы, я могла ошибиться? Неужели ты не любишь детей? — спросила Саманта.

Джон Томас тряхнул головой. Он не сумел бы сказать все это сам. А теперь Саманта выражала их чувства за них обоих.

— С Божьей помощью, — продолжала она, — я бы хотела двоих. Хорошо, если бы были мальчик и девочка, но почти невозможно предсказать...

Его губы запечатали ее рот, положив конец фразе, которую ей не удалось завершить. Разве могла она спорить с таким способом убеждения? Особенно когда он поднял ее, перенес через дорогу и внес в дом с ковбойской лихостью.

И когда Джонни положил ее посреди своей кровати и начал снимать с нее одежду, Сэм поняла, что пришло время прекратить дразнить его.

— Я буду крепко любить тебя, Джон Томас, всю оставшуюся жизнь. Я буду согревать тебе постель, готовить тебе еду и убирать твой дом. Я с радостью буду носить твоих детей и смотреть на то, как ты стареешь и лысеешь. Но ты должен произнести нужные слова.

Он ухмыльнулся, бросив на пол последнюю деталь туалета Саманты и скользнул в постель рядом с ней.

— Таковы все женщины, — сказал он, в то время как его руки проторенным путем двигались по ее телу. — Не могут просто и прямо сказать, что у них на уме. Сначала ходят вокруг да около, а потом пугают человека до смерти, лишь бы доказать, что это в их власти.

Саманта вздохнула, когда он оказался сверху и нежно вошел в нее.

— Саманта Джин Карлайл, пойдешь за меня замуж? — прошептал он.

— Ах, — вздохнула она и изогнулась навстречу ему. — Да, Джонни, да. Но только если ты обещаешь что-нибудь сделать с тем внезапным желанием, которое у меня появилось. — Она слегка шевельнулась под ним, чтобы напомнить, где они находятся.

— Обещаю, — сказал он и начал двигаться, сначала медленно, а затем с нарастающей скоростью, пока Сэм не почувствовала, что ее сердце вот-вот разорвется от наслаждения.

— Поклянись, — задыхаясь потребовала она и обхватила руками его шею, чувствуя приближение кульминации.

— Истинный крест, чтоб мне умереть, — прошептал он.

И еще долго лежали они, умиротворенные, словно опутанные покоем. Однако в конце концов Джон Томас почувствовал, что должен предупредить ее:

— Я не смогу тягаться с тем блеском, от которого ты отказываешься.

— Все это в прошлом, Джонни. На поверку вся эта мишура оказалась подделкой. К тому же мне никогда не хотелось жить в Лос-Анджелесе. — Она повернулась и поуютнее устроилась в его крепких объятиях. — Мне кажется, я просто очень долго ехала домой.

Много позже, когда солнце скрылось за горизонтом, в лугах завыл одинокий койот, собираясь на раннюю охоту. В ответ протяжно и гулко залаял Бандит, помечая свою территорию. В графстве Чероки закончился еще один день.

Литературно-художественное издание

Сэйл Шарон

В глубине сердца

Редактор В.А. Полякова
Художественный редактор О.Н. Адаскина
Компьютерный дизайн: Е.Н. Волченко
Технический редактор Т.Н. Шарикова

Подписано в печать 05.10.98. Формат 84×108 1/32.
Бумага газетная. Гарнитура Академия. Печать высокая.
Усл. печ. л. 22,68. Тираж 7000 экз. Заказ № 7693.

Налоговая льгота — общероссийский классификатор продукции
ОК-00-93, том 2; 953000 — книги, брошюры

Гигиенический сертификат
№ 77.ЦС.01.952.П.01659.Т.98. от 01.09.98 г.

ООО «Фирма «Издательство АСТ»
Лицензия 06 ИР 000048 № 03039 от 15.01.98.
366720, РФ, Республика Ингушетия,
г. Назрань, ул. Московская, 13а
Наши электронные адреса:
WWW.AST.RU
E-mail: AST@POSTMAN.RU

Отпечатано с готовых диапозитивов
в ордена Трудового Красного Знамени
ГУПП «Детская книга» Роскомпечати.
127018, Москва, Сущевский вал, 49.